Recettes du Sud

Édition originale

Cet ouvrage a été publié pour la première fois en 2007
sous le titre : *Easy Mediterranean* par Ryland Peters & Small Ltd,
20-21 Jockey's Fields, London WC1R 4BW

Textes © Maxine Clark, Clare Ferguson, Silvana Franco,
Brian Glover, Elsa Petersen-Schepelern, Louise Pickford,
Rena Salaman, Jennie Shapter, Sonia Stevenson, Linda Tubby,
Fran Warde, et Ryland Peters & Small 2007, 2009

Maquette et Photographies © Ryland Peters & Small 2007, 2009

Édition française

Direction éditoriale : Véronique de Finance-Cordonnier
Édition : Marion Pipart
Traduction : Hélène Tordo et Hélène Nicolas
Adaptation et mise en pages : Belle Page, Boulogne
Direction artistique : Emmanuel Chaspoul
Couverture : Véronique Laporte
Fabrication : Annie Botrel

© Larousse 2010, pour l'édition française
ISBN : 978-2-03-585177-2

Recettes du Sud

LAROUSSE

21 rue du Montparnasse 75283 Paris Cedex 06

SOMMAIRE

SOLEIL GOURMAND

Célébrée pour son franc soleil, son ciel bleu, ses plages de sable fin et son maquis odorant, la Méditerranée est aussi le berceau d'une culture culinaire riche et variée, à l'image de ses radieux paysages. De la bouillabaisse marseillaise aux souvlakis grecques, en passant par l'osso bucco italien ou les churros d'Espagne, chaque région possède ses propres spécialités qui sont le reflet d'un climat généreux et d'un savoir-vivre légendaire.

La cuisine méditerranéenne tire en effet profit de nombreux produits de qualité, offerts par une nature saturée de lumière : fruits de mer et poissons, légumes et fruits, épices et herbes aromatiques sont préparés avec créativité, mais aussi avec beaucoup de simplicité. Un plat de pâtes arrosé d'huile d'olive et parsemé de basilic prend ainsi des allures de festin. Cette cuisine saine, mitonnée avec des ingrédients frais et légers, se fait également l'écho d'un mode de vie où l'on prend le temps de déguster tapas espagnoles ou mezze libanais à l'heure de l'apéritif, ou de laisser lentement confire de belles têtes d'ail afin d'en préserver tous les arômes.

Recettes du Sud propose des mets ensoleillés et gourmands pour toutes les occasions : qu'il s'agisse de réunir des amis pour partager un savoureux dîner ou de concocter un tête-à-tête amoureux, vous y puiserez une foule d'idées, des amuse-bouches et des en-cas aux desserts et aux boissons, sans oublier les plats végétariens.

Amusez-vous à conjuguer les couleurs, les textures, les odeurs et les saveurs, et faites entrer le soleil dans votre cuisine !

MISES EN BOUCHE ET EN-CAS

Cette recette ancestrale à base de pois chiches, particulièrement répandue en Sicile et en Afrique du Nord, est très facile à réaliser. Les beignets se dégustent aussi bien en en-cas qu'avec du poisson ou de la viande ; ils peuvent également faire d'originaux canapés à garnir ou des chips délicieuses à tremper dans des sauces.

BEIGNETS DE POIS CHICHES

POUR **24 beignets**
PRÉPARATION : **20 min**
CUISSON : **de 12 à 16 min**

> 180 g de farine de pois chiches (dans les épiceries fines, les épiceries asiatiques et les boutiques diététiques, voir NOTES)
> 1 cuill. à café de fleur de sel
> 1 petit bouquet de persil plat (environ 30 g) haché
> 20 cl d'huile d'olive vierge extra

Tamisez la farine de pois chiches et la fleur de sel au-dessus d'une casserole à fond épais. Au fouet, incorporez 50 cl d'eau froide, de manière à obtenir une préparation lisse et mousseuse, puis ajoutez le persil plat. Portez à ébullition en continuant de battre pendant environ 2 minutes, jusqu'à ce que la pâte épaississe.

Laissez épaissir la pâte en fouettant constamment pendant encore 1 minute. Déposez-la rapidement sur une plaque de cuisson huilée de 30 cm x 40 cm et lissez-la à l'aide d'une spatule également badigeonnée d'huile, afin d'obtenir une couche de 1 cm d'épaisseur. Laissez-la reposer de 5 à 10 minutes.

Au couteau, découpez 12 carrés dans la couche de pâte, puis divisez chacun en deux afin d'obtenir 24 triangles.

Dans une sauteuse ou dans une friteuse, faites chauffer l'huile d'olive à 190 °C, puis plongez-y les triangles de pâte par six ou par huit, et faites-les frire 2 minutes de chaque côté, jusqu'à ce qu'ils gonflent et dorent. Égouttez-les sur du papier absorbant, puis servez-les chauds ou tièdes.

NOTES :
• Préparée à partir de pois rôtis, la farine de pois chiches, de couleur jaune pâle, est couramment utilisée dans la cuisine indienne, mais aussi d'Afrique du Nord et du Proche-Orient.
• Afin d'obtenir une pâte lisse, sans grumeaux, il est essentiel de respecter l'ordre des ingrédients.

Pour adoucir les olives en saumure, souvent très salées, cassez-les légèrement ou piquez-les à la fourchette, puis faites-les mariner dans une huile d'olive aromatisée. Comme les cuisinières marocaines, n'hésitez pas à combiner plusieurs ingrédients, afin de créer vos propres saveurs.

OLIVES NOIRES MARINÉES À LA MAROCAINE

POUR **1 bocal de 1,5 l**
PRÉPARATION : **20 min**
MARINADE : **au moins 7 j**

> 750 g d'olives noires en saumure
> 2 cuill. à soupe de graines de fenouil ou de cumin écrasées
> 1 cuill. à soupe de gousses vertes de cardamome écrasées
> 1 cuill. à soupe de petits piments rouges séchés
> 2 cuill. à soupe de piment de la Jamaïque écrasé
> 80 cl d'huile d'olive vierge extra
> 1 lanière de zeste d'orange de 20 cm de long écrasée
> 12 feuilles de laurier lavées, puis séchées et écrasées

Rincez les olives à l'eau froide, égouttez-les, puis séchez-les délicatement avec du papier absorbant.

Étalez les olives sur une planche à découper et écrasez-les délicatement d'un rouleau ou piquez-les à la fourchette.

Dans une poêle à feu moyen, faites légèrement torréfier les graines de fenouil ou de cumin, les gousses de cardamome, les piments rouges et les baies de piment de la Jamaïque, jusqu'à ce que les arômes se développent.

Dans une sauteuse, faites chauffer l'huile d'olive à 180 °C, puis laissez-la tiédir. À l'aide d'une cuillère stérilisée, déposez le zeste d'orange, les feuilles de laurier, les olives écrasées et les épices grillées dans un bocal stérilisé de 1,5 l (ou dans 3 bocaux de 50 cl chacun), en alternant les couches d'ingrédients. Couvrez le tout de l'huile d'olive tiédie, de manière à en remplir le récipient.

Une fois que le mélange a refroidi, fermez hermétiquement le bocal et laissez mariner les olives dans un endroit frais, à l'abri de la lumière, pendant au moins 1 semaine — les olives marinées se conservent bien et leur goût se bonifie au fil des mois.

Cette préparation relevée originaire du Moyen-Orient est très simple à réaliser. Délicieuse en garniture de pains pitas grillés, de beignets de pois chiches (voir p. 10) ou de falafels (voir p. 20), elle est aussi succulente pour accompagner des viandes ou des volailles grillées, notamment en brochettes. Avec des pois chiches secs, la saveur de noisette se révèle plus prononcée ; mais les pois chiches en conserve conviennent également.

HOUMOUS

POUR **6 personnes**
TREMPAGE : **12 h**
PRÉPARATION : **15 min**
CUISSON : **1 h**

> 180 g de pois chiches secs ou 800 g de pois chiches en conserve
> 2 cuill. à soupe de tahini (dans les épiceries orientales, voir NOTE)
> 2 gousses d'ail écrasées
> le jus fraîchement pressé de 1 ou 2 citrons
> 1 cuill. à soupe de cumin en poudre
> 3 cuill. à soupe d'huile d'olive vierge extra
> 1 cuill. à soupe de feuilles de coriandre fraîche finement hachées
> quelques pains pitas ou tranches de pain grillées
> sel et poivre du moulin

Si vous utilisez des pois chiches secs, mettez-les la veille dans un saladier, couvrez-les d'eau froide et laissez-les tremper pendant 1 nuit.

Le jour même, rincez les pois chiches, puis égouttez-les. Placez-les dans une casserole, couvrez-les d'eau, puis portez à ébullition tout en écumant le liquide de cuisson, afin que celui-ci reste clair. Fermez le couvercle et faites mijoter pendant 1 heure à feu doux, jusqu'à ce que les pois chiches soient cuits — vous pouvez également les faire cuire à la cocotte-minute pendant environ 20 minutes, à partir du moment où la soupape se met à chuchoter. Égouttez les pois chiches et réservez le jus de cuisson — si vous utilisez des pois chiches en conserve, égouttez-les soigneusement.

Dans le bol d'un robot, réunissez la moitié des pois chiches, du tahini, de l'ail, du jus de citron et du cumin avec 1 cuillerée à soupe d'huile d'olive et 15 cl du liquide de cuisson des pois chiches réservé — pour les pois chiches en conserve, ajoutez 4 cuillerées à soupe d'eau dans le bol du robot. Mixez brièvement le tout afin de préserver les textures, puis rectifiez l'assaisonnement, si nécessaire, et mixez pendant encore quelques secondes. Transvasez la pâte obtenue dans un bol, puis procédez de même avec l'autre moitié des ingrédients, 1 cuillerée à soupe d'huile d'olive et 15 cl du liquide de cuisson.

Versez le houmous dans un plat de service, puis arrosez-le de l'huile d'olive restante et parsemez-le de coriandre. Servez à température ambiante avec des pains pitas ou des tranches de pain grillées. En été, servez le houmous légèrement frais.

NOTE : le tahini est une pâte à base de graines de sésame moulues et d'huile d'olive. Très utilisé dans la cuisine orientale, ce condiment au goût de noisette parfume le houmous, accompagne les brochettes ou les salades, et même les gâteaux.

Ingrédient clé de nombreuses recettes méditerranéennes, l'aubergine s'accommode de maintes façons. Au Moyen-Orient, on la fait notamment griller au barbecue pour confectionner le *baba ghanoush*, sauce onctueuse que l'on sert chaude, tiède ou glacée pour accompagner du pain ou des chips. Ici, la recette a été simplifiée — les aubergines coupées en dés sont enduites d'huile et rôties au four —, mais elle est tout aussi excellente.

BABA GHANOUSH

POUR **4 à 8 personnes**
PRÉPARATION : **15 min**
CUISSON : **de 20 à 25 min**

> 2 aubergines (environ 500 g) coupées en dés de 2 cm de côté
> 10 cl d'huile d'olive vierge extra + 1 filet (facultatif)
> 4 cuill. à soupe de jus de citron fraîchement pressé
> 4 cuill. à soupe de tahini
> 3 ou 4 gousses d'ail écrasées
> 1 bouquet de persil frais haché
> 1 cuill. à café de fleur de sel
> un peu de yaourt (facultatif)
> 1 pain plat coupé en fines tranches
> quelques feuilles de laitue croquantes (facultatif)
> sel et poivre du moulin

Préchauffez le four à 200 °C (therm. 6-7).

Mettez les aubergines dans un saladier, arrosez-les d'un peu d'huile d'olive et remuez pour bien les enduire. Étalez-les sur une plaque de cuisson en une seule couche, puis enfournez-les et faites-les cuire de 20 à 25 minutes, jusqu'à ce qu'elles soient tendres et légèrement ridés.

Déposez les aubergines dans le bol d'un robot, ajoutez le reste de l'huile d'olive, le jus de citron, le tahini, l'ail, le persil et la fleur de sel, puis mixez grossièrement le tout de 35 à 45 secondes, de manière à obtenir un mélange grumeleux, mais onctueux. Rectifiez l'assaisonnement, si nécessaire.

Incorporez éventuellement un peu de yaourt ou 1 filet d'huile d'olive à la préparation. Servez le baba ghanoush tiède, frais ou glacé, accompagné de tranches de pain plat chaudes et, si vous le souhaitez, de feuilles de salade croquantes.

Toutes les familles égyptiennes conservent un bocal
de ce merveilleux mélange de graines et de fruits secs
dans le garde-manger pour le déguster en mezze,
en y trempant du pain plat imbibé d'huile d'olive.
Le *dukkah* est également excellent avec des gressins,
ou encore pour paner le poulet ou le poisson.

DUKKAH ÉGYPTIEN AUX FRUITS SECS

POUR **500 g environ**
PRÉPARATION : **15 min**
CUISSON : **10 min environ**

> 150 g de noisettes décortiquées
> 100 g d'amandes décortiquées
> 100 g de graines de sésame
(voir NOTE)
> 75 g de graines de coriandre
> 50 g de cumin en poudre
> 1 cuill. à café de fleur de sel
> 1/2 cuill. à café de poivre noir
fraîchement moulu
> un peu d'huile d'olive vierge extra
> quelques gressins ou 1 pain plat
coupé en fines tranches

Préchauffez le four à 200 °C (therm. 6-7).

Réunissez les noisettes, les amandes et les graines de sésame
dans un plat allant au four, puis enfournez-les et faites-les dorer
de 5 à 10 minutes, sans les laisser foncer. Sortez le plat du four,
versez les fruits secs et les graines sur une assiette et laissez-les
refroidir — s'ils restent tièdes, ils rendront de l'huile lorsque
vous les mixerez.

Dans une poêle, faites griller les graines de coriandre
1 ou 2 minutes pour libérer les arômes, puis ajoutez-les
au mélange de fruits secs et de graines. Mettez le cumin
dans la poêle, faites-le chauffer 30 secondes, puis versez-le
à son tour dans l'assiette. Laissez refroidir.

Mettez la préparation dans le bol d'un robot, ajoutez la fleur
de sel et le poivre noir moulu, puis mixez grossièrement,
sans trop insister, jusqu'à obtention d'une sorte de semoule,
et non d'une poudre. Versez celle-ci dans une coupelle, puis
servez-la accompagnée d'une autre coupelle emplie d'huile
d'olive, ainsi que de gressins ou de tranches de pain plat.

NOTE : les graines de sésame sont contenues dans
la fleur d'une plante. Une fois débarrassé de la capsule
qui l'enveloppe, le sésame brun ou noir devient blanc.
Sa saveur, qui rappelle celle de la noisette ou de l'amande,
se révèle lorsqu'on le fait griller, avant de le broyer pour
en faire de la pâte de sésame, ou d'en parsemer des plats
ou des desserts.

Au Liban, on déguste les falafels dans la rue, souvent dans un petit pain plat avec de la salade. Ces beignets aux fèves sont aussi parfaits pour une entrée, avec une sauce telle que le houmous (voir p. 14), ou en plat principal, avec du riz et une salade copieuse comme celle de frisée à l'orange et aux olives noires (voir p. 62), ou la salade grecque (voir p. 66).

FALAFELS

POUR **20 falafels environ**
TREMPAGE : **12 h**
PRÉPARATION : **30 min**
REPOS DE LA PÂTE : **1 h**
CUISSON : **15 min environ**

> 250 g de fèves, sans la peau
> 1 gros oignon (environ 400 g) grossièrement haché
> 2 gousses d'ail écrasées
> 1 cuill. à soupe de cumin en poudre
> 1 cuill. à soupe de graines de coriandre moulues
> 1 cuill. à café de piment de la Jamaïque en poudre
> 1 grosse pincée de piment de Cayenne
> 1 grosse pincée de levure chimique
> 200 g de persil frais grossièrement haché
> 1 bouquet de coriandre grossièrement haché
> un peu d'huile d'arachide ou de tournesol pour la friture

La veille, placez les fèves dans un saladier, couvrez-les d'eau froide et laissez-les tremper pendant 1 nuit.

Le jour même, égouttez les fèves, puis rincez-les et mettez-les dans le bol d'un robot. Ajoutez-y l'oignon, l'ail, le cumin, les graines de coriandre moulues, le piment de la Jamaïque, le piment de Cayenne et la levure, puis mixez le tout jusqu'à obtention d'une pâte presque lisse.

Ajoutez le persil et les feuilles de coriandre dans le bol, puis mixez pendant encore quelques secondes. Transvasez la pâte dans un saladier et laissez-la reposer pendant 1 heure.

Prélevez 1 cuillerée à soupe de pâte et façonnez-en un disque de 5 cm de diamètre. Renouvelez l'opération avec la pâte restante, jusqu'à obtention d'environ 20 pièces.

Dans une grande poêle antiadhésive, faites chauffer un fond de 1 cm d'huile, déposez-y un quart des disques de pâte en une seule couche, puis faites-les frire de chaque côté, jusqu'à ce que les falafels soient uniformément dorés. Retirez-les de la poêle à l'aide d'une écumoire et égouttez-les sur une assiette garnie de papier absorbant. Renouvelez l'opération à 3 reprises avec le reste des falafels. Servez chaud ou tiède, sans attendre.

En Italie, le mot *antipasti* désigne les petites mises en bouche que l'on déguste en début de repas. L'idéal est de conjuguer les couleurs, les textures et les saveurs, afin d'aiguiser le palais et de se mettre en appétit avant de poursuivre la dégustation.

TRIO D'ANTIPASTI MARINÉS

POUR **4 personnes**
MARINADE : **au moins 2 h**
PRÉPARATION : **45 min**
CUISSON : **5 min environ**
pour les aubergines
et les courgettes

Pour les bouchées de poivron
> 2 petits poivrons rouges
> 150 g de mozzarella
> 8 grandes feuilles de basilic frais
> 1 cuill. à soupe de pesto de Gênes (voir recette p. 180)
> un peu d'huile d'olive vierge extra
> sel et poivre du moulin

Pour les roulés d'aubergine
> 1 aubergine d'environ 200 g
> 15 cl d'huile d'olive
> 8 fines rondelles de salami
> 4 artichauts à l'huile égouttés, puis coupés en deux
> 2 cuill. à soupe de jus de citron fraîchement pressé
> 1 cuill. à soupe de câpres rincées, puis égouttées et hachées
> sel et poivre du moulin

Pour les lamelles de courgette
> 3 courgettes
> 10 cl d'huile d'olive
> 2 cuill. à soupe de jus de citron fraîchement pressé
> 1 cuill. à soupe de parmesan fraîchement râpé
> 2 anchois rincés, puis finement hachés

Préparez les bouchées de poivron. Préchauffez le gril du four. Enfournez les poivrons sur une plaque de cuisson et faites-les griller jusqu'à ce que la peau noircisse. Sortez-les du four, pelez-les, divisez-les en quatre dans la longueur, puis retirez les membranes et les pépins. Coupez la mozzarella en 8 tranches fines, puis placez-en une sur chaque morceau de poivron. Déposez une feuille de basilic par-dessus, assaisonnez, puis roulez les poivrons et maintenez-les à l'aide de petites piques en bois. Dans un saladier, mélangez le pesto avec un peu d'huile d'olive, de manière à obtenir une sauce liquide, puis ajoutez les bouchées de poivron et remuez pour bien les enduire. Couvrez-les de film alimentaire et laissez-les mariner pendant au moins 2 heures.

Préparez les roulés d'aubergine. Coupez l'aubergine en 8 tranches dans la longueur, puis enduisez celles-ci de 4 cuillerées à soupe d'huile d'olive. Faites chauffer un gril à feu vif, puis faites cuire l'aubergine 2 ou 3 minutes de chaque côté. Ôtez le gril du feu. Placez une rondelle de salami et un demi-artichaut sur chaque tranche, puis roulez et maintenez le tout à l'aide de petites piques en bois. Disposez les roulés dans un plat peu profond. Versez l'huile d'olive restante dans un bol, puis incorporez au fouet le jus de citron et les câpres. Salez et poivrez, puis arrosez les aubergines de cette sauce. Couvrez-les de film alimentaire et laissez-les mariner pendant au moins 2 heures.

Préparez les lamelles de courgette. Coupez les courgettes en tranches fines dans la longueur, badigeonnez celles-ci de 4 cuillerées à soupe d'huile d'olive. Faites chauffer un gril à feu vif, puis faites griller les courgettes 2 ou 3 minutes de chaque côté. Retirez-les du feu et déposez-les dans un plat peu profond. Dans un bol, battez au fouet l'huile d'olive restante avec le jus de citron, le parmesan et les anchois. Arrosez les courgettes de cette sauce, puis couvrez-les de film alimentaire et laissez-les mariner pendant au moins 2 heures.

Servez les trois antipasti ensemble.

Voici une recette qui permet de profiter durant toute l'année de la saveur des tomates gorgées de soleil. Si la préparation est rapide, il faut néanmoins prévoir un long temps de cuisson au four de manière à bien révéler tous les arômes. Sélectionnez des tomates mûres à point et goûteuses, comme les tomates olivettes ou les tomates grappe.

BRUSCHETTAS À LA TOMATE RÔTIE ET À LA RICOTTA SALÉE

POUR **4 personnes**
PRÉPARATION : **10 min**
CUISSON : **2 h environ**

> 8 grosses tomates olivettes ou tomates grappe bien mûres
> 2 gousses d'ail finement hachées
> 1 cuill. à soupe d'origan séché
> 4 cuill. à soupe d'huile d'olive vierge extra
> 50 g de ricotta salée râpée en copeaux ou de feta coupée en très fines tranches
> quelques feuilles de basilic (facultatif)
> sel et poivre du moulin

Pour les bruschettas
> 4 tranches épaisses de pain de campagne, de préférence au levain
> 2 gousses d'ail coupées en deux
> un peu d'huile d'olive vierge extra

Préchauffez le four à 170 °C (therm. 5-6).

Si vous utilisez des tomates olivettes, coupez-les en deux dans la longueur ; si vous optez pour une variété de tomates rondes, coupez celles-ci en deux dans l'épaisseur. Disposez les demi-tomates, côté coupé en dessus, sur une plaque de cuisson garnie de papier sulfurisé.

Dans un bol, réunissez l'ail, l'origan et l'huile d'olive, puis salez et poivrez. Arrosez les tomates de cette sauce, puis enfournez-les pour environ 2 heures, jusqu'à ce qu'elles rétrécissent légèrement — veillez à ce qu'elles conservent une belle teinte rouge, sinon elles deviendront amères. Sortez-les du four et laissez-les refroidir.

Préparez les bruschettas. Faites dorer les tranches de pain sur les 2 faces, au gril, au grille-pain ou au four. Disposez-les sur un plat de service, puis frottez-les d'ail et arrosez-les d'huile d'olive.

Posez 2 demi-tomates sur chaque tranche de pain. Garnissez les bruschettas d'un peu de ricotta ou de feta, décorez-les éventuellement de feuilles de basilic, puis servez-les à température ambiante.

Le mariage des haricots crémeux et de la tapenade salée compose de sublimes bouchées, à déguster sur du pain croustillant. Les haricots blancs forment un beau contraste avec la tapenade noire, mais tous les types de haricot peuvent également convenir. Vous pouvez aussi hacher quelques olives noires ou du bacon grillé, et en parsemer la purée de haricot pour apporter à ces canapés une touche croquante.

CROSTINI DE HARICOTS BLANCS ET D'OLIVES NOIRES

POUR **6 à 8 personnes**
PRÉPARATION : **20 min**
CUISSON : **15 min environ**

> 1 baguette coupée en fines rondelles, en diagonale
> un peu d'huile d'olive vierge extra
> un peu de persil frais haché

Pour la tapenade

> 180 g d'olives noires de Kalamata ou de grosses olives noires dénoyautées (voir NOTE)
> 2 gousses d'ail
> 3 anchois en conserve, égouttés
> 2 cuill. à café de câpres égouttées
> 3 cuill. à soupe d'huile d'olive vierge extra

Pour la purée de haricot

> 2 cuill. à soupe d'huile d'olive
> 2 gousses d'ail finement hachées
> 1 cuill. à café de romarin frais finement haché
> 1 petit piment rouge épépiné et finement haché
> 400 g de haricots blancs cannellini ou de haricots blancs en conserve, rincés, puis égouttés
> sel et poivre du moulin

Préparez la tapenade. Dans le bol d'un robot, réunissez les olives, l'ail, les anchois et les câpres avec 1 cuillerée à soupe d'huile d'olive, puis mixez le tout en une pâte lisse. Versez la tapenade dans un bocal, ajoutez l'huile d'olive restante et réservez.

Préchauffez le four à 190 °C (therm. 6-7).

Enduisez d'huile d'olive les 2 faces de chaque rondelle de pain, puis étalez celles-ci sur une plaque de cuisson. Enfournez-les et faites-les cuire de 5 à 10 minutes, jusqu'à ce qu'elles soient dorées et croquantes.

Pendant ce temps, préparez la purée de haricot. Dans une petite poêle, faites chauffer l'huile d'olive, puis faites dorer l'ail 2 minutes, sans le laisser brunir. Incorporez le romarin et le piment. Ôtez la poêle du feu, puis ajoutez les haricots blancs et 3 cuillerées à soupe d'eau. À la fourchette, écrasez grossièrement les haricots, de manière à obtenir une purée épaisse. Remettez la préparation à chauffer à feu doux, en remuant, et rectifiez l'assaisonnement, si nécessaire.

Étalez une couche de tapenade sur les rondelles de pain grillées, puis garnissez de 1 cuillerée à soupe de purée de haricot. Parsemez les crostini de persil et servez-les immédiatement.

NOTE : les olives noires de Kalamata sont des olives de table au vinaigre de vin, produites en Grèce.

Il existe des dizaines de variantes de cette succulente recette d'origine sicilienne. Généralement servie en entrée, à température ambiante, elle est meilleure lorsqu'on la laisse macérer un peu : préparez-en donc une grande quantité que vous conserverez au réfrigérateur !

CAPONATA

POUR **6 à 8 personnes**
ÉGOUTTAGE : **10 min**
PRÉPARATION : **30 min**
CUISSON : **25 min environ**

> 1 aubergine d'environ 300 g coupée en dés de 1 cm de côté
> 1 cuill. à soupe de sel
> 4 cuill. à soupe d'huile d'olive vierge extra
> 2 oignons rouges coupés en huit chacun
> 4 gousses d'ail hachées
> 100 g d'olives vertes déshydratées
> 75 g d'olives noires déshydratées
> 50 g de câpres au sel
> 2 cuill. à café d'herbes fraîches finement hachées (origan, marjolaine ou thym) + quelques feuilles entières
> 3 tomates (environ 300 g) coupées en huit chacune
> 2 petites courgettes (environ 200 g) émincées en diagonale
> 2 cuill. à soupe de concentré de tomate
> 2 cuill. à café de sucre en poudre
> 15 cl de bouillon de volaille ou de bouillon de légumes, ou d'eau

Placez les dés d'aubergine dans une passoire, saupoudrez-les de sel et laissez-les égoutter pendant 10 minutes. Séchez-les avec du papier absorbant.

Dans une grande sauteuse à fond épais, faites chauffer l'huile d'olive, puis faites cuire les oignons, l'ail, les olives et les câpres 2 ou 3 minutes à feu vif, en remuant. Ajoutez les dés d'aubergine et prolongez la cuisson 8 minutes pour les attendrir. Transposez la préparation dans un plat à l'aide d'une écumoire, puis réservez.

Dans la sauteuse, réunissez les herbes, les tomates, les courgettes, le concentré de tomate, le sucre en poudre et le bouillon ou l'eau, puis remuez délicatement le tout. Portez à ébullition, puis baissez le feu et faites mijoter 8 minutes. Remettez la préparation à base d'aubergine dans la sauteuse et laissez frémir encore quelques secondes, pour que les arômes se développent pleinement – veillez à ce que les morceaux de légumes restent entiers.

Placez le fond de la sauteuse dans un grand saladier empli d'eau froide afin de faire rapidement tiédir la caponata.

Versez la caponata dans un saladier et garnissez-la de feuilles d'origan, de marjolaine ou de thym. Dégustez-la chaude, tiède ou froide, mais jamais glacée.

Il existe de nombreuses versions de cette recette, mais, lorsque celle-ci est servie en apéritif, la farce se compose généralement d'un simple mélange de riz, d'oignon et d'herbes. Servez les feuilles de vigne avec des olives noires marinées à la marocaine (voir p. 12) et des pâtés de viande épicés (voir p. 38), de manière à proposer un copieux assortiment d'amuse-bouches.

FEUILLES DE VIGNE FARCIES

POUR **50 feuilles de vigne**
PRÉPARATION : **1 h 30**
CUISSON : **50 min**

> 60 à 65 feuilles de vigne fraîches ou 225 g de feuilles de vigne en conserve (dans les épiceries orientales)
> 4 cuill. à soupe d'huile d'olive vierge extra
> le jus fraîchement pressé de 1/2 citron

Pour la farce

> le jus fraîchement pressé de 1/2 citron
> 150 g de riz à grains longs rincé
> 2 gros oignons finement hachés
> 5 oignons nouveaux finement émincés
> 4 cuill. à soupe d'aneth frais finement haché
> 2 cuill. à soupe de menthe fraîche finement hachée
> 2 cuill. à soupe de persil plat finement haché
> 5 cuill. à soupe d'huile d'olive vierge extra
> sel et poivre du moulin

Faites blanchir les trois quarts des feuilles de vigne fraîches en les plongeant par cinq ou six dans une grande casserole emplie d'eau bouillante pendant 1 ou 2 minutes, jusqu'à ce qu'elles soient tendres, sans les cuire. Retirez les feuilles à l'aide d'une écumoire et égouttez-les dans une passoire. Si vous utilisez des feuilles en conserve, rincez-les soigneusement, puis faites-les tremper de 3 à 5 minutes dans un saladier empli d'eau chaude. Égouttez-les, puis rincez-les et égouttez-les de nouveau dans une passoire.

Préparez la farce. Dans un grand saladier, mélangez le jus de citron, le riz, les oignons, les oignons nouveaux, l'aneth, la menthe, le persil plat et l'huile d'olive, puis assaisonnez et remuez soigneusement le tout.

Étalez délicatement une des feuilles de vigne préparées précédemment, côté nervuré en dessus, sur une planche à découper. Garnissez-la de 1 cuillerée à café bombée de la farce, puis rabattez les bords vers le centre et roulez-la, en la maintenant fermement. Renouvelez l'opération avec le reste des feuilles de vigne et de la farce.

Tapissez le fond d'une grande sauteuse de 4 ou 5 feuilles de vigne blanchies, puis disposez-y les farcis en cercles, côté soudure en dessous, en les serrant bien les uns contre les autres. Arrosez-les d'huile d'olive et de jus de citron, puis couvrez-les d'une assiette à l'envers, afin qu'ils ne se délitent pas durant la cuisson. Versez 50 cl d'eau chaude dans la sauteuse, puis fermez le couvercle et laissez mijoter pendant 50 minutes à feu doux.

Servez les feuilles de vigne farcies chaudes ou à température ambiante, sur un plat de service garni des feuilles de vigne fraîches restantes.

En Espagne, ces crevettes sont souvent consommées en tapas, parmi un assortiment de hors-d'œuvre ou d'amuse-bouches, pour accompagner un verre de vin ou de xérès fino frappé, à l'heure de l'apéritif. Elles sont traditionnellement servies bouillantes, dans des cocottes en terre, les *cazuelas*, avec de l'aïoli.

CREVETTES À L'AÏOLI

POUR **4 personnes**
REPOS : **30 min**
PRÉPARATION : **40 min**
CUISSON : **10 min environ**

> 48 petites crevettes ou bouquets (environ 600 g) décortiqués et déveinés, avec l'extrémité de la queue intacte
> 4 cuill. à soupe d'huile d'olive vierge extra
> 8 gousses d'ail écrasées
> 6 petits piments séchés
> 8 petites feuilles de laurier
> le jus fraîchement pressé de 1/2 citron
> 1/2 citron coupé en fines tranches
> sel et poivre du moulin

Pour l'aïoli
> 5 gousses d'ail finement hachées
> 1 grosse pincée de sel
> 10 cl d'huile d'olive vierge extra
> 2 cuill. à café de jus de citron fraîchement pressé
> 1 pincée de poivre blanc moulu
> 10 cl d'huile de tournesol

Préparez l'aïoli. Dans un mortier, pilez l'ail avec le sel jusqu'à obtention d'une pâte lisse et onctueuse. En continuant de travailler au pilon, incorporez l'huile d'olive en filet comme pour monter une mayonnaise. Ajoutez à l'aide d'un fouet le jus de citron, le poivre blanc moulu et la moitié de l'huile de tournesol en filet. Arrosez la préparation de 1 ou 2 cuillerées à soupe d'eau froide, puis continuez d'incorporer le reste de l'huile de tournesol au fouet, jusqu'à ce que le mélange épaississe. Laissez-le reposer pendant au moins 30 minutes, puis assaisonnez-le selon votre goût.

Étalez les crevettes dans un plat et saupoudrez-les légèrement de sel. Dans une poêle, faites chauffer l'huile d'olive, puis faites revenir l'ail. Ajoutez les piments, les feuilles de laurier et les crevettes en une fois, puis laissez dorer celles-ci 3 ou 4 minutes, sans remuer, mais en les retournant à mi-cuisson, jusqu'à ce qu'elles se recourbent et soient croquantes.

Disposez les crevettes dans de petits plats en terre préalablement chauffés. Arrosez-les de jus de citron, puis garnissez-les de 1 cuillerée à soupe d'aïoli et de tranches de citron. Servez très chaud.

Il existe en Italie de nombreuses manières d'accommoder les palourdes (*vongole*), mais celles-ci sont toujours cuisinées assez simplement afin de préserver leur saveur. Si les classiques pâtes à la tomate et aux coques (voir p. 186) restent les plus réputées, cette variante se révèle idéale en entrée, servie avec un pain ciabatta moelleux pour saucer le jus.

PALOURDES À LA SAUCE AU PERSIL ET AU PIMENT

POUR **4 à 6 personnes**
PRÉPARATION : **20 min**
CUISSON : **10 min environ**

> 1 kg de petites palourdes brossées, rincées, puis égouttées (voir NOTES)
> 4 cuill. à soupe d'huile d'olive vierge extra
> 1 cuill. à café de piment en poudre
> 4 gousses d'ail finement hachées
> 1 oignon finement haché
> 10 cl de vermouth blanc sec ou doux (voir NOTES)
> un peu de poivre noir concassé
> 1 bouquet de persil plat haché + quelques feuilles entières

Réunissez les palourdes, l'huile d'olive, le piment, l'ail, l'oignon, le vermouth et le poivre noir concassé dans une cocotte. Portez à ébullition, couvrez, puis baissez le feu et laissez étuver 4 ou 5 minutes, jusqu'à ce que les coquilles s'ouvrent.

Ajoutez le persil plat haché, puis éteignez le feu et laissez étuver pendant encore 1 minute à couvert. Garnissez les palourdes de feuilles de persil plat, puis servez chaud.

NOTES :

• À défaut de palourdes fraîches, certaines épiceries italiennes proposent des palourdes en conserve. Égouttez-en le jus dans la cocotte, puis mettez-y tous les autres ingrédients, à l'exception des palourdes. Portez le mélange à ébullition, puis laissez-le frémir et faites-le réduire, de manière à obtenir environ 25 cl de liquide. Ajoutez les palourdes égouttées, prolongez la cuisson 2 minutes, puis servez sans attendre.
• Le vermouth est un apéritif à base de vin, d'écorces d'orange et d'épices, qui s'emploie en cuisine pour relever des farces, déglacer une volaille, des crustacés ou des poissons.

Le secret de cette recette fondante réside
dans la qualité des ingrédients employés.
Vous pouvez remplacer le thon, qu'il sera de plus
en plus difficile de se procurer, par de l'espadon
ou tout autre poisson à chair dense.

CARPACCIO DE THON FRAIS

POUR **4 personnes**
PRÉPARATION : **10 min**
CONGÉLATION : **1 h environ**

> 1 filet de thon de 250 g prélevé
dans la queue du poisson
> 125 g de roquette
> un peu de parmesan
râpé en copeaux
> quelques fleurs comestibles

Pour la sauce
> le jus fraîchement pressé
de 3 citrons
> 15 cl d'huile d'olive vierge extra
> 1 gousse d'ail finement hachée
> 1 cuill. à soupe de câpres au sel
rincées, puis hachées
> 1 pincée de piment en poudre
> sel et poivre du moulin

Parez le thon en retirant les membranes, les cartilages
et les éventuelles arêtes. Enveloppez fermement le filet de film
alimentaire et placez-le pendant environ 1 heure au congélateur,
afin de le raffermir, mais sans le congeler.

Pendant ce temps, préparez la sauce. Dans un bol, mélangez
le jus de citron, l'huile d'olive, l'ail, les câpres et le piment,
assaisonnez, puis émulsionnez le tout au fouet.

Sortez le thon du congélateur et retirez le film alimentaire.
Coupez le filet en tranches très fines à l'aide d'un couteau
à lame lisse, puis étalez celles-ci sur des assiettes de service
individuelles. Arrosez-les de la sauce, garnissez-les d'un peu
de feuilles de roquette, de parmesan et de quelques fleurs
comestibles, puis servez.

En Grèce, ces petits pâtés gorgés de saveurs aigres-douces sont souvent consommés en mezze, à l'apéritif. Ils sont traditionnellement servis frits, mais ils peuvent aussi parfois être cuits au four.

PÂTÉS DE VIANDE ÉPICÉS

POUR **30 pâtés environ**
REPOS DE LA PÂTE : **30 min**
PRÉPARATION : **35 min environ**
CUISSON : **55 min environ**

> 3 ou 4 cuill. à soupe d'huile d'olive vierge extra
> 1 gros oignon finement haché
> 200 g d'agneau maigre haché
> 1 cuill. à café de piment de la Jamaïque en poudre
> 1 cuill. à café de cumin en poudre
> 1 grosse pincée de cannelle en poudre
> le jus fraîchement pressé de 1 citron
> 3 cuill. à soupe de raisins de Corinthe rincés
> 15 cl d'eau chaude
> 3 cuill. à soupe de feuilles de menthe fraîche finement hachées
> 2 cuill. à soupe de pignons grillés
> sel et poivre du moulin

Pour la pâte
> 180 g de farine
> 1/2 cuill. à café de sel
> 2 cuill. à soupe d'huile d'olive vierge extra
> 1 jaune d'œuf légèrement battu

Préparez la pâte. Tamisez la farine et le sel au-dessus d'un saladier, puis creusez un puits au centre. Versez-y l'huile d'olive, puis pétrissez le mélange du bout des doigts. Ajoutez 6 à 8 cuillerées à soupe d'eau et pétrissez de nouveau, de manière à obtenir une boule de pâte souple et homogène. Couvrez celle-ci de film alimentaire et laissez-la reposer pendant 30 minutes.

Dans une casserole, faites chauffer l'huile d'olive, puis faites revenir l'oignon environ 10 minutes, jusqu'à ce qu'il soit doré. Augmentez le feu, puis ajoutez l'agneau et faites-le cuire en remuant, afin de bien émietter la viande, jusqu'à ce qu'elle se mette à grésiller. Incorporez le piment de la Jamaïque, le cumin, la cannelle, puis assaisonnez et laissez dorer 2 ou 3 minutes. Versez le jus de citron, les raisins et 10 cl d'eau chaude, puis couvrez et faites mijoter pendant 20 minutes, jusqu'à ce que le mélange ait bien réduit. Ajoutez la menthe et les pignons, remuez, puis réservez.

Préchauffez le four à 200 °C (therm. 6-7).

Divisez la boule de pâte en deux. Sur le plan de travail légèrement fariné, abaissez la moitié de la pâte à une épaisseur d'environ 3 mm, puis, à l'aide d'un emporte-pièce de 8 cm de diamètre, découpez-y des disques. Rassemblez les chutes et incorporez-les à la seconde moitié de la pâte. Pétrissez celle-ci en une boule souple, couvrez-la de film alimentaire et laissez-la reposer.

Déposez 1 cuillerée à café de farce au centre de chaque disque de pâte, humidifiez les bords, puis rabattez-les par-dessus la garniture, de manière à former un croissant. Pressez fermement les bords pour les sceller, puis disposez les petits pâtés ainsi obtenus sur une plaque de cuisson huilée. Renouvelez l'ensemble de l'opération avec l'autre moitié de la pâte et la farce restante, jusqu'à obtention d'environ 30 croissants.

Badigeonnez le dessus des pâtés de jaune d'œuf battu, puis enfournez-les et faites-les cuire de 10 à 12 minutes, jusqu'à ce qu'ils soient dorés.

Le bœuf maigre, séché à l'air et salé, que l'on prépare en Italie sous le nom de *bresaola*, est particulièrement parfumé. Il vaut mieux l'acheter à la coupe, en tranches ultra-fines ; ainsi la texture fondante de la viande se marie parfaitement à la saveur légèrement piquante du parmesan, le tout étant mis en valeur très simplement avec un trait d'huile d'olive de la meilleure qualité.

BRESAOLA ET ROQUETTE À L'HUILE D'OLIVE ET AU PARMESAN

POUR **4 personnes**
PRÉPARATION : **5 min**

> 12 à 16 tranches fines de bresaola
> 50 g de parmesan
> 1 grosse poignée de roquette
> 4 à 6 cuill. à café d'huile d'olive vierge extra

Disposez la bresaola sur 4 assiettes de service individuelles.

À l'aide d'un couteau Économe, prélevez de fins copeaux de parmesan et parsemez-en la bresaola.

Garnissez les assiettes de feuilles de roquette, arrosez le tout d'huile d'olive et servez immédiatement.

Ces délicieux beignets se dégustent très chauds avec du gros sel dans les *tascas* ou bars à tapas espagnols, parmi la multitude d'autres petits plats accompagnant l'apéritif. Le mot *tapas* (« couvercle ») désignait à l'origine la tranche de pain que l'on posait sur son verre de vin pour protéger celui-ci des mouches.

TAPAS DE POMME DE TERRE AU CHORIZO

POUR **24 tapas environ**
PRÉPARATION : **20 min**
CUISSON : **12 min environ**

> **500 g de pommes de terre** épluchées et coupées en épais bâtonnets dans la longueur
> **1 cuill. à soupe de farine** autolevante
> **2 gros œufs**, blancs et jaunes séparés + **1 blanc d'œuf**
> **100 g de chorizo**, sans la peau, coupé en très petits dés
> un peu **d'huile d'olive** ou **de tournesol** pour la friture
> **poivre du moulin**

Faites cuire les pommes de terre dans une casserole emplie d'eau bouillante, jusqu'à ce qu'elles soient tendres. Égouttez-les dans une passoire, couvrez-les d'un torchon et laissez-les se dessécher pendant 5 minutes. Placez-les dans un saladier, puis écrasez-les en incorporant la farine et 1 pincée de poivre. Incorporez les jaunes d'œufs, puis le chorizo.

Dans un autre saladier, fouettez les 3 blancs d'œufs en une neige ferme, puis incorporez progressivement la purée de pomme de terre, cuillerée par cuillerée.

Préchauffez le four à 180 °C (therm. 6).

Emplissez une friteuse au tiers d'huile et faites chauffer celle-ci à 180 °C. Prélevez 5 ou 6 cuillerées à café bombées de la préparation à base de pomme de terre, plongez-les dans l'huile et faites frire les beignets 3 minutes, jusqu'à ce qu'ils soient dorés — veillez à ce que ceux-ci ne se colorent pas trop vite, sinon ils perdront de leur fondant. Renouvelez l'opération avec le reste de la pomme de terre au chorizo, de manière à obtenir environ 24 beignets. Égouttez ceux-ci au fur et à mesure sur du papier absorbant, puis maintenez-les au chaud en les disposant sur une plaque de cuisson, à l'intérieur du four. Servez très chaud avec des piques en bois.

Plusieurs régions du sud-ouest de la France
ou d'Espagne revendiquent la paternité de la piperade.
Dans tous les cas, elle comporte des poivrons, de l'ail,
des tomates, du jambon et des œufs, de même
qu'une huile d'olive de première qualité. Pour préparer
une variante plus épicée, émiettez un peu de piment
sur la piperade en fin de cuisson.

PIPERADE

POUR **6 à 8 personnes**
PRÉPARATION : **25 min**
CUISSON : **de 20 à 25 min**

> 4 cuill. à soupe d'huile d'olive
vierge extra
> 1 gros oignon rouge
émincé en rondelles
> 3 gousses d'ail émincées
> 2 poivrons rouges coupés en deux,
épépinés et émincés
> 2 poivrons jaunes coupés en deux,
épépinés et émincés
> 2 tomates bien mûres
pelées et émincées
> 6 œufs
> 4 tranches fines de jambon
serrano ou de Parme (voir NOTES)
> 1 piment rouge séché, émietté
(facultatif)
> sel et poivre du moulin

Dans une poêle à fond épais, faites chauffer 3 cuillerées à soupe
d'huile d'olive, puis faites suer l'oignon et l'ail à feu moyen, sans
les laisser colorer. Ajoutez les poivrons et les tomates, couvrez,
puis baissez le feu et laissez cuire de 8 à 12 minutes, jusqu'à
ce que le mélange forme une purée épaisse. Salez et poivrez.

Dans une jatte, fouettez les œufs à la fourchette avec un peu
de sel et de poivre. À l'aide d'une spatule, dégagez un espace
au centre de la poêle contenant les légumes, versez-y l'huile
d'olive restante, puis ajoutez les œufs battus. Remuez le tout,
puis laissez chauffer quelques minutes à feu moyen, jusqu'à
ce que les œufs commencent à prendre. Retirez la poêle du feu.

Disposez les tranches de jambon en chiffonnade sur le bord
de la poêle, émiettez, si vous le souhaitez, un peu de piment
séché sur la piperade, puis servez celle-ci sans attendre,
directement dans la poêle.

NOTES :

• Le jambon serrano est un jambon cru fabriqué en Espagne.
Le mot « serrano » vient de *sierra*, qui signifie « montagnes ».
C'est dans les sierras espagnoles que sont élevés les porcs
destinés à la production de ce jambon.
• On accompagne souvent la piperade de morceaux de pain
frits dans de l'huile d'olive.

Les omelettes italiennes (*frittatas*) sont préparées de manière à rester relativement baveuse au centre, et elles ne sont généralement retournées qu'une fois, en fin de cuisson. Certaines recettes conseillent cependant d'en faire dorer le dessus sous le gril du four. La frittata est aussi excellente froide, par exemple coupée en carrés pour l'apéritif.

FRITTATA ITALIENNE AU POIVRON GRILLÉ

POUR **2 ou 3 personnes**
PRÉPARATION : **20 min**
CUISSON : **15 min**

> 1 petit poivron rouge coupé en quatre et épépiné
> 1 petit poivron jaune coupé en quatre et épépiné
> 1 petit poivron vert coupé en quatre et épépiné
> 2 cuill. à soupe de ricotta ou de mascarpone
> 6 gros œufs
> 2 cuill. à soupe de feuilles de thym frais
> 2 cuill. à soupe d'huile d'olive vierge extra ou d'huile de tournesol
> 1 gros oignon rouge émincé
> 1 cuill. à soupe de vinaigre balsamique
> 2 gousses d'ail écrasées
> sel et poivre du moulin

Préchauffez le gril du four. Enfournez les poivrons sur une plaque de cuisson, côté peau en dessus, et faites-les griller, jusqu'à ce que la peau noircisse. Mettez-les dans un saladier et laissez-les refroidir, de manière que celle-ci se détache facilement.

Dans un autre saladier, fouettez la ricotta ou le mascarpone avec 1 œuf, jusqu'à obtention d'un mélange homogène, puis incorporez les autres œufs, en continuant de battre à la fourchette. Salez et poivrez, puis ajoutez le thym et remuez de nouveau.

Pelez les poivrons, rincez-les à l'eau froide, puis épépinez-les. Essuyez-les avec du papier absorbant et coupez-les en lanières, puis incorporez celles-ci au mélange à base d'œufs.

Dans une poêle, faites chauffer la moitié de l'huile d'olive, ajoutez l'oignon et le vinaigre balsamique, puis faites frémir 10 minutes à feu doux, jusqu'à ce que l'oignon soit tendre. Ajoutez l'ail et laissez frémir encore 1 minute.

À l'aide d'une écumoire, transvasez l'oignon et l'ail cuits dans le saladier, puis remuez vigoureusement pour bien les incorporer à la préparation. Faites chauffer le reste de l'huile d'olive dans la poêle, puis versez-y le mélange à base d'œufs en une fois et faites cuire la frittata à feu doux, jusqu'à ce qu'elle soit gonflée, mais en veillant à ce que le cœur reste baveux.

Pour finir, enfournez la frittata sous le gril ou retournez-la dans la poêle, en vous aidant d'une grande assiette, et faites-la dorer de 30 secondes à 1 minute. Faites glisser la frittata dans un plat de service, coupez-la en quartiers et servez-la chaude ou tiède.

SOUPES
ET SALADES

À l'origine, cette soupe froide à la tomate rassemblait les trois ingrédients symboliques de l'Espagne rurale : le pain, l'eau et l'huile. On y ajoutait les denrées qui étaient disponibles, et d'innombrables variantes ont ainsi peu à peu vu le jour. Avant de le mettre au réfrigérateur, transvasez le gaspacho dans un récipient fermé afin d'en préserver tous les arômes.

GASPACHO

POUR 6 personnes
PRÉPARATION : 30 min
RÉFRIGÉRATION : 2 h

> 1 gros oignon rouge finement haché
> 1 ½ cuill. à café de sucre en poudre
> 4 cuill. à soupe de vinaigre de vin blanc
> 1 gros poivron rouge
> 1 gros poivron vert
> 1 morceau de concombre de 5 cm de long non pelé, finement haché + 1 morceau de 12 cm de long pelé et grossièrement haché
> quelques croûtons de pain dorés dans l'huile d'olive parfumée à l'ail
> 2 tomates bien mûres finement hachées + 2,5 kg de tomates très mûres pelées
> 3 tranches de pain de campagne, avec la croûte (environ 100 g)
> 3 gousses d'ail écrasées
> 6 cuill. à soupe d'huile d'olive vierge extra
> un peu de fleur de sel
> 1 trait de sauce pimentée (facultatif)
> quelques cubes de glace

Dans un bol, réunissez un quart de l'oignon avec 1 pincée de sucre en poudre, 1 trait de vinaigre et 3 cuillerées à soupe d'eau froide, puis laissez macérer.

Pelez les poivrons rouge et vert à l'aide d'un couteau Économe, puis hachez-les grossièrement. Disposez dans des coupelles le quart des poivrons hachés, le concombre non pelé, les croûtons et les tomates hachées, puis réservez le tout au réfrigérateur.

Dans un saladier, réunissez les tranches de pain, l'ail et le sucre en poudre restant, arrosez-les du reste de vinaigre et de 25 cl d'eau froide, puis laissez macérer.

Coupez les tomates pelées en deux et retirez la partie dure. Déposez les demi-tomates dans une passoire placée au-dessus d'un saladier et recueillez-en le jus, en les pressant avec le dos d'une louche. Jetez les pépins et versez le jus dans le bol d'un robot. Ajoutez le pain avec son liquide de macération et la moitié de la pulpe de tomate écrasée, puis mixez jusqu'à obtention d'une soupe lisse. Transvasez celle-ci dans une soupière.

Mettez le reste de la pulpe de tomate écrasée et de l'oignon dans le bol du robot avec 10 cl d'eau glacée, puis mixez brièvement à 8 reprises. Versez ce mélange dans la soupière. De la même manière, mixez ensemble le reste des poivrons hachés, le concombre pelé, l'huile d'olive, la fleur de sel et 15 cl d'eau, puis incorporez ce mélange au contenu de la soupière. Ajoutez, si vous le souhaitez, un peu de sauce pimentée, puis laissez reposer la soupe au réfrigérateur pendant 2 heures.

Déposez quelques cubes de glace dans le gaspacho, puis servez celui-ci dans la soupière ou dans des bols individuels, accompagné de l'oignon, du poivron, du concombre, des tomates hachées et des croûtons.

Considérée comme un ingrédient délicat, l'asperge est le plus souvent préparée très simplement, de manière à préserver son goût subtil. Dans de nombreuses régions de France et d'Espagne, elle est dégustée cuite à la vapeur avec une vinaigrette. Voici une manière de varier la préparation de ce délicieux légume, sans rien enlever à sa saveur.

CRÈME D'ASPERGE

POUR **4 personnes**
PRÉPARATION : **15 min**
CUISSON : **25 min environ**

> 750 g d'asperges
> 3 cuill. à soupe d'huile d'olive vierge extra
> 1 cuill. à soupe de beurre
> 2 poireaux soigneusement lavés et émincés
> 1 oignon finement haché
> 1 l de bouillon de volaille
> un peu de noix de muscade fraîchement râpée
> 15 cl de crème fraîche épaisse
> sel et poivre du moulin

Coupez les pointes de 8 asperges et réservez-les. Détaillez les autres asperges en tronçons de 2 cm de long.

Dans une casserole à feu doux, faites chauffer l'huile d'olive et le beurre, puis faites suer les poireaux et l'oignon 10 minutes à couvert. Ajoutez les tronçons d'asperge, le bouillon de volaille et 1 pincée de noix de muscade, salez, poivrez, puis laissez mijoter 10 minutes.

Transvasez le mélange dans le bol d'un robot et mixez-le en une purée lisse. Filtrez la purée ainsi obtenue dans une passoire placée au-dessus d'un saladier, en la pressant du dos d'une louche — vous pouvez également utiliser un moulin à légumes. Incorporez les deux tiers de la crème fraîche à la préparation, puis remettez celle-ci dans la casserole afin de la maintenir au chaud à feu doux, sans la laisser bouillir, jusqu'au moment de servir.

Plongez les 8 pointes d'asperges dans une casserole emplie d'eau bouillante pour les attendrir. À la louche, versez la soupe dans des bols individuels, garnissez d'une volute de crème et de pointes d'asperges, saupoudrez d'un peu de noix de muscade, puis servez immédiatement.

Version provençale du pesto italien, le pistou
ne comporte que du basilic frais et de l'ail pilés
(pas de pignons ni de fromage) avec de l'huile d'olive.
Voici une variante simplifiée de la soupe au pistou
traditionnelle, que vous pourrez encore adapter
en fonction de vos goûts ou de la saison.

SOUPE AU PISTOU

POUR **4 personnes**
PRÉPARATION : **30 min**
CUISSON : **40 min environ**

> 4 cuill. à soupe d'huile d'olive
vierge extra
> 1 oignon rouge coupé en quartiers
> 1 grosse pomme de terre
coupée en dés de 1 cm de côté
> 1 poignée de petites pâtes
(environ 125 g de vermicelles
ou d'orecchiette)
> 4 petites carottes coupées
en deux ou en quatre
dans la longueur
> 250 g de choux de Bruxelles
coupés en deux
ou de petites courgettes
détaillées en rondelles
> 1 poivron rouge
épépiné et émincé
> 250 g de petits pois écossés
> 1 l de bouillon de volaille
ou de bouillon de légumes
> 250 g de haricots blancs cannellini
ou de haricots blancs en conserve,
rincés, puis égouttés
> sel et poivre du moulin

Pour le pistou
> 2 gousses d'ail écrasées
> 1 gros bouquet de basilic
> un peu d'huile d'olive

Préparez le pistou. À l'aide d'un robot ou dans un mortier, pilez l'ail avec le basilic aussi finement que possible, puis ajoutez l'huile d'olive en filet, en continuant de travailler le mélange, de manière à obtenir une pâte assez onctueuse. Réservez.

Faites chauffer l'huile d'olive dans une petite poêle, puis faites suer l'oignon à feu doux, en remuant. Dans une grande casserole emplie d'eau bouillante salée, faites cuire les pommes de terre et les pâtes, puis égouttez-les. Déposez les carottes, les choux de Bruxelles ou les courgettes, le poivron et les petits pois dans la même casserole d'eau bouillante salée, puis faites-les blanchir de 3 à 5 minutes, jusqu'à ce qu'ils soient cuits, mais encore croquants. Égouttez-les, puis rafraîchissez-les en les plongeant aussitôt dans un grand saladier empli d'eau froide.

Dans une autre grande casserole, portez à ébullition le bouillon de volaille ou de légumes, salez et poivrez, puis ajoutez les pâtes et les légumes cuits, ainsi que les haricots blancs. Laissez la soupe mijoter 2 minutes à feu doux, pour bien la réchauffer.

Versez la soupe dans des bols individuels préalablement chauffés et présentez le pistou à part, de manière que les convives en assaisonnent leur soupe à leur goût.

Cette soupe grecque traditionnelle à base d'œuf et de citron est des plus rafraîchissantes. Très facile à réaliser, elle peut être préparée à l'avance : il suffit d'incorporer les œufs juste avant de servir.

SOUPE GRECQUE AU CITRON

POUR **4 personnes**
PRÉPARATION : **15 min**
CUISSON : **25 min environ**

> 80 g de riz à grains longs
> 1,5 l de bouillon de volaille ou de bouillon de légumes
> 2 gros œufs
> le jus fraîchement pressé de 2 gros citrons
> 1 gros bouquet de persil plat haché
> 1 petit citron émincé
> le zeste râpé de 1 citron (facultatif)
> sel et poivre du moulin

Rincez le riz à l'eau froide pour éliminer l'amidon, puis égouttez-le dans une passoire.

Dans une grande casserole, portez à ébullition le bouillon de volaille ou de légumes, puis versez-y le riz. Portez de nouveau à ébullition, puis baissez le feu et laissez mijoter pendant 20 minutes, jusqu'à ce que le riz soit cuit. Salez et poivrez.

Dans un bol, fouettez vigoureusement les œufs, puis incorporez le jus de citron et 1 cuillerée à soupe d'eau, en continuant de battre.

Retirez la casserole du feu, puis, au fouet, incorporez les œufs battus à la soupe, en procédant louchée par louchée. Remettez la préparation à chauffer quelques minutes, en continuant de fouetter.

Versez la soupe dans des assiettes de service creuses, puis garnissez-la de petites rondelles et, éventuellement, de zeste de citron. Servez accompagné d'une coupelle de persil plat.

NOTE : ne laissez pas bouillir la soupe après avoir ajouté les œufs, car vous obtiendriez alors des œufs brouillés.

La spécialité provençale de la Canebière est souvent l'objet de débats passionnés. À l'origine, il s'agit d'un plat de poissons pochés dans un bouillon au safran que l'on sert en deux étapes : d'abord le bouillon, sur des croûtons de pain avec de la rouille ; puis les poissons avec l'aïoli. Un véritable plat de roi qui mérite que l'on consacre un peu de temps à sa préparation !

BOUILLABAISSE

POUR **4 à 6 personnes**
PRÉPARATION : **1 h**
CUISSON : **30 min environ**

> 3 cuill. à soupe d'huile d'olive vierge extra
> 2 gros oignons coupés en quatre
> 2 poireaux coupés en tronçons de 5 cm de long
> 4 gousses d'ail hachées
> 2 grosses tomates mûres pelées, coupées en quatre et épépinées
> 1 bouquet de thym frais (environ 50 g)
> 1 bulbe de fenouil coupé en quatre
> 1 lanière de zeste d'orange de 20 cm de long
> 1 kg de filets de poissons (rouget, bar, rascasse, saint-pierre, mulet gris) coupés en dés de 4 cm de côté
> 1 kg de fruits de mer (petits crabes, moules, coques et crevettes roses)
> 1 grosse pincée de pistils de safran
> 500 g de pommes de terre nouvelles bouillies, chaudes
> 1 cuill. à soupe de pastis (facultatif)
> 4 cuill. à soupe de harissa
> quelques croûtons grillés

Pour l'aïoli
> 6 à 8 grosses gousses d'ail écrasées
> 1/2 cuill. à café de fleur de sel
> 1 œuf + 2 jaunes
> 20 cl d'huile d'olive vierge extra
> 1 ou 2 cuill. à soupe de jus de citron fraîchement pressé

Préparez l'aïoli. Dans un mortier (ou au robot), pilez l'ail avec la fleur de sel, l'œuf et les jaunes, jusqu'à obtention d'une pâte lisse. En continuant de piler, incorporez progressivement l'huile d'olive de manière à monter l'aïoli en une émulsion ferme. Ajoutez rapidement le jus de citron, puis placez l'aïoli au réfrigérateur.

Dans une grande cocotte, faites chauffer la moitié de l'huile d'olive, puis faites revenir les oignons, les poireaux, l'ail et les tomates, jusqu'à ce qu'ils soient dorés et tendres. Ajoutez le thym, le fenouil et le zeste d'orange, puis 2 l d'eau bouillante, le reste de l'huile d'olive, les filets de poissons, les fruits de mer (sauf les moules et des coques) et la moitié du safran.

Portez de nouveau à ébullition, puis baissez le feu et faites mijoter de 10 à 12 minutes, jusqu'à ce que la chair du poisson soit opaque. Ajoutez les moules et les coques, puis laissez chauffer de 3 à 5 minutes, jusqu'à ce qu'elles s'ouvrent. Jetez celles dont la coquille demeure fermée.

Versez le contenu de la cocotte dans une passoire placée au-dessus d'un saladier. Transvasez les morceaux de poissons et les fruits de mer dans une soupière. Avec le dos d'une écumoire, pressez les légumes dans la passoire afin d'en recueillir le jus, puis jetez-les.

Rincez la cocotte, versez-y le jus ainsi obtenu, puis portez-le à ébullition et laissez-le épaissir 5 minutes à feu vif. Au fouet, incorporez la moitié de l'aïoli au bouillon. Ajoutez-y les pommes de terre et, éventuellement, le pastis, remuez, puis versez le quart de cette soupe dans la soupière, sur les filets de poissons et les fruits de mer, et réservez le reste.

Dans un bol, mélangez la moitié de l'aïoli avec le reste du safran et la harissa, pour confectionner la traditionnelle rouille.

Servez la bouillabaisse en 2 temps : d'abord le bouillon avec les croûtons, que chaque convive tartinera d'aïoli ou de rouille, puis les pommes de terre, le poisson et les fruits de mer, avec l'aïoli et la rouille restants.

Grand classique de Capri, l'île enchanteresse de la baie de Naples, l'*insalata caprese* réunit 3 ingrédients en parfaite harmonie : la mozzarella crémeuse à base de lait de bufflonne, les tomates gorgées de soleil et le basilic frais à profusion. Pour garantir le pittoresque de cette préparation d'une grande simplicité, choisissez des produits de parfaite qualité et montrez-vous généreux dans les proportions.

TOMATES À LA MOZZARELLA ET AU BASILIC

POUR **4 personnes**
PRÉPARATION : **10 min**

> 2 boules de mozzarella de bufflonne de 150 g chacune
> 2 grosses tomates bien mûres de la taille des boules de mozzarella
> 50 g de feuilles de basilic frais
> 10 cl d'huile d'olive vierge extra
> sel et poivre du moulin

Coupez les boules de mozzarella et les tomates en tranches régulières de 5 mm d'épaisseur.

Disposez les tranches de tomate sur un plat de service, salez-les et poivrez-les. Placez une tranche de mozzarella sur chaque rondelle de tomate et complétez d'une feuille de basilic.

Déchirez quelques autres feuilles de basilic et parsemez-en le plat. Arrosez généreusement d'huile d'olive juste avant de servir.

NOTES :
• Afin d'éviter que les tomates ne rendent leur jus et que la mozzarella ne se dessèche, il est essentiel de préparer cette salade à la dernière minute. De plus, pour en préserver toutes les saveurs, servez-la plutôt à température ambiante, sans placer la préparation à aucun moment au réfrigérateur.
• Même s'il n'est pas typiquement italien, l'avocat se marie bien avec cette salade. Coupez un avocat en deux, pelez-le et émincez-le finement, puis intercalez les tranches entre les rondelles de tomate et de mozzarella.

En Sicile, notamment dans la région de Palerme,
on sert souvent cette salade après le poisson grillé.
Très rafraîchissante, elle illustre à merveille la passion
des Siciliens pour les associations sucré-salé.

SALADE DE FRISÉE À L'ORANGE ET AUX OLIVES NOIRES

POUR **4 personnes**
PRÉPARATION : **10 min**
MARINADE : **15 min**

> 2 oranges
> 1 oignon rouge
> 125 g de frisée ou d'une autre chicorée

Pour la sauce

> 2 cuill. à soupe d'olives noires à la grecque dénoyautées et finement hachées
> le zeste finement râpé et le jus fraîchement pressé de 1 orange
> 6 cuill. à soupe d'huile d'olive vierge extra
> 2 cuill. à soupe de basilic frais finement ciselé
> 2 tomates séchées à l'huile, finement hachées
> sel et poivre du moulin

Préparez la sauce. Préchauffez le four à 120 °C (therm. 4). Étalez les olives sur une plaque de cuisson, enfournez-les et faites-les sécher de 10 à 15 minutes. Sortez-les du four et laissez-les refroidir. Dans un grand saladier, réunissez le zeste et le jus d'orange, l'huile d'olive, le basilic, les olives et les tomates séchées. Salez, poivrez et laissez reposer pendant quelques minutes pour que les arômes se développent.

Pelez les oranges à vif à l'aide d'un couteau aiguisé, en retirant la peau et les membranes blanches quartier par quartier, puis émincez l'oignon. Placez aussitôt les quartiers d'orange et les oignons émincés dans le saladier contenant la sauce, afin qu'ils conservent leur couleur. Laissez-les mariner au frais pendant 15 minutes.

Disposez les feuilles de frisée sur un plat de service, garnissez-les du mélange à base d'oignon et d'orange, arrosez de la sauce, puis servez sans attendre.

Cette délicieuse salade d'origine espagnole associe le fromage à pâte persillée, les endives et les noix, le tout relevé d'une pointe de piment d'Espagne. Servez-la avec de belles tranches de pain croustillant pour saucer l'onctueuse vinaigrette au fromage.

SALADE D'ENDIVE AU BLEU À L'ESPAGNOLE

POUR **4 personnes**
PRÉPARATION : **15 min**

> 200 g de fromage à pâte persillée (cabrales ou picón espagnol, roquefort, etc.)
> 6 cuill. à soupe de crème fraîche liquide
> 6 têtes d'endive
> 3 cuill. à soupe de noix décortiquées, concassées, puis grillées
> 1 pincée de piment d'Espagne doux ou fort, ou de paprika (voir NOTE)

Placez les trois quarts du fromage dans un grand saladier, puis incorporez progressivement la crème liquide, en remuant jusqu'à obtention d'une sauce lisse.

Retirez le pied des endives, puis coupez celles-ci en deux dans la longueur ou séparez simplement les feuilles. Déposez ces dernières dans le saladier contenant la sauce et remuez délicatement. Émiettez le fromage restant sur la salade, parsemez-la de noix, saupoudrez-la de piment d'Espagne, puis servez.

NOTE : vendu sous 3 formes, le piment d'Espagne peut être doux (*pimentón dulce*), épicé (*pimentón picante*) ou doux-amer (*pimentón agridulce*). Il en existe aussi des versions fumées qui comportent des piments ayant été mis à sécher de 10 à 15 jours, dans les traditionnelles cabanes en terre, au-dessus d'un feu de bois de chêne. Toutes ces variétés sont disponibles dans les grandes surfaces ou dans les épiceries spécialisées.

Emblématique de la cuisine méditerranéenne, la salade grecque associe le croquant du cœur de laitue au moelleux de la feta, et les saveurs prononcées des olives et des anchois aux notes délicates des herbes aromatiques. Procurez-vous des olives de Kalamata dénoyautées, plus parfumées que les olives noires dites « à la grecque ».

SALADE GRECQUE

POUR **4 personnes**
PRÉPARATION : **15 min**

> 1 petit cœur de laitue iceberg coupé en quatre, feuilles séparées
> 250 g de feta grossièrement émiettée ou coupée en dés
> 200 g d'olives noires de Kalamata
> 2 oignons rouges émincés
> 2 mini-concombres coupés en deux dans la longueur, puis émincés en diagonale
> 4 grosses tomates concassées
> 8 filets d'anchois (voir NOTE)
> quelques feuilles d'origan
> quelques feuilles de menthe ciselées

Pour la sauce
> 6 cuill. à soupe d'huile d'olive vierge extra
> 2 cuill. à soupe de jus de citron fraîchement pressé
> sel et poivre du moulin

Dans un saladier, réunissez les feuilles de laitue, la feta, les olives, les oignons, les concombres et les tomates.

Préparez la sauce. Dans un bol, mélangez au fouet ou à la fourchette l'huile d'olive et le jus de citron, puis assaisonnez.

Arrosez la salade de la sauce – vous pouvez également verser un à un les ingrédients de la sauce directement sur la salade –, garnissez-la de filets d'anchois, de feuilles d'origan et de menthe, puis servez.

NOTE : utilisez de préférence de beaux anchois entiers salés, que vous trouverez dans les épiceries fines. Rincez-les soigneusement et coupez-les en filets. À défaut, vous pouvez aussi utiliser des filets d'anchois en conserve.

Idéale en toute saison, cette salade se déguste
chaude ou froide. Elle associe les lentilles d'Auvergne
à des saveurs plus méditerranéennes comme l'huile
d'olive, l'ail et le citron. N'hésitez pas à la préparer
à l'avance pour que les lentilles s'imprègnent bien
des arômes des autres ingrédients.

SALADE CHAUDE
DE LENTILLES

POUR **4 personnes**
PRÉPARATION : **20 min**
CUISSON : **45 min environ**

> 100 g de tomates cerises
> 300 g de lentilles vertes du Puy
ou de lentilles brunes
> le zeste et le jus fraîchement
pressé de 1 citron
> 1 feuille de laurier
> 2 gousses d'ail hachées
> 2 oignons rouges coupés en dés
> 75 g d'olives vertes dénoyautées
> 1 bouquet de persil plat
grossièrement haché
> 4 cuill. à soupe d'huile d'olive
vierge extra
> 100 g de parmesan râpé
en copeaux ou de mozzarella
coupée en fines lamelles
> sel et poivre du moulin

Préchauffez le four à 130 °C (therm. 4-5). Étalez les tomates
cerises sur une plaque de cuisson légèrement huilée,
puis enfournez-les et faites-les cuire pendant 40 minutes.

Dans une casserole à feu vif, réunissez les lentilles, le zeste
et le jus de citron, la feuille de laurier et l'ail, puis couvrez-les
d'eau et portez à ébullition. Baissez le feu et laissez mijoter
pendant 40 minutes, jusqu'à ce que les lentilles soient cuites.

Égouttez soigneusement les lentilles et transvasez-les
dans un grand saladier. Ajoutez les tomates séchées au four,
les oignons, les olives, le persil plat et l'huile d'olive. Remuez,
salez et poivrez, puis garnissez d'un peu de parmesan
ou de mozzarella et servez aussitôt.

NOTE : pour transformer cette entrée en plat principal,
il suffit d'ajouter quelques ingrédients qui la rendront
plus consistante. Faites, par exemple, cuire des lanières
de jambon ou de poitrine de porc avec les lentilles, ou bien
ajoutez des rondelles de saucisse, par exemple de cervelas,
au moment de réunir les ingrédients de la salade.

Cette recette ultra-simple propose un savoureux assortiment de légumes méditerranéens. La cuisson au gril révèle les arômes des légumes, tandis qu'un trait de vinaigre balsamique vieilli en fût de chêne introduit une pointe acidulée harmonieuse. Les légumes doivent rester al dente ; évitez donc de les couper en trop petits morceaux et de les faire cuire trop longtemps !

SALADE DE LÉGUMES GRILLÉS AU VINAIGRE BALSAMIQUE

POUR **4 personnes**
PRÉPARATION : **30 min**
CUISSON : **10 min environ**
MACÉRATION : **30 min**

> 1 courgette
> 1 aubergine
> 1 gros poivron rouge coupé en deux et épépiné
> 20 cl d'huile d'olive vierge extra
> 2 oignons rouges coupés en quatre
> 150 g de tomates cerises
> 2 cuill. à café de vinaigre balsamique
> 1 gousse d'ail écrasée
> 3 ½ cuill. à soupe d'herbes fraîches hachées (persil, basilic, marjolaine ou origan)
> sel et poivre du moulin

Préchauffez le gril du four.

Coupez la courgette, l'aubergine et le poivron en dés assez gros. Placez ceux-ci dans un saladier, arrosez-les de la moitié de l'huile d'olive, puis remuez pour bien les enduire. Assaisonnez.

Tapissez une plaque de cuisson d'une feuille d'aluminium, puis étalez uniformément dessus, en une couche assez mince, les dés de légumes badigeonnés d'huile et les oignons. Enfournez et faites cuire 4 ou 5 minutes sous le gril, puis retournez les morceaux, ajoutez les tomates cerises et laissez griller encore 5 minutes, jusqu'à ce que tous les légumes soient dorés. Sortez-les du four et placez-les dans un saladier résistant à la chaleur.

Dans un bol, battez au fouet ou à la fourchette le reste de l'huile d'olive, le vinaigre balsamique, l'ail et les herbes. Arrosez les légumes grillés de cette sauce et remuez. Transvasez la salade dans un plat de service, puis couvrez-les et laissez macérer pendant 30 minutes. Garnissez d'herbes fraîches, puis servez.

NOTE : évitez de mettre cette salade au réfrigérateur pour en préserver toutes les saveurs.

Moins connue que le taboulé libanais,
cette salade de boulghour est originaire de Turquie.
Si elle s'accompagne traditionnellement de légumes
au vinaigre enveloppés de feuilles de vigne cuites
à l'eau bouillante, elle est également délicieuse
simplement agrémentée de quartiers de citrons jaune
et vert. Afin d'éviter qu'elles ne noircissent, hachez
et incorporez les feuilles de menthe juste avant de servir.

SALADE TURQUE
À LA MENTHE ET AU PERSIL

POUR **2 à 4 personnes**
TREMPAGE : **40 min**
PRÉPARATION : **20 min**

> 90 g de boulghour
> 2 tomates coupées en deux,
épépinées et concassées,
avec leur jus
> 1 oignon rouge ou 1 échalote
finement haché et mariné
dans du jus de citron
> 1/2 concombre pelé,
épépiné et coupé en dés
> 2 cuill. à soupe d'huile d'olive
vierge extra
> 1 pincée de piment de Cayenne
> 1 cuill. à café de sumac en poudre
(dans les épiceries orientales,
voir NOTE) ou le jus fraîchement
pressé de 1/2 citron
> 1 bouquet de persil plat
> 1 bouquet de menthe
> quelques tranches de citrons
jaune et vert
> sel et poivre du moulin

Placez le boulghour dans un saladier, couvrez-le de 15 cl d'eau
et laissez-le gonfler pendant environ 40 minutes.

Égouttez soigneusement le boulghour dans une passoire,
puis transvasez-le dans un plat de service. Ajoutez les tomates
et leur jus, l'oignon ou l'échalote, le concombre, l'huile d'olive,
le piment de Cayenne et la moitié du sumac. Remuez
et assaisonnez.

Hachez grossièrement le persil et la menthe, puis incorporez-les
à la salade. Remuez délicatement, puis saupoudrez du sumac
restant et servez avec les tranches de citrons jaune et vert.

NOTE : le sumac est une épice d'origine arabe,
provenant des baies d'un arbuste portant le même nom,
qui sont concassées ou moulues pour donner une poudre
rouge-brun au goût acidulé.

Cette délicieuse salade italienne peut se révéler un bon compromis lorsque vous manquez d'ingrédients frais : du thon en conserve et des haricots blancs cannellini feront ainsi parfaitement l'affaire. Remuez délicatement les ingrédients afin de ne pas abîmer les haricots, généralement assez fragiles.

SALADE ITALIENNE DE THON ET DE HARICOTS BLANCS

POUR **6 personnes**
PRÉPARATION : **10 min**

> 1 ou 2 grosses gousses d'ail écrasées
> 1 cuill. à soupe de vinaigre de Xérès ou de vinaigre de vin blanc
> 6 cuill. à soupe d'huile d'olive vierge extra
> 600 g de haricots blancs cannellini ou de haricots blancs en conserve, rincés, puis égouttés
> 2 oignons rouges émincés ou 6 petits oignons nouveaux émincés
> 400 g de thon en conserve
> 1 bouquet de basilic frais
> sel et poivre du moulin

Dans un mortier, pilez l'ail avec 1 grosse pincée de sel, de manière à obtenir une pâte. Mettez celle-ci dans un saladier, versez-y le vinaigre et 2 cuillerées à soupe d'huile d'olive, puis fouettez le mélange à la fourchette.

Ajoutez les haricots blancs et les oignons, puis mélangez délicatement pour bien les enduire de la sauce. Arrosez de nouveau d'un peu d'huile d'olive et de vinaigre, si nécessaire.

Égouttez soigneusement le thon et émiettez-le en morceaux assez gros au-dessus du saladier, puis remuez délicatement pour bien enduire tous les ingrédients de la sauce. Garnissez de basilic, poivrez, puis servez.

À l'origine, la célèbre salade niçoise associait des crudités, des œufs et des anchois. Désormais, elle est servie dans toutes les brasseries et les restaurants de la planète, parfois avec des ingrédients insolites ou peu adaptés. Elle est souvent agrémentée de thon, un produit autrefois considéré comme trop onéreux, mais qui convient bien à l'esprit de la recette. Délicieuse en entrée, la niçoise constitue aussi un succulent plat principal : il suffit d'augmenter les portions !

SALADE NIÇOISE

POUR **4 personnes**
PRÉPARATION : **10 min**

> 1 gros cœur de laitue, feuilles séparées et coupées en deux
> 2 oignons nouveaux ou échalotes émincés
> 250 à 350 g de thon entier en conserve, égoutté
> 50 g d'anchois en conserve ou 24 filets d'anchois marinés coupés en deux dans la longueur (voir NOTE)
> 12 olives de Nice ou petites olives noires
> 4 gros œufs durs écalés et coupés en quatre
> 1 petit bouquet de persil plat ou de basilic frais
> 4 tomates bien mûres coupées en quartiers
> 100 g de haricots verts cuits, coupés en deux

Pour la vinaigrette
> 2 gousses d'ail écrasées en purée
> 1/2 cuill. à café de fleur de sel
> 2 cuill. à soupe de vinaigre de vin rouge
> 6 à 8 cuill. à soupe d'huile d'olive vierge extra

Tapissez un grand saladier peu profond de feuilles de laitue. Déposez dessus les oignons nouveaux ou les échalotes, les morceaux de thon, les anchois, les olives, les œufs, le persil plat ou le basilic, les tomates et les haricots verts.

Préparez la vinaigrette. Dans un bol, fouettez tous les ingrédients à la fourchette. Arrosez la salade de cette vinaigrette juste avant de servir.

NOTE : pour réaliser cette salade, vous pouvez opter pour des anchois salés ou à l'huile, frais ou en conserve, ou marinés aux aromates, à la mode espagnole.

Pour réussir cette recette, il importe de préparer
la salade lorsque le poulet est encore chaud.
En outre, il est préférable de séparer les blancs de poulet
à la main en morceaux assez gros (en les déchirant
dans le sens des fibres), plutôt que de les hacher, afin
d'obtenir des bouchées plus tendres et plus goûteuses.

SALADE TIÈDE AU POULET ET SAUCE À LA HARISSA

POUR **4 personnes**
PRÉPARATION : **15 min**
CUISSON : **30 min**

> 2 grappes de tomates cerises
ou cœur de pigeon bien mûres
> un peu de fleur de sel
> 1/2 gousse d'ail écrasée
> 1 filet d'huile d'olive
> 4 blancs de poulet
fraîchement cuits, chauds
> 1 gros cœur de laitue,
feuilles séparées
> 20 grosses olives vertes ou noires
dénoyautées et coupées en deux
(voir NOTES)
> 2 oignons rouges coupés en deux,
puis en tranches épaisses

Pour la sauce à la harissa
> 6 cuill. à soupe d'huile d'olive
vierge extra
> 1 cuill. à soupe de harissa
ou de moutarde (voir NOTES)
> 1 cuill. à soupe de vinaigre de cidre
ou de Xérès

Préchauffez le four à 200 °C (therm. 6-7).

Étalez les tomates cerises ou cœur de pigeon sur une plaque
de cuisson. Parsemez-les de fleur de sel et d'ail, arrosez-les
d'huile d'olive, puis enfournez-les et faites-les cuire pendant
30 minutes, jusqu'à ce qu'elles soient fondantes et dorées.
Sortez-les du four et laissez-les refroidir à température ambiante.

Préparez la sauce à la harissa. Dans un saladier, fouettez
tous les ingrédients à la fourchette.

Sans laisser refroidir le poulet, séparez les blancs en longs
morceaux, puis déposez ceux-ci dans le saladier contenant
la sauce. Ajoutez les feuilles de laitue, les olives et les oignons,
puis remuez délicatement le tout.

Répartissez la salade dans des assiettes de service individuelles,
ajoutez les tomates rôties, puis servez.

NOTES :

• Pour que les olives soient bien goûteuses, dénoyautez-les
vous-même. Qu'elles soient accommodées à l'ail, au piment,
au citron ou aux herbes, choisissez celles que vous préférez.
• La harissa étant une pâte très épicée, mieux vaut d'abord
en incorporer très peu pour goûter, puis rectifiez ensuite,
si nécessaire, la quantité.

Grand classique de la gastronomie française, cette recette est l'interprétation parfaite de la salade tiède. Elle marie les pousses plutôt amères des épinards, de la frisée ou de la scarole, et la riche saveur des magrets de canard relevée d'une pointe de vinaigre.

SALADE TIÈDE DE CANARD

POUR **4 personnes**
PRÉPARATION : **40 min**
CUISSON : **de 30 à 40 min**

> 4 magrets de canard
> 500 g de pousses d'épinards tendres
> 2 cuill. à soupe d'huile d'olive
> 100 g de pignons
> 3 gousses d'ail émincées
> 250 g de poitrine de porc ou de pancetta italienne coupée en dés ou en lamelles
> sel et poivre du moulin

Pour la vinaigrette

> 6 cuill. à soupe d'huile d'olive vierge extra
> 1 cuill. à soupe de vinaigre de vin rouge

Entaillez la peau des magrets de canard en diagonale, à l'aide d'un petit couteau aiguisé, puis saupoudrez-les d'un peu de sel. Disposez-les, côté peau en dessous, dans une poêle antiadhésive, puis faites-les dorer de 20 à 30 minutes à feu doux, en retirant de temps en temps l'excédent de graisse — les magrets sont cuits lorsqu'ils ne rendent plus de graisse et que la peau est bien dorée et croquante.

Pendant ce temps, préparez la vinaigrette. Dans un bol, fouettez tous les ingrédients à la fourchette, de manière à obtenir une émulsion. Salez et poivrez.

À la fin de la cuisson des magrets, augmentez le feu sous la poêle et faites-les dorer encore quelques secondes, côté peau en dessous. Retirez-les de la poêle, puis laissez-les reposer pendant 5 minutes pour une salade tiède — ou pendant 20 minutes pour une salade froide. Coupez les magrets en diagonale, en veillant à ce que chaque tranche soit bordée d'un peu de peau croquante.

Mélangez délicatement les pousses d'épinards avec la vinaigrette dans un saladier, puis répartissez-les dans des assiettes de service individuelles.

Rincez et séchez la poêle. Faites-y chauffer l'huile d'olive, puis faites griller les pignons 1 minute à feu doux, en veillant à ce qu'ils soient uniformément dorés et à ce qu'ils ne brûlent pas. Laissez-les refroidir sur une assiette. Dans la même poêle, faites dorer l'ail dans l'huile encore chaude, puis mettez-le également sur l'assiette, avec les pignons. De même, faites dorer la poitrine ou la pancetta dans la poêle, jusqu'à ce qu'elle soit croquante.

Disposez les morceaux de magret et de poitrine ou de pancetta sur les lits d'épinards. Parsemez-les de pignons et d'ail, arrosez-les de l'huile de cuisson, poivrez, puis servez.

POISSONS ET FRUITS DE MER

Dans cette variante d'un grand classique de la cuisine française, les moules sont cuites avec du vin blanc, de l'ail et du piment. Vous pouvez servir à vos convives le bouillon de cuisson à part, accompagné de pain chaud et croustillant.

MOULES MARINIÈRE À LA MÉDITERRANÉENNE

POUR **6 personnes**
PRÉPARATION : **20 min**
CUISSON : **25 min**

> 3 kg de moules
> 4 cuill. à soupe d'huile d'olive vierge extra
> 3 gousses d'ail très finement hachées
> 3 oignons très finement hachés
> 20 cl de vin blanc sec
> 1 grosse pincée de piment en poudre
> 4 cuill. à soupe de persil plat frais haché
> 1 citron coupé en tranches
> 1 baguette ou 1 pain de campagne passés au four

Grattez et ébarbez les moules à l'aide d'une petite brosse dure. Jetez celles dont la coquille est brisée ou qui ne se referment pas lorsque vous les tapotez sur le plan de travail. Rincez les autres, puis égouttez-les dans une passoire.

Dans une grande cocotte, faites chauffer l'huile d'olive, puis faites suer l'ail et les oignons 10 minutes, jusqu'à ce qu'ils soient cuits, mais sans les laisser dorer. Ajoutez le vin, le piment et 20 cl d'eau, puis portez à ébullition et faites mijoter encore 10 minutes. Déposez les moules dans la cocotte et faites-les cuire 5 minutes à feu vif, en les secouant de temps en temps, jusqu'à ce que les coquilles s'ouvrent. Jetez celles qui demeurent fermées, puis égouttez les autres dans une passoire métallique doublée de mousseline, placée au-dessus d'une casserole, de manière à recueillir le jus de cuisson.

Réservez les moules au chaud dans la passoire. Portez le jus recueilli à ébullition, faites-le réduire légèrement, puis ajoutez le persil plat. Remettez les moules dans la cocotte, puis transvasez-les dans des assiettes creuses préalablement chauffées et arrosez-les d'un peu de bouillon. Servez-les accompagnées de tranches de citron et de pain.

C'est un véritable festival de saveurs que propose ce plat idéal l'été comme l'hiver ! Selon la saison, vous pouvez adapter la recette en fonction des variétés disponibles chez votre poissonnier ; mais elle doit toujours comporter au moins un poisson blanc à chair ferme, des coquillages et des crustacés. Accompagnez-la de pain italien et de vin rouge.

MARMITE DE FRUITS DE MER NAPOLITAINE

POUR **4 personnes**
PRÉPARATION : **30 min**
CUISSON : **30 min environ**

> 4 grosses gousses d'ail écrasées
> 1 bouquet de thym ou de romarin frais
> 12 palourdes ou autres coquillages bivalves
> 12 moules grattées et ébarbées, puis rincées
> 4 cuill. à soupe d'huile d'olive vierge extra
> 2 gros oignons coupés en quartiers
> 8 tomates très mûres pelées, puis coupées en deux et épépinées
> 8 crevettes roses crues
> 1 kg de filets de poisson blanc (cabillaud, par exemple)
> 4 à 8 petits poissons vidés, nettoyés et écaillés (facultatif)
> 1 l de fumet de poisson chaud
> sel et poivre du moulin

Dans une cocotte, réunissez 1 gousse d'ail et la moitié du thym ou du romarin avec 25 cl d'eau, portez à ébullition, puis laissez frémir 2 ou 3 minutes, pour que les arômes se développent. Ajoutez les palourdes, puis couvrez et faites-les cuire à feu vif, en secouant la cocotte de temps en temps, jusqu'à ce que les coquilles s'ouvrent. Retirez aussitôt les palourdes à l'aide d'une écumoire et déposez-les sur une assiette. Jetez celles qui demeurent fermées.

Dans la même cocotte, faites cuire les moules à leur tour jusqu'à ce que les coquilles s'ouvrent, puis retirez-les immédiatement et réservez-les avec les palourdes. Jetez également les moules qui demeurent fermées. Filtrez le jus de cuisson dans une passoire doublée de mousseline placée au-dessus d'un saladier et réservez-le.

Dans une grande sauteuse, faites chauffer l'huile d'olive, puis faites dorer les oignons sur toutes les faces. Baissez le feu, laissez revenir les oignons encore quelques instants, puis ajoutez l'ail et faites-le dorer à son tour. Poivrez généreusement, puis incorporez les tomates, le reste du thym ou du romarin, les crevettes, les filets de poisson et, éventuellement, les petits poissons entiers. Arrosez le tout de fumet chaud, portez à ébullition, puis baissez le feu et laissez frémir quelques minutes, jusqu'à ce que la chair du poisson devienne opaque. Ajoutez les palourdes et les moules réservées, versez le jus de cuisson filtré, puis faites réchauffer le tout encore quelques instants. Rectifiez l'assaisonnement, si nécessaire.

Répartissez la préparation dans des assiettes creuses préalablement chauffées, puis servez-la.

Idéale pour un déjeuner en plein air — puisque tous les ingrédients peuvent être préparés à l'avance, puis ajoutés ensuite au fur et à mesure de la cuisson —, la paella est un plat typique toujours très apprécié. Prévoyez-en une quantité suffisante pour que chaque convive puisse se resservir.

PAELLA VALENCIENNE

POUR **6 personnes**
PRÉPARATION : **45 min**
CUISSON : **40 min environ**

> 3 cuill. à soupe d'huile d'olive vierge extra
> 6 cuisses de poulet
> 170 g de chorizo coupé en dés
> 2 gousses d'ail finement hachées
> 1 gros oignon finement haché
> 1 gros poivron rouge émincé
> 500 g de riz rond à paella
> 15 à 20 cl de vin blanc sec
> 1 grosse pincée de piment en poudre
> 2 cuill. à café de piment d'Espagne doux ou de paprika
> 1,25 l de bouillon de volaille
> 1 grosse pincée de safran délayée avec 3 cuill. à soupe d'eau chaude
> 6 tomates mûres coupées en quatre
> 12 crevettes roses crues, non décortiquées
> 500 g de moules grattées et ébarbées, puis rincées
> 120 g de petits pois frais ou surgelés
> 4 cuill. à soupe de persil plat frais haché
> quelques tranches de citrons jaune et vert
> sel et poivre du moulin

Dans un plat à paella ou dans une grande sauteuse, faites chauffer l'huile d'olive, puis faites dorer le poulet et le chorizo sur toutes les faces, en les retournant régulièrement. Ajoutez l'ail, l'oignon et le poivron, puis laissez-les suer 5 minutes.

Incorporez le riz à la préparation, en remuant pour bien enduire les grains de jus de cuisson, puis arrosez le tout de vin et faites frémir, jusqu'à ce que celui-ci se soit presque complètement évaporé. Incorporez le piment en poudre, le piment d'Espagne, le bouillon de volaille et le safran délayé. Remuez, portez à ébullition, puis laissez mijoter 10 minutes.

Ajoutez les tomates et les crevettes dans le plat ou la sauteuse, puis laissez cuire encore 5 minutes. Déposez-y également les moules et les petits pois, mélangez délicatement, puis prolongez la cuisson 5 minutes, jusqu'à ce que les coquilles s'ouvrent — jetez celles qui demeurent fermées.

Une fois que le riz est cuit et que le jus a bien réduit, parsemez la paella de persil plat, puis servez-la sans attendre, directement dans le plat ou la sauteuse, accompagnée de tranches de citrons jaune et vert.

Si son origine est berbère, le couscous se cuisine aussi bien en Afrique du Nord qu'à Nice, et jusqu'en Sicile, d'où provient cette originale variante marine. L'association des sucs de la marmite de poissons et de fruits de mer avec la semoule subtilement aromatisée libère des saveurs irrésistibles. Utilisez plutôt de la semoule précuite, plus aisée à préparer que la semoule traditionnelle d'Afrique du Nord.

COUSCOUS DE POISSONS

POUR **4 à 6 personnes**
PRÉPARATION : **20 min**
CUISSON : **15 min environ**

> 1,5 kg de poissons maigres et de fruits de mer (dorade, baudroie, rouget, rascasse, langoustines, crevettes, crabes, moules et coques)
> 1 cuill. à café de fleur de sel
> 4 gousses d'ail émincées
> 4 branches de céleri émincées
> 1 bulbe de fenouil coupé en quatre
> 20 grains de poivre noir écrasés
> 1 lanière de zeste d'orange de 30 cm de long
> 1 lanière de zeste de citron de 30 cm de long
> 1 bouquet d'origan ou de thym
> 1 ou 2 cuill. à soupe de concentré de tomate

Pour le couscous
> 500 g de semoule de blé précuite
> 1 oignon émincé
> 2 piments verts finement émincés
> 2 cuill. à soupe d'huile d'olive vierge extra
> 75 cl de fumet de poisson chaud ou d'eau chaude
> 1 cuill. à café d'eau de fleur d'oranger (facultatif)
> le jus fraîchement pressé de 1 orange
> sel du moulin

Coupez les poissons et les fruits de mer de grande taille en morceaux. Placez le tout dans une cocotte avec la fleur de sel, l'ail, le céleri, le fenouil, le poivre noir écrasé et 50 cl d'eau, puis portez à ébullition. Incorporez les zestes d'orange et de citron, l'origan ou le thym et le concentré de tomate, baissez le feu, couvrez et laissez mijoter 10 minutes.

Préparez le couscous. Réunissez la semoule, l'oignon, les piments et l'huile d'olive dans un saladier résistant à la chaleur, puis salez à votre convenance. Arrosez de fumet de poisson ou d'eau chaude, puis remuez et laissez gonfler la semoule pendant 5 minutes. Incorporez, si vous le souhaitez, un peu d'eau de fleur d'oranger. Une fois que tout le liquide a été absorbé, remuez, puis ajoutez le jus d'orange.

Répartissez la semoule dans des assiettes de service creuses, déposez les fruits de mer et les poissons par-dessus, arrosez le tout de jus de cuisson, puis servez immédiatement.

En Grèce, après que les bateaux de pêche sont rentrés au port avec leur cargaison de thon ou d'espadon, l'arôme du poisson grillé ne tarde pas à embaumer dans tous les restaurants. Servez ces succulents kebabs de thon avec une salade de roquette ou une salade grecque (voir p. 66) et un baba ghanoush (voir p. 16).

KEBABS DE THON

POUR **6 personnes**
MARINADE : **au moins 2 h**
PRÉPARATION : **20 min**
CUISSON : **de 10 à 14 min**

> 600 g de darnes de thon albacore épaisses coupées en dés de 5 cm de côté
> 2 ou 3 oignons rouges coupés en quatre
> 2 ou 3 poivrons de différentes couleurs coupés en huit et épépinés

Pour la marinade
> 3 cuill. à soupe d'huile d'olive
> le jus fraîchement pressé de 1 gros citron
> 2 gousses d'ail écrasées
> 1 piment vert épépiné et finement haché
> 1 cuill. à soupe d'origan séché
> 1 cuill. à café de thym séché
> 1 gros bouquet de persil frais finement haché
> sel et poivre du moulin

Préparez la marinade. Dans un grand saladier, mélangez l'huile d'olive, le jus de citron, l'ail, le piment, l'origan, le thym et le persil, puis assaisonnez et remuez soigneusement le tout. Ajoutez le thon, mélangez pour bien l'enduire de la sauce, puis couvrez de film alimentaire et placez au réfrigérateur pendant au moins 2 heures, en remuant de temps en temps. Égouttez les dés de thon et réservez la marinade.

Coupez les quartiers d'oignon en deux ou trois morceaux. Enfilez les morceaux de poivron, de thon et d'oignon sur des piques à brochette, en commençant et en finissant par du poivron.

Allumez un barbecue et faites griller les brochettes de 5 à 7 minutes de chaque côté, à feu vif, en les arrosant régulièrement d'un peu de la marinade réservée. Vous pouvez aussi les faire cuire sous le gril du four à une température élevée, en les retournant au bout de 3 ou 4 minutes — veillez toutefois à ne pas les laisser griller trop longtemps car le thon se dessèche rapidement.

Pendant ce temps, versez la marinade restante dans une petite casserole et faites-la frémir 2 ou 3 minutes. Disposez les brochettes sur un plat de service et arrosez-les de la marinade réchauffée.

La morue salée (*bacalao*) constitue classiquement la base de ces croquettes espagnoles, mais vous pouvez également les préparer avec du poisson fumé — morue, haddock ou saumon. Si vous utilisez la morue salée traditionnelle, faites-la soigneusement dessaler : plongez-la dans un grand saladier empli d'eau froide et réservez celui-ci au réfrigérateur pendant 24 heures, en changeant l'eau environ toutes les 4 heures.

CROQUETTES DE POISSON À L'ESPAGNOLE

POUR **4 personnes**
PRÉPARATION : **25 min**
CUISSON : **50 min environ**

> 500 g de pommes de terre à purée coupées en deux dans la longueur
> 40 cl de lait entier
> 350 g de morue salée bien dessalée ou de poisson fumé (morue, haddock ou saumon)
> 15 cl d'huile d'olive vierge extra
> 1 œuf battu
> 4 oignons nouveaux hachés
> 1 petit bouquet de coriandre haché (environ 25 g)
> 8 cuill. à soupe de farine salée et poivrée
> quelques tranches de citron
> sel et poivre du moulin

Faites cuire les pommes de terre pendant 20 minutes dans une casserole emplie d'eau bouillante salée. Égouttez-les soigneusement en vidant la casserole, puis remettez-les dans cette dernière et laissez-les se dessécher.

Dans une poêle, portez le lait à ébullition, puis faites-y pocher le poisson de 6 à 8 minutes à feu doux, jusqu'à ce que la chair se détache à la fourchette. Égouttez le poisson et réservez le lait. Ôtez la peau et les arêtes du poisson, puis réduisez la chair en miettes.

Déposez les miettes de poisson dans la casserole contenant les pommes de terre, avec 2 cuillerées à soupe d'huile d'olive, l'œuf battu, les oignons nouveaux et la coriandre. Assaisonnez, puis écrasez les ingrédients à la fourchette, en ajoutant jusqu'à 1 cuillerée à soupe de lait chaud, si nécessaire. Divisez la purée ainsi obtenue en 8 à 12 boulettes. Aplatissez celles-ci de manière à obtenir des disques assez épais, puis saupoudrez-les de farine assaisonnée.

Dans une poêle antiadhésive, faites chauffer 6 cuillerées à soupe d'huile d'olive, puis faites dorer les croquettes de poisson 4 minutes de chaque côté, en les retournant délicatement à mi-cuisson et sans les superposer — procédez en plusieurs fois, en ajoutant un peu d'huile d'olive supplémentaire, si nécessaire. Égouttez-les sur du papier absorbant et réservez-les au chaud jusqu'au moment de servir. Accompagnez-les de tranches de citron.

Croquettes de poisson à l'espagnole 95

Aux mois de mai et juin, de grands bancs de sardines fréquentent les eaux de la Méditerranée, pour le plus grand bonheur des pêcheurs, qui les font griller, frire ou les farcissent de diverses préparations. Ce poisson assez gras se prête particulièrement à la cuisson au barbecue, qui permet de révéler tous ses arômes. Pour plus de facilité, procurez-vous une grille double de forme ronde, spécialement conçue pour les grillades de petits poissons.

SARDINES GRILLÉES ET SAUCE SICILIENNE

POUR **4 personnes**
PRÉPARATION : **15 min**
CUISSON : **6 min**

> 12 grosses sardines fraîches
> un peu d'huile d'olive
> quelques tranches de citron
> sel et poivre du moulin

Pour la sauce sicilienne
> 2 cuill. à soupe de vinaigre de vin rouge
> 1 ou 2 cuill. à café de sucre en poudre
> le zeste finement râpé et le jus fraîchement pressé de 1/2 citron
> 4 cuill. à soupe d'huile d'olive vierge extra
> 1 gousse d'ail finement hachée
> 1 cuill. à soupe d'origan séché émietté
> 1 cuill. à soupe de câpres au sel rincées, puis hachées

Préparez la sauce sicilienne. Dans un saladier, délayez le sucre en poudre avec le vinaigre, jusqu'à ce qu'il soit dissous, puis ajoutez le zeste et le jus de citron. Au fouet, incorporez l'huile d'olive, puis l'ail, l'origan et les câpres. Laissez macérer cette sauce jusqu'au moment de servir.

Allumez un barbecue ou préchauffez le gril du four à une température élevée. À l'aide du dos d'un couteau, écaillez les sardines, en procédant de la queue vers la tête, puis ouvrez-les et videz-les. Séchez les sardines avec du papier absorbant, puis enduisez-les d'huile d'olive et disposez-les sur la grille du barbecue ou enfournez-les sous le gril.

Faites griller les sardines 3 minutes de chaque côté, jusqu'à ce qu'elles se mettent à grésiller, puis servez-les nappées de la sauce et accompagnées de tranches de citron.

La chermoula est une pâte d'épices marocaines, qui sert aussi de marinade, composée de graines de coriandre, d'ail, de citron et de diverses épices. Cet assaisonnement agrémente de nombreux mets à base de poisson, d'agneau ou de volaille. Le fait de griller les citrons permet d'en libérer le jus et d'en adoucir la saveur.

POISSONS GRILLÉS À LA MAROCAINE

POUR **4 personnes**
PRÉPARATION : **40 min**
REPOS DE LA PÂTE : **30 min**
MACÉRATION : **de 30 min à 1 h**
CUISSON : **10 min**

> 2 poissons de 750 g chacun (rascasse, bar, dorade ou mulet gris) écaillés et vidés
> quelques feuilles de laurier
> quelques brins de thym citron
> 2 cuill. à soupe d'huile d'olive vierge extra + 1 filet
> 2 citrons juteux coupés en deux
> sel et poivre du moulin

Pour la chermoula

> 1 cuill. à café de cumin en poudre
> 1 cuill. à café de graines de coriandre moulues
> 1 pincée de pistils de safran
> 2 gousses d'ail hachées
> 1 cuill. à café de zeste de citron râpé
> 1 cuill. à café de piment d'Espagne doux, de préférence fumé au bois de chêne, ou de paprika
> 2 cuill. à soupe de persil plat haché
> 3 cuill. à soupe de feuilles de coriandre fraîche hachées
> le jus fraîchement pressé de 1 citron
> 4 cuill. à soupe d'huile d'olive vierge extra
> 1 pincée de piment de Cayenne ou de piment en poudre

Préparez la chermoula. Dans une petite casserole à feu doux, faites chauffer le cumin, les graines de coriandre moulues et le safran 1 minute pour que les arômes se développent. Transvasez ce mélange dans le bol d'un robot avec l'ail, le zeste de citron, le piment d'Espagne, le persil plat et les feuilles de coriandre, puis hachez finement le tout. Ajoutez le jus de citron et l'huile d'olive, puis mixez pendant encore quelques secondes, de manière à obtenir une pâte lisse. Ajoutez le piment de Cayenne ou le piment en poudre, salez à volonté, puis couvrez et laissez reposer la chermoula pendant 30 minutes.

Salez l'intérieur des poissons, puis entaillez leurs flancs en diagonale à 4 ou 5 reprises et frottez-les d'un peu de la chermoula. Disposez les poissons dans un plat allant au four, glissez 1 feuille de laurier et quelques brins de thym citron à l'intérieur, puis couvrez-les et laissez-les macérer au réfrigérateur de 30 minutes à 1 heure.

Préchauffez le gril du four à une température élevée. Salez et poivrez les poissons marinés, arrosez-les d'un peu d'huile d'olive, puis enfournez-les et faites-les griller 5 minutes sur la grille supérieure du four. Sortez le plat, retournez les poissons, puis ajoutez les demi-citrons, côté coupé en dessus et arrosez le tout d'huile d'olive. Remettez le plat au four pendant 5 minutes. Servez immédiatement en présentant éventuellement le reste de la chermoula dans un récipient à part.

NOTE : vous pouvez aussi faire griller les poissons et les citrons au barbecue. Dans ce cas, disposez les poissons sur une grille double légèrement huilée et faites-les cuire environ 10 minutes de chaque côté. Faites griller les demi-citrons 2 ou 3 minutes directement au barbecue ou au gril.

La chair dense du thon appelle des épices et des sauces relevées. Dans cette recette, la panure au piment d'Espagne permet en outre de préserver le moelleux d'un poisson qui risque souvent de se dessécher à la cuisson. D'origine catalane, la sauce romesco est ici enrichie d'amande et de noisette en poudre.

THON PANÉ AU PIMENT ET SAUCE ROMESCO

POUR **4 personnes**
PRÉPARATION : **40 min**
CUISSON : **20 min**

> 4 darnes de thon albacore de 175 g chacune
> 40 g d'emmenthal coupé en 4 tranches fines
> quelques feuilles de roquette
> sel et poivre du moulin

Pour la sauce romesco

> 2 poivrons rouges
> 10 cl d'huile d'olive
> 2 gousses d'ail
> 1 piment rouge épépiné et émincé
> 200 g de tomates olivettes pelées en conserve
> 1 ou 2 cuill. à soupe de vinaigre de vin rouge
> 1 cuill. à soupe de noisettes en poudre
> 1 cuill. à soupe d'amandes en poudre

Pour la panure

> 1 cuill. à soupe d'huile d'olive
> 50 g de chapelure blanche fraîche (voir NOTE)
> 1 cuill. à soupe de basilic frais haché
> 1/2 cuill. à café de piment d'Espagne fort, fumé au bois de chêne, ou de paprika
> 1 cuill. à café de concentré de tomate
> 1/2 cuill. à café de sucre en poudre

Préparez la sauce romesco. Préchauffez le gril du four. Disposez les poivrons sur une plaque de cuisson, puis enfournez-les et faites-les griller jusqu'à ce que la peau noircisse. Sortez-les du four, mettez-les dans un sac en papier hermétiquement fermé et laissez-les reposer pendant 10 minutes. Pelez-les, puis ôtez les pépins et les membranes blanches. Dans une poêle antiadhésive, faites chauffer 1 cuillerée à café d'huile d'olive, puis faites revenir l'ail. Ajoutez le piment rouge et les tomates olivettes, puis laissez dessécher le mélange à feu vif, en remuant souvent, jusqu'à ce qu'il soit bien doré. Transvasez-le dans le bol d'un robot avec le vinaigre et l'huile d'olive restante, puis mixez-le en une purée lisse. Incorporez les noisettes et les amandes en poudre, puis salez selon votre goût.

Préparez la panure. Dans une poêle, mélangez tous les ingrédients avec 1/2 cuillerée à café de sel, remuez bien, puis faites cuire cette préparation, jusqu'à obtention d'une texture croustillante. Retirez la panure de la poêle et laissez-la refroidir.

Préchauffez le four à 250 °C (therm. 8-9).

Salez et poivrez les darnes de thon, disposez-les sur une plaque de cuisson huilée, puis enfournez-les pour 5 minutes, jusqu'à ce qu'elles soient dorées.

Sortez la plaque du four, retournez les darnes, puis étalez une couche de panure sur chacune et déposez une tranche d'emmenthal par-dessus. Remettez le plat dans le four pendant 5 minutes, jusqu'à ce que le fromage ait fondu, puis servez sur un lit de roquette et présentez la sauce romesco dans un récipient à part.

NOTE : la chapelure blanche fraîche est faite de mie de pain rassis passée au tamis et séchée sans être grillée ; elle se conserve peu. Si elle est grillée, elle est dite « sèche ».

Cette recette est parfaite pour cuisiner un poisson entier à chair ferme, car elle préserve le jus et le moelleux de la chair. Le fenouil et les olives, aux saveurs typiques de la Méditerranée, constituent un accompagnement simple, mais toujours délicieux.

BAR BRAISÉ AU FENOUIL ET AUX OLIVES VERTES

POUR **4 personnes**
PRÉPARATION : **20 min**
CUISSON : **30 min**

> 1 bar ou 1 dorade de 1,25 kg écaillés et vidés
> quelques brins de romarin
> 2 gros bulbes de fenouil
> 15 cl d'huile d'olive vierge extra
> le jus fraîchement pressé de 1 citron
> 1 cuill. à soupe d'origan séché
> 3 cuill. à soupe de persil plat haché
> 8 grosses olives vertes dénoyautées
> 15 cl de vin blanc sec
> sel et poivre du moulin

Préchauffez le four à 220 °C (therm. 7-8).

Lavez soigneusement le poisson, puis garnissez-en l'intérieur de brins de romarin. Coupez les bulbes de fenouil en deux dans la longueur et retirez le cœur. Détaillez chaque moitié de bulbe en tranches assez épaisses, puis faites blanchir celles-ci 5 minutes dans une grande casserole emplie d'eau bouillante salée. Égouttez-les soigneusement.

Dans un saladier, réunissez l'huile d'olive, le jus de citron, l'origan et le persil plat, assaisonnez, puis battez le mélange au fouet. Ajoutez les morceaux de fenouil et remuez pour bien les enduire de la sauce. Transvasez le tout dans un plat à rôtir, en réservant un peu du jus. Déposez le poisson par-dessus, arrosez-le du jus réservé, parsemez-le d'olives et mouillez de vin blanc.

Enfournez le poisson pour 30 minutes, en l'arrosant régulièrement de jus de cuisson et en remuant les morceaux de fenouil. Éteignez le four et laissez le poisson reposer pendant 5 minutes à l'intérieur, puis servez-le bien chaud.

Ce plat se cuisine généralement avec une queue de lotte, mais la recette convient à tous les types de morceau, à la condition d'adapter le temps de cuisson en fonction de leur taille. Accompagnez ce poisson de riz.

RÔTI DE LOTTE À LA SAUCE NIÇOISE

POUR **4 personnes**
PRÉPARATION : **20 min environ**
CUISSON : **40 min environ**

> 1 queue de lotte de 1 kg
> un peu d'huile d'olive
> 12 olives noires hachées
> quelques brins de fenouil
> sel et poivre du moulin

Pour la sauce niçoise

> 6 tomates fraîches pelées et épépinées ou 200 g de tomates en conserve
> 2 gousses d'ail écrasées
> 2 cuill. à soupe d'huile d'olive
> 15 cl de vin blanc sec
> 25 cl de fumet de poisson
> 2 ou 3 brins de thym hachés
> 2 ou 3 brins d'estragon hachés
> 2 feuilles de sauge fraîche
> 1 feuille de laurier

Préparez la sauce niçoise. Réunissez les tomates, l'ail et l'huile d'olive dans une casserole, portez à ébullition, puis baissez le feu et laissez mijoter, en écrasant de temps en temps les tomates, de manière à obtenir une purée. Versez le vin, puis laissez frémir jusqu'à ce qu'il ait été absorbé. Ajoutez le fumet de poisson, le thym, l'estragon, la sauge et la feuille de laurier, puis assaisonnez.

Préchauffez le four à 180 °C (therm. 6).

Retirez la peau du poisson et ôtez les membranes blanches. Enduisez-le d'huile d'olive, puis salez-le et poivrez-le.

Étalez la moitié de la sauce au fond d'un plat à rôtir, disposez la queue de lotte dessus, puis enfournez-la pour 20 minutes, en la retournant à mi-cuisson. Sortez le poisson du four, puis transvasez-le dans un plat de service et réservez-le au chaud.

Incorporez le jus de cuisson du poisson à la sauce niçoise restante, portez le mélange à ébullition, puis laissez-le frémir jusqu'à ce qu'il ait épaissi. Rectifiez l'assaisonnement, si nécessaire.

Versez la sauce ainsi obtenue sur le poisson, garnissez-le d'olives et de brins de fenouil, puis servez.

En Italie, les agrumes sont souvent associés au poisson, dont ils rehaussent la douce saveur d'une note acidulée. Dans cette recette, vous pouvez remplacer le rouget par du vivaneau et opter pour des oranges ordinaires au lieu de sanguines, en ajoutant, éventuellement, un trait de vin. Servez les papillotes directement dans les assiettes de vos convives, afin que chacun ouvre la sienne et en hume les parfums.

PAPILLOTES DE ROUGET À L'ORANGE

POUR **4 personnes**
PRÉPARATION : **15 min**
CUISSON : **20 min**

> 4 rougets de 250 g chacun écaillés, vidés et coupés en filets
> 3 cuill. à soupe d'huile d'olive vierge extra
> 2 oranges sanguines non traitées
> 8 feuilles de laurier
> 20 petites olives noires
> sel et poivre du moulin

Préchauffez le four à 190 °C (therm. 6-7).

Découpez 4 rectangles de feuille d'aluminium ou de papier sulfurisé d'une dimension suffisante pour contenir les poissons, puis enduisez-les d'un tiers de l'huile d'olive.

Râpez le zeste des oranges au-dessus d'un saladier, puis ajoutez le reste de l'huile d'olive, salez, poivrez et réservez. Terminez de peler les oranges à vif, puis coupez la pulpe en rondelles fines. Répartissez la moitié d'entre elles au centre des rectangles d'aluminium, déposez par-dessus une feuille de laurier, puis les filets de poissons, une autre feuille de laurier, et terminez par les rondelles d'orange restantes. Arrosez le contenu de chaque papillote de la sauce à base de zestes et garnissez d'olives noires.

Rabattez les bords des rectangles d'aluminium par-dessus la garniture, puis fermez les papillotes en tordant ensemble les extrémités des feuilles. Disposez les papillotes sur une plaque de cuisson et enfournez-les pour 20 minutes. Retirez-les du four, puis servez-les directement dans les assiettes des convives.

Traditionnellement, la cuisson de ce plat s'effectue dans une cocotte en terre (la *cazuela* espagnole, à la base non vernissée) ; elle permet de faire longuement mijoter les plats pour en préserver tous les arômes.

MERLU À LA SAUCE À L'AIL ET AUX PALOURDES

POUR **4 à 6 personnes**
PRÉPARATION : **20 min**
REPOS : **10 min**
CUISSON : **de 30 à 40 min**

> 500 g de palourdes
> 10 cl de vin blanc sec
> 6 darnes de merlu ou de cabillaud de 2 cm d'épaisseur
> 15 cl d'huile d'olive
> 4 gousses d'ail finement émincées
> 4 cuill. à soupe de persil plat haché
> sel et poivre du moulin

Déposez les palourdes dans une cocotte, arrosez-les de vin, puis faites-les chauffer à feu vif, jusqu'à ce que les coquilles s'ouvrent — jetez celles dont la coquille demeure fermée. Transvasez rapidement les autres dans un saladier, couvrez de film alimentaire et réservez. Filtrez le jus de cuisson dans une passoire doublée de mousseline placée au-dessus d'un récipient et réservez-le également. Étalez les darnes de poisson sur une assiette, salez-les et laissez-les reposer pendant 10 minutes.

Dans une poêle à fond épais, faites chauffer l'huile d'olive, puis faites dorer l'ail à feu doux, en remuant pour qu'il ne brûle pas. Retirez-le de la poêle à l'aide d'une écumoire et réservez-le sur une assiette jusqu'au moment de servir.

Retirez de la poêle les deux tiers de l'huile de cuisson de l'ail et réservez-la dans un récipient à part. Déposez les darnes de poisson dans le fond d'huile restant et faites-les cuire à feu doux, en ajoutant progressivement l'huile réservée et en secouant délicatement la poêle, de manière que le poisson cuise très lentement et soit comme confit dans l'huile. Une fois que l'huile a été complètement absorbée, transposez le poisson dans un plat et réservez-le au chaud. Versez le jus de cuisson réservé des palourdes dans la même poêle non rincée, puis laissez épaissir à feu doux, en remuant jusqu'à obtention d'une sauce onctueuse.

Remettez le poisson dans la poêle et prolongez la cuisson environ 5 minutes, jusqu'à ce qu'il soit moelleux. Juste avant de servir, ajoutez les palourdes et faites-les chauffer à feu doux. Poivrez rapidement le tout et servez avec l'ail confit dans l'huile.

Utilisez d'assez gros morceaux de poissons blancs comme la lotte, le merlu, le vivaneau, le mérou ou le bar, et sélectionnez des pommes de terre qui ne se brisent pas à la cuisson (en règle générale, les pommes de terre à chair jaune sont plus fermes que celles à chair blanche). Accompagnez le poisson de légumes verts simplement cuits à la vapeur et arrosés d'un filet d'huile d'olive.

POISSON AU CITRON, À L'ORIGAN ET AUX POMMES DE TERRE

POUR **4 personnes**
PRÉPARATION : **30 min**
CUISSON : **de 1 h à 1h10**

> 15 cl d'huile d'olive vierge extra
> 2 oignons coupés en deux, puis émincés
> 2 gousses d'ail hachées
> 1 pincée de piment en poudre
> 1 cuill. à café de graines de coriandre concassées
> 1/2 cuill. à café d'origan séché + 1 cuill. à soupe d'origan frais haché
> 750 g de pommes de terre fermes pelées et coupées en quartiers
> 2 feuilles de laurier
> 5 cuill. à soupe de vin blanc ou de vermouth
> 1/2 cuill. à café de zeste de citron râpé
> 700 à 750 g de filets de poissons blancs à chair ferme coupés en gros morceaux
> 1 filet de jus de citron fraîchement pressé
> 2 petits citrons coupés en deux
> 1 cuill. à soupe de persil plat haché
> sel et poivre du moulin

Dans une grande sauteuse ou dans une cocotte en terre allant au four, faites chauffer l'huile d'olive à feu moyen, puis faites dorer l'oignon 2 ou 3 minutes. Baissez le feu, ajoutez 1 ou 2 pincées de sel, puis couvrez et prolongez la cuisson de 10 à 12 minutes, jusqu'à ce que l'oignon soit tendre et bien doré. Ajoutez l'ail, le piment, les graines de coriandre concassées et l'origan séché, puis laissez mijoter encore 3 ou 4 minutes.

Ajoutez les pommes de terre et les feuilles de laurier, remuez, assaisonnez, puis laissez cuire quelques minutes. Incorporez le vin ou le vermouth et le zeste de citron, puis, dès que le liquide commence à bouillir, couvrez et faites mijoter de 15 à 20 minutes à feu doux, jusqu'à ce que les pommes de terre soient presque tendres.

Préchauffez le four à 200 °C (therm. 6-7).

Transposez les pommes de terre dans un grand plat à rôtir — sauf si utilisez une cocotte en terre. Salez légèrement les morceaux de poissons, puis glissez-les entre les pommes de terre. Arrosez de jus de citron et d'un peu d'huile de cuisson des pommes de terre, ajoutez les demi-citrons et versez dessus le reste de l'huile de cuisson des pommes de terre.

Enfournez le plat ou la cocotte et faites cuire de 20 à 25 minutes, en arrosant les ingrédients de jus de cuisson à 1 ou 2 reprises, jusqu'à ce que les pommes de terre et le poisson soient bien tendres, et les citrons dorés. Parsemez d'origan frais et de persil plat, puis servez immédiatement.

VIANDES
ET VOLAILLES

Quelques olives à la provençale et la saveur puissante d'une sauce à l'ail et au citron suffisent à transformer un simple poulet rôti en mets de fête. Choisissez une huile d'olive bien fruitée, verte et corsée ; et, plutôt que de préparer une sauce, vous pouvez aussi servir les têtes d'ail et les citrons entiers, confits dans les sucs.

POULET RÔTI
À LA PROVENÇALE

POUR **4 personnes**
PRÉPARATION : **30 min**
CUISSON : **1 h 10 environ**

> 1 poulet fermier de 1,25 kg à 1,5 kg
> 3 cuill. à soupe d'huile d'olive vierge extra
> 2 citrons
> 1 gros bouquet de thym frais
> 175 g d'olives noires en saumure à la provençale
> 5 têtes d'ail
> 15 cl de vin rouge corsé (facultatif)
> sel et poivre du moulin

Séchez le poulet avec du papier absorbant. Badigeonnez la peau d'un peu d'huile d'olive, puis saupoudrez-la de sel. Salez également l'intérieur du poulet, puis disposez celui-ci, blancs en dessous, dans un plat à rôtir.

Préchauffez le four à 220 °C (therm. 7-8).

Coupez les citrons en tranches, en diagonale, mais sans les dissocier complètement les unes des autres. Introduisez la moitié du thym et 1 citron tranché à l'intérieur du poulet, glissez quelques brins de thym entre les pattes et au-dessous, puis ajoutez les olives et le second citron tranché dans le plat.

Coupez le dessus des têtes d'ail de manière à former un «couvercle», retirez ces derniers, puis arrosez chaque tête d'ail de 1 cuillerée à café d'huile d'olive et reposez les couvercles. Enduisez le poulet et le citron tranché de l'huile d'olive restante.

Enfournez le poulet pour 40 minutes, puis retournez-le en plaçant les têtes d'ail au-dessous et poursuivez la cuisson de 35 à 40 minutes, jusqu'à ce que la peau soit dorée – une fois que la chair du poulet est cuite, le jus qui s'en écoule lorsque vous la piquez à l'aide d'une fourchette doit être jaune clair. Retirez le poulet et les olives du plat à rôtir, couvrez-les et réservez-les au chaud jusqu'au moment de servir.

Versez le jus de cuisson du poulet dans un saladier. Transvasez-en 3 cuillerées à soupe dans le bol d'un robot – en prélevant les sucs épais –, puis versez-y éventuellement le vin. Récupérez la pulpe d'une tête d'ail à l'aide d'une cuillère, puis déposez-la dans le bol. Coupez le quart du citron rôti en petits dés, ajoutez-les également au contenu du bol, puis mixez rapidement le tout, de manière à obtenir une sauce homogène et onctueuse – si nécessaire, ajoutez davantage de jus de cuisson pour bien fluidifier la sauce. Versez celle-ci dans une petite casserole et faites-la frémir de 3 à 5 minutes à feu doux. Servez le poulet rôti accompagné des têtes d'ail restantes et de la sauce.

La cuisine marocaine fait souvent appel à de subtiles combinaisons d'épices, disponibles à la demande dans les souks ou les bazars. Cette recette de tajine requiert notamment du safran ; à défaut, il peut être remplacé par du piment doux ou du paprika, en double quantité. La réussite des tajines repose sur l'équilibre entre le salé et le sucré ; ici, entre la viande de volaille et les abricots charnus et juteux.

TAJINE DE POULET AUX ABRICOTS

POUR **4 personnes**
PRÉPARATION : **20 min**
CUISSON : **de 50 à 55 min**

> 1/2 cuill. à café de curcuma en poudre
> 1/2 à 1 cuill. à café de safran en poudre
> 1 poulet de 1,5 kg coupé en 8 ou 10 morceaux
> 250 g d'abricots séchés
> 50 g de beurre ou 3 cuill. à soupe d'huile d'olive
> 2 oignons hachés
> 1/2 cuill. à café de gingembre en poudre
> 1/2 cuill. à café de paprika
> 1/2 cuill. à café de grains de poivre noir concassés
> 1 cuill. à café de fleur de sel
> 1 bouquet de persil frais noué à l'aide de ficelle alimentaire
> 1 pomme acide (granny smith, par exemple) avec la peau, épépinée et coupée en huit
> un peu de semoule de coucous ou de riz cuits
> quelques feuilles de menthe fraîche
> sel et poivre du moulin

Mélangez le curcuma et le safran dans un petit bol, puis frottez-en les morceaux de poulet. Dans une casserole, réunissez les abricots séchés avec 25 cl d'eau bouillante, puis, dès la reprise de l'ébullition, couvrez et laissez mijoter environ 10 minutes.

Dans un plat à tajine ou dans une grande cocotte, faites chauffer le beurre ou l'huile d'olive, puis faites revenir les oignons 5 minutes, en remuant. Ajoutez le gingembre, le paprika, les grains de poivre noir concassés et la fleur de sel, puis déposez les morceaux de poulet enrobés d'épices sur le mélange.

Versez 30 cl d'eau froide dans la casserole contenant les abricots, puis transvasez le tout dans le plat à tajine et ajoutez-y le bouquet de persil.

Portez la préparation à ébullition, couvrez, puis baissez le feu et laissez mijoter pendant 20 minutes sans ôter le couvercle. Ajoutez la pomme et prolongez la cuisson de 10 à 15 minutes, en ajoutant un peu d'eau, si nécessaire, pour que le tajine ne se dessèche pas — les fruits absorbent beaucoup de liquide.

Retirez le plat du feu, jetez le persil, puis servez le tajine, garni de menthe, avec de la semoule de couscous ou du riz.

Le *stifatho* est un plat traditionnel grec consistant en un épais ragoût de viande (généralement du bœuf, du lapin ou de la pintade) préparé avec des tomates, de l'ail et de l'huile d'olive, et éventuellement flambé, comme ici avec du metaxa, un brandy grec. Servez-le directement dans la cocotte, accompagné de pain de campagne, de nouilles, de riz ou de frites.

STIFATHO DE POULET

POUR **4 personnes**
PRÉPARATION : **20 min**
CUISSON : **45 min environ**

> 1 poulet de 1,5 kg coupé en quatre ou 4 cuisses ou 4 blancs
> 2 cuill. à soupe d'huile d'olive vierge extra
> 10 clous de girofle
> 20 oignons grelots ou 10 échalotes coupées en deux
> 8 cœurs d'artichaut en conserve, égouttés
> 4 gousses d'ail hachées
> 2 cuill. à soupe de vinaigre de vin blanc ou de jus de citron fraîchement pressé
> 6 cuill. à soupe de concentré de tomate
> 450 g de tomates concassées en conserve
> 24 olives noires de Kalamata
> 1 gros bouquet de romarin, d'origan ou de thym frais, ou un mélange des trois
> 2 cuill. à soupe de metaxa (facultatif)
> poivre du moulin

Séchez le poulet avec du papier absorbant. Dans une grande cocotte, faites chauffer l'huile d'olive, puis faites revenir les morceaux de poulet de 8 à 10 minutes, en les retournant à l'aide de pinces, de manière à les dorer uniformément.

Piquez les oignons ou les échalotes de clous de girofle, puis mettez-les dans la cocotte. Ajoutez les cœurs d'artichaut, l'ail, le vinaigre, le concentré de tomate et les olives de Kalamata. Poivrez, puis ajoutez les aromates dans la cocotte, en les disposant autour et au-dessous du poulet.

Portez le mélange à ébullition, puis baissez le feu, couvrez et laissez mijoter pendant 30 minutes, jusqu'à ce que la viande soit bien cuite, mais moelleuse, et que la sauce soit épaisse.

Faites éventuellement chauffer le metaxa dans une louche, puis versez-le dans la cocotte et flambez-le.

NOTE : vous pouvez également flamber le stifatho avec du mavrodaphne de Patras, un vin rouge grec doux qui n'est pas sans évoquer le porto.

Le foie, comme certains autres abats, est souvent mis à l'honneur dans la cuisine méditerranéenne. En Grèce, comme en Italie et en Espagne, il est généralement agrémenté d'herbes aromatiques ou d'épices, et peut être servi aussi bien en en-cas qu'en entrée ou en plat principal. Ces savoureux roulés s'accompagneront volontiers de riz cuit aux herbes et de légumes verts assaisonnés d'huile d'olive et de citron.

ROULÉS DE FOIE AU BACON

POUR **4 personnes**
PRÉPARATION : **15 min**
CUISSON : **de 10 à 15 min environ**

> 350 g de foies de volaille ou de foie d'agneau
> 1 noix de muscade râpée
> 8 fines tranches de poitrine de porc maigre fumée, coupée en deux dans la longueur
> 2 cuill. à soupe d'huile d'olive vierge extra
> 6 cuill. à soupe de vin rouge ou de vermouth rouge doux
> 4 cuill. à soupe de coulis de tomate
> 4 cuill. à soupe de bouillon de volaille ou de bouillon d'agneau, ou d'eau
> sel et poivre du moulin

Si vous utilisez des foies de volaille, coupez-les en deux ou en quatre à l'aide de ciseaux, puis jetez les membranes et les parties décolorées. Si vous optez pour du foie d'agneau, coupez-le en tranches de 1 cm d'épaisseur, puis en dés de 2 cm de côté. Séchez les morceaux de foie avec du papier absorbant, puis assaisonnez-les et saupoudrez-les de la moitié de la noix de muscade. Enveloppez-les deux par deux d'une tranche de poitrine, puis maintenez le tout à l'aide de petites piques en bois.

Dans une grande sauteuse antiadhésive, faites chauffer l'huile d'olive, puis faites revenir les roulés 1 ou 2 minutes de chaque côté, jusqu'à ce que le gras de la poitrine soit translucide, et que les dés de foie soient fermes et dorés. Placez les roulés sur le côté de la sauteuse.

Versez le reste de la noix de muscade dans la sauteuse, avec le vin ou le vermouth, le coulis de tomate et le bouillon de volaille ou le bouillon d'agneau, ou l'eau. Laissez dissoudre la muscade à feu moyen, jusqu'à obtention d'une sauce homogène, puis enduisez-en les roulés en remuant délicatement le tout. Faites réchauffer 1 minute, puis retirez du feu et servez.

Cette recette originaire d'Andalousie associe deux produits typiques de la région : le canard et les olives. Dénoyautez ces dernières vous-même afin qu'elles aient davantage de goût.

MAGRETS DE CANARD AUX OLIVES

POUR **4 personnes**
MARINADE : **30 min**
PRÉPARATION : **15 min**
CUISSON : **de 35 à 40 min**

> 4 magrets de canard
> 4 brins de thym frais
> 2 cuill. à soupe de manzanilla ou de xérès (voir NOTE)
> 3 cuill. à soupe d'huile d'olive
> 10 petites échalotes
> 2 oignons finement hachés
> 3 gousses d'ail écrasées
> 4 cuill. à soupe de vin blanc sec
> 20 olives noires et 20 olives vertes coupées en quatre dans la longueur
> sel et poivre du moulin

Entaillez la peau des magrets en traçant un quadrillage en losanges. Disposez-les, côté peau en dessous, dans un plat peu profond, parsemez-les de thym, arrosez-les de manzanilla ou de xérès, assaisonnez-les, puis laissez-les mariner pendant environ 30 minutes.

Préchauffez le four à 220 °C (therm. 7-8).

Retirez les magrets du saladier, en réservant la marinade, puis essuyez-les à l'aide de papier absorbant. Faites chauffer une poêle à feu vif, sans matière grasse, puis déposez-y les magrets marinés, côté peau en dessous, et faites-les dorer 5 minutes. Transposez-les sur un plat — en réservant éventuellement la graisse pour une autre occasion —, puis essuyez la poêle avec du papier absorbant. Faites-y chauffer 1 cuillerée à soupe d'huile d'olive, puis faites dorer les échalotes. Retirez-les du feu et garnissez-en les magrets de canard.

Dans la poêle, faites chauffer le reste de l'huile d'olive, puis faites suer les oignons et l'ail 5 minutes, sans les laisser colorer. Augmentez le feu, ajoutez le vin et portez à ébullition. Transvasez le mélange dans une cocotte allant au four, avec les échalotes et les magrets, côté peau en dessus, puis arrosez le tout de la marinade réservée. Enfournez la cocotte et faites cuire de 5 à 8 minutes — ou de 8 à 13 minutes pour une viande cuite à point.

Ajoutez les olives, laissez cuire encore 5 minutes, puis sortez la cocotte du four. Coupez les magrets en tranches fines, puis servez-les avec le mélange d'olives et d'oignons.

NOTE : la manzanilla est un vin espagnol produit en Andalousie, dont le mode de fabrication est très proche de celui du xérès, mais dont les caractéristiques diffèrent cependant.

Grand classique de la cuisine du sud-ouest de la France, le cassoulet est idéal pour rassasier les grandes tablées par temps hivernal. La recette traditionnelle préconise l'emploi de haricots lingots, mais tous les types de haricot blanc — tarbais, cocos blancs, etc. — conviennent. N'hésitez pas à le préparer à l'avance car il est encore meilleur réchauffé ; il suffit alors d'ajouter un peu de liquide s'il paraît trop sec.

CASSOULET DE TOULOUSE

POUR **6 à 8 personnes**
TREMPAGE : **12 h**
PRÉPARATION : **30 min**
CUISSON : **2 h 30 environ**

> 675 g de haricots blancs secs (lingots, cocos, etc.)
> 500 g de poitrine de porc fumée, sans la couenne, coupée en gros morceaux
> 4 cuill. à soupe d'huile d'olive
> 4 magrets de canard coupés en deux dans l'épaisseur ou 4 cuisses de poulet
> 750 g de saucisses de Toulouse ou de saucisses de porc coupées en trois
> 2 oignons hachés
> 1 grosse carotte hachée
> 4 à 6 grosses gousses d'ail écrasées
> 3 feuilles de laurier
> 2 cuill. à café de thym séché
> 2 clous de girofle
> 3 cuill. à soupe de coulis de tomate
> 12 tomates séchées à l'huile, égouttées, puis grossièrement hachées
> 75 g de chapelure blanche fraîche
> 50 g de beurre coupé en dés
> sel et poivre du moulin

La veille, mettez les haricots blancs dans un grand saladier, couvrez-les d'eau froide, puis laissez-les tremper pendant plusieurs heures, jusqu'à ce qu'ils aient doublé de volume.

Le jour même, égouttez les haricots, puis placez-les dans une grande casserole et couvrez-les d'eau froide. Portez à ébullition, puis laissez mijoter pendant 1 heure, jusqu'à ce que les haricots soient cuits, mais encore fermes. Égouttez-les soigneusement, en réservant le jus de cuisson.

Dans une poêle, faites chauffer 2 cuillerées à soupe d'huile d'olive, puis faites dorer la poitrine de porc, en procédant en plusieurs fois, et réservez-la sur un grand plat. Faites chauffer le reste de l'huile d'olive dans la poêle, puis faites dorer les magrets de canard, côté peau en dessous, et déposez-les à leur tour sur le plat, avec la poitrine de porc. Faites ensuite dorer les saucisses dans l'huile de cuisson, puis ajoutez-les au contenu du plat. Dans la poêle, réunissez les oignons, la carotte, l'ail, les feuilles de laurier, le thym, les clous de girofle, le coulis de tomate et les tomates séchées, puis faites revenir le tout 5 minutes.

Préchauffez le four à 180 °C (therm. 6).

Étalez la moitié des haricots blancs au fond d'une grande cocotte allant au four. Déposez par-dessus une couche régulière de viande, couvrez celle-ci de la préparation à base d'oignon et de tomate, assaisonnez, puis terminez par les haricots restants. Arrosez du jus de cuisson des haricots réservé jusqu'à hauteur des haricots, puis parsemez de chapelure et garnissez de beurre. Enfournez la cocotte pour 1 heure, jusqu'à ce que le dessus du cassoulet soit gratiné, puis servez-le très chaud.

Ces brochettes traditionnelles grecques, appelées souvlakis, se composent de cubes moelleux d'agneau marinés dans le vin, le jus de citron et les herbes. Elles se marient à merveille avec une salade de boulghour simplement agrémentée d'herbes fraîches.

BROCHETTES D'AGNEAU ET SALADE DE BOULGHOUR

POUR **4 personnes**
MARINADE : **5 h**
PRÉPARATION : **20 min**
CUISSON : **10 min**

> 1 kg d'épaule d'agneau
> 1 cuill. à soupe de romarin frais haché
> 1 cuill. à soupe d'origan séché
> 1 oignon haché
> 4 gousses d'ail hachées
> 30 cl de vin rouge
> le jus fraîchement pressé de 1 citron
> 5 cuill. à soupe d'huile d'olive
> sel et poivre du moulin

Pour la salade
> 350 g de boulghour
> 25 g de persil frais haché
> 15 g de feuilles de menthe fraîche
> 2 gousses d'ail écrasées
> 15 cl d'huile d'olive vierge extra
> le jus fraîchement pressé de 2 citrons
> 1 pincée de sucre en poudre

Retirez les gros morceaux de gras de l'agneau et coupez la viande en morceaux de 2,5 cm de côté. Mettez ceux-ci dans un plat non métallique peu profond, avec le romarin, l'origan, l'oignon, l'ail, le vin, le jus de citron et l'huile d'olive, puis assaisonnez. Remuez soigneusement et laissez mariner au réfrigérateur pendant 4 heures. Environ 1 heure avant de faire cuire la viande, sortez le plat du réfrigérateur pour qu'elle revienne à température ambiante.

Pendant ce temps, préparez la salade. Faites tremper le boulghour dans un récipient empli d'eau tiède pendant 30 minutes, jusqu'à ce qu'il ait complètement absorbé le liquide. Égouttez-le soigneusement et transvasez-le dans un saladier avec tous les autres ingrédients. Assaisonnez, puis laissez reposer pendant 30 minutes.

Allumez un barbecue ou préchauffez le gril du four à une température élevée.

Enfilez les morceaux d'agneau marinés sur des piques à brochettes, puis faites-les griller 10 minutes au barbecue ou sous le gril du four, en les arrosant régulièrement de la marinade et en les retournant de temps en temps. Ôtez-les du feu et laissez-les reposer pendant 5 minutes, puis servez les souvlakis avec la salade de boulghour.

Originaire des régions de Valence et d'Alicante, en Espagne, la *salmoretta* est une sauce à base de tomate et de piment, idéale pour les viandes grillées comme les côtelettes d'agneau.

CÔTELETTES D'AGNEAU À LA SAUCE SALMORETTA

POUR **4 personnes**
MARINADE : **au moins 2 h**
PRÉPARATION : **20 min**
CUISSON : **6 min**

> > 3 gousses d'ail écrasées
> > 2 cuill. à café de piment d'Espagne doux ou de paprika
> > 4 brins de thym frais
> > 3 cuill. à soupe d'huile d'olive
> > 12 côtelettes d'agneau
> > sel et poivre du moulin

Pour la sauce salmoretta

> > 1 grosse échalote finement émincée
> > 3 tomates bien mûres
> > 2 gousses d'ail finement hachées
> > 1 piment rouge séché, épépiné et finement haché
> > 1 cuill. à soupe de persil plat finement haché
> > 10 cl d'huile d'olive
> > 1 ½ cuill. à café de vinaigre de vin rouge

Réunissez l'ail, le piment d'Espagne, le thym, l'huile d'olive, 1 pincée de sel et 1 pincée de poivre dans un plat peu profond. Ajoutez les côtelettes d'agneau, remuez pour bien les enduire de la sauce, puis laissez-les mariner pendant au moins 2 heures, et jusqu'à 1 nuit.

Préparez la sauce salmoretta. Préchauffez le gril du four. Faites tremper l'échalote dans un bol empli d'eau froide. Entaillez en croix le dessus de chaque tomate, puis enfournez celles-ci pour 5 minutes, jusqu'à ce que la peau soit ridée. Retirez les tomates du four, puis pelez-les et épépinez-les. Hachez finement la pulpe, puis placez-la dans un saladier.

Pendant ce temps, dans un grand mortier, pilez l'ail, le piment et le persil plat en une pâte, puis incorporez-y les deux tiers de la pulpe de tomates. Égouttez l'échalote, puis écrasez-en la moitié dans le mortier contenant la sauce à la tomate. Continuez de piler tout en incorporant progressivement l'huile d'olive, de manière à créer une émulsion. Pour finir, ajoutez le vinaigre, ainsi que la pulpe de tomate et l'échalote restantes, puis assaisonnez.

Allumez un barbecue ou faites chauffer un gril à feu vif. Retirez les côtelettes de la marinade, égouttez-les, puis faites-les griller 3 minutes de chaque côté. Servez-les bien chaudes, en présentant la sauce à part.

Mets incontournable de la cuisine libanaise, le kebbé n'était autrefois confectionné que pour les grandes occasions car les ingrédients étaient pilés au mortier, à la force du poignet ; désormais, le robot facilite beaucoup sa préparation.

KEBBÉ AU FOUR

POUR **4 personnes**
PRÉPARATION : **40 min**
CUISSON : **de 1h10 à 1h20**

> 225 g de boulghour fin
> 1 gros oignon
> 500 g d'agneau ou de bœuf finement haché
> 1 cuill. à café de piment de la Jamaïque en poudre
> 1 cuill. à café de cannelle en poudre
> 100 g de beurre coupé en dés
> 4 cuill. à soupe de pignons grillés
> sel et poivre du moulin

Pour la farce

> 3 cuill. à soupe d'huile d'olive
> 2 gros oignons finement hachés
> 600 g d'agneau haché
> 1 cuill. à café de piment de la Jamaïque en poudre
> 1 cuill. à café de cannelle en poudre
> 2 cuill. à soupe de sirop de grenadine ou 2 cuill. à soupe de jus de citron fraîchement pressé
> 15 cl d'eau chaude
> 3 ou 4 cuill. à soupe de pignons grillés
> 4 cuill. à soupe de persil frais haché

Préparez la farce. Dans une casserole, faites chauffer l'huile d'olive, puis faites dorer les oignons. Augmentez le feu, puis ajoutez l'agneau et faites-le revenir de 10 à 12 minutes, jusqu'à ce que la viande se mette à grésiller et qu'elle soit bien sèche. Ajoutez le piment de la Jamaïque et la cannelle, puis laissez dorer 2 ou 3 minutes. Assaisonnez, arrosez de sirop de grenadine et d'eau chaude, puis couvrez et laissez mijoter pendant 30 minutes. Ôtez du feu, puis incorporez les pignons grillés et le persil.

Faites tremper le boulghour dans un saladier empli d'eau froide pendant 10 minutes. Changez l'eau, mettez-le de nouveau à tremper pendant 5 minutes, puis égouttez-le.

Hachez finement l'oignon à l'aide d'un robot. Ajoutez l'agneau ou le bœuf, le piment de la Jamaïque, la cannelle, 1 pincée de sel et 1 pincée de poivre, puis mixez le tout en un hachis lisse. Transvasez celui-ci dans un saladier, puis incorporez-y le boulghour. Trempez le bout de vos doigts dans de l'eau glacée, puis pétrissez le mélange pendant quelques minutes. Divisez la pâte ainsi obtenue en deux.

Préchauffez le four à 180 °C (therm. 6) et beurrez généreusement un moule rectangulaire.

Humidifiez-vous de nouveau les mains, puis étalez la moitié de la pâte au fond du moule, en la tassant fermement, de manière qu'elle forme une couche de 1 cm d'épaisseur.

Couvrez ce fond de pâte d'une couche uniforme de farce, puis déposez sur le tout la pâte restante. À l'aide d'un couteau aiguisé, tracez un quadrillage à la surface de la préparation, de manière à segmenter les portions. Garnissez le dessus de beurre, puis enfournez et faites cuire de 20 à 30 minutes, en veillant à ce qu'elle ne se dessèche pas. Parsemez le kebbé de pignons grillés, puis, à l'aide d'un couteau à lame lisse, coupez-le délicatement en morceaux. Servez les portions chaudes ou à température ambiante.

Idéal pour les grands barbecues entre amis, le méchoui exige toutefois un long temps de cuisson. Pour réaliser cette variante simplifiée du traditionnel plat d'Afrique du Nord, il suffit de demander à votre boucher d'ouvrir un gigot d'agneau à plat et d'en retirer l'os, puis de faire ensuite cuire la viande comme un énorme steak.

MÉCHOUI D'AGNEAU À LA MAROCAINE

POUR **6 à 8 personnes**
PRÉPARATION : **25 min**
MARINADE : **au moins 1 h**
CUISSON : **de 20 à 50 min,**
selon le degré de cuisson désiré

> 1 gigot d'agneau de 2 kg ouvert en deux et désossé
> 1 cuill. à soupe de grains de poivre noir
> 1 cuill. à soupe de graines de coriandre
> 1 cuill. à soupe de graines de cumin
> 1 cuill. à soupe de piment d'Espagne doux ou de paprika
> 2 cuill. à café de thym séché
> le jus fraîchement pressé de 1 citron
> 2 gousses d'ail écrasées
> 150 g de yaourt
> un peu de fleur de sel
> quelques pains plats grillés
> un peu de salade verte
> quelques feuilles de menthe fraîche

Retirez la graisse du gigot d'agneau et rectifiez le morceau afin qu'il soit d'une épaisseur uniforme. Pratiquez de profondes entailles sur toute la surface de la viande.

Dans une poêle sans matière grasse, faites griller 2 minutes les grains de poivre noir, les graines de coriandre et de cumin, et le piment d'Espagne. Ôtez la poêle du feu, puis broyez le tout dans un mortier ou à l'aide d'un robot. Mettez la poudre d'épices ainsi obtenue dans un bol avec le thym, le jus de citron, l'ail, 10 g de yaourt et la fleur de sel, puis badigeonnez le côté tranché du gigot de ce mélange. Déposez la viande dans un plat peu profond, couvrez-la de film alimentaire et laissez-la mariner au réfrigérateur pendant au moins 1 heure.

Allumez un barbecue, puis faites griller la viande, côté tranché en dessus, de 10 à 12 minutes. Retournez le gigot et prolongez la cuisson de 10 à 12 minutes, si vous l'aimez saignant, de 30 à 35 minutes si vous le préférez à point, ou pendant 40 minutes, pour une viande bien cuite — vous pouvez aussi faire cuire le gigot sous le gril du four à une température moyenne pendant 40 minutes, en le retournant à mi-cuisson, pour une viande à point.

Retirez le gigot du feu, puis couvrez-le d'une feuille d'aluminium, sans trop le serrer, et laissez-le reposer au chaud pendant 10 minutes. Coupez la viande en longues tranches fines, puis servez-la accompagnée de pains plats grillés, de salade verte, du reste de yaourt et de menthe.

Qu'elles proviennent de Loukanika, en Grèce, ou de Luganega, en Italie, ces saucisses sont consommées depuis l'Antiquité. Elles sont composées de viande de porc et/ou de bœuf grossièrement hachée, enrichie de sel, de sucre, d'orange, de piment, de coriandre, de cumin ou d'anis, ainsi que d'ail, de vin et d'huile d'olive.

SAUCISSES LUGANEGA ET LENTILLES AUX LÉGUMES VERTS

POUR **4 personnes**
PRÉPARATION : **15 min**
CUISSON : **20 min environ**

> 3 cuill. à soupe d'huile d'olive vierge extra
> 500 g de saucisses de porc luganega épicées (dans les épiceries italiennes) ou tout autre saucisse épicée à chair grossière
> 750 g de lentilles en conserve
> 4 gousses d'ail hachées
> 1 oignon râpé
> 500 g de roquette sauvage ou de persil plat lavés, puis essorés
> 2 cuill. à soupe de vin blanc sec ou de vermouth sec
> sel et poivre du moulin

Dans une poêle à fond épais, faites chauffer la moitié de l'huile d'olive, puis faites dorer les saucisses de 6 à 8 minutes à feu moyen, jusqu'à ce qu'elles soient fermes et très chaudes. Ôtez la graisse de la poêle et maintenez les saucisses au chaud, à feu très doux.

Dans une casserole, faites chauffer les lentilles avec leur jus 5 minutes, puis retirez presque tout le liquide de cuisson et assaisonnez. Ajoutez l'ail, l'oignon et le reste de l'huile d'olive, puis faites revenir le tout à feu moyen, en remuant bien.

Mettez la roquette ou le persil plat dans la poêle avec les saucisses, mouillez avec du vin blanc ou du vermouth, puis couvrez et faites fondre les feuilles quelques secondes, sans les laisser se décolorer.

Répartissez les lentilles dans 4 assiettes de service, déposez un morceau de saucisse par-dessus, garnissez de roquette ou de persil plat, puis servez.

Les boulettes, ou *polpette*, de viande à la sauce tomate font partie intégrante de la culture gastronomique italienne. Si elles sont de petite taille, les boulettes peuvent être servies en sauce avec des spaghettis ; mais elles sont aussi parfois cuites en *polpettone*, sous la forme d'une grosse boule de viande que l'on fait mijoter pendant 2 heures et que l'on consomme coupée en tranches.

BOULETTES ITALIENNES DE PORC AU FENOUIL ET À LA SAUCE TOMATE

POUR **6 personnes**
RÉFRIGÉRATION **(facultatif)** : **12 h**
PRÉPARATION : **40 min**
CUISSON : **de 50 min à 1 h**

> 450 g d'épaule ou de rouelle de porc
> 225 g de jambon blanc à l'os
> 225 g de poitrine de porc
> 2 gousses d'ail écrasées
> 2 cuill. à soupe de graines de fenouil
> 1 grosse pincée de piment en poudre
> 2 cuill. à café de fleur de sel
> 1 cuill. à soupe de sucre en poudre
> 2 cuill. à soupe de grains de poivre noir concassés
> un peu d'huile d'olive pour la friture
> 3 cuill. à soupe de vin blanc sec
> 400 g de tomates concassées en conserve
> 20 cl de coulis de tomate
> sel et poivre du moulin

Retirez la graisse et les membranes blanches de tous les morceaux de porc. Coupez-les ensuite en gros dés, puis hachez-les grossièrement, à l'aide d'un hachoir ou d'un grand couteau, mais pas au robot.

Dans un grand saladier, réunissez les dés de viande avec l'ail, les graines de fenouil, le piment, la fleur de sel, le sucre en poudre et les grains de poivre noir concassés. À l'aide d'une cuillère en bois ou à la main, mélangez soigneusement les ingrédients, puis, si vous le souhaitez, laissez reposer le hachis au réfrigérateur pendant 1 nuit.

Humidifiez-vous les mains, puis façonnez des boulettes de hachis de la taille d'une noix. Dans une grande sauteuse, faites chauffer 2 cuillerées à soupe d'huile d'olive, puis faites dorer les boulettes, en procédant en plusieurs fois, si nécessaire. Transposez-les sur un plat à l'aide d'une écumoire.

Versez le vin dans la sauteuse, puis laissez-le bouillir tout en grattant les sucs à l'aide d'une cuillère en bois, de manière à la faire réduire et à obtenir 1 cuillerée à soupe de liquide. Ajoutez les tomates concassées et le coulis de tomate, assaisonnez, puis, dès la reprise de l'ébullition, remettez les boulettes à cuire dans cette sauce. Couvrez partiellement, puis laissez mijoter de 30 à 40 minutes, en ajoutant de l'eau, si nécessaire, pour éviter que la préparation ne se dessèche. Servez très chaud.

Boulettes italiennes de porc au fenouil et à la sauce tomate 137

Cette recette inspirée des traditionnelles escalopes de veau italiennes au marsala donne aussi d'excellents résultats avec de petits filets de porc coupés en tranches fines et ovales. Servez-les accompagnées d'épinards au beurre ou de petites pommes de terre rates sautées, et d'un verre du marsala utilisé pour la sauce.

FILETS DE PORC AU MARSALA

POUR **4 personnes**
PRÉPARATION : **30 min**
CUISSON : **30 min environ**

> 750 g de filets mignons de porc
> 100 g de farine
> 1 cuill. à café de fleur de sel
> 1 cuill. à café de gingembre en poudre ou de noix de muscade fraîchement râpée
> 50 g de beurre salé
> 2 cuill. à soupe d'huile d'olive vierge extra
> 25 g d'amandes émondées entières ou effilées
> 10 cl de marsala doux
> 2 cuill. à soupe de bouillon de veau ou de bouillon de bœuf en gelée, ou de consommé de bœuf ou de consommé de volaille en conserve

Coupez les filets mignons de porc en tranches de 1,5 cm d'épaisseur, en diagonale. Coupez chaque tranche en deux dans l'épaisseur, mais sans dissocier complètement les moitiés, de manière à les ouvrir à plat, puis appuyez dessus de la paume de la main – vous devez obtenir ainsi environ 24 petites escalopes de porc.

Tamisez la farine, le sel et le gingembre ou la noix de muscade au-dessus d'une assiette, puis enrobez uniformément 6 tranches de porc de ce mélange.

Dans une poêle antiadhésive, faites chauffer la moitié du beurre et la moitié de l'huile d'olive à feu vif, puis faites rapidement dorer les amandes. Retirez-les de la poêle à l'aide d'une écumoire et réservez-les. Déposez les 6 escalopes panées dans la poêle, puis laissez-les dorer 2 minutes de chaque côté, en les pressant bien. Ôtez-les à leur tour à l'aide de pinces et réservez-les. Renouvelez l'opération avec 6 autres tranches de porc.

Versez la moitié du marsala dans la poêle, puis grattez les sucs de cuisson à l'aide d'une cuillère en bois, de manière à bien les dissoudre. Versez la sauce ainsi obtenue dans un bol et maintenez-la au chaud.

Lavez et séchez la poêle, puis renouvelez l'ensemble de l'opération avec les escalopes de porc restantes, en utilisant le reste du beurre et de l'huile d'olive. Réservez les escalopes au chaud.

Versez le reste du marsala dans la poêle avec le bouillon de viande en gelée ou le consommé, puis faites dissoudre le mélange à feu doux, en grattant bien les sucs. Ajoutez la sauce au marsala réservée, puis laissez chauffer jusqu'à ce que le mélange soit épais. Remettez les escalopes de porc dans la poêle et remuez pour bien les enduire de sauce bouillante.

Servez 6 petites escalopes par personne, accompagnées d'un peu de sauce au marsala et d'amandes grillées.

Le nom italien de ce plat, qui signifie littéralement
« l'os à trou », ne rend pas tout à fait compte de sa saveur
inimitable. La *gremolata*, accompagnement traditionnel
de l'osso bucco, doit être préparée juste avant de servir
afin d'en préserver les notes acidulées.

OSSO BUCCO
À LA GREMOLATA

POUR **8 personnes**
PRÉPARATION : **15 min**
CUISSON : **2 h environ**

> 4 cuill. à soupe de farine
> 8 tranches de jarret de veau
de 3 cm d'épaisseur
> 4 cuill. à soupe d'huile d'olive
> 3 gousses d'ail écrasées et hachées
> 2 oignons hachés
> 4 branches de céleri hachées
> 1 cuill. à soupe de coulis de tomate
> 800 g de tomates concassées
en conserve
> 20 cl de vin blanc sec
> 30 cl de bouillon de légumes
> sel et poivre du moulin

Pour la gremolata
> le zeste finement râpé de 3 citrons
> 3 gousses d'ail finement hachées
> 1 gros bouquet de persil plat
finement haché

Déposez la farine sur une assiette et enrobez-en les tranches
de veau. Dans une grande cocotte, faites chauffer l'huile d'olive,
puis faites dorer la viande quelques minutes à feu moyen.
Retirez-la de la cocotte et réservez-la.

Ajoutez un peu d'huile d'olive dans la cocotte, si nécessaire,
puis faites suer l'ail, l'oignon et le céleri 5 minutes, sans les laisser
dorer. Ajoutez le coulis de tomate et les tomates concassées,
remuez, puis versez le vin et le bouillon de légumes. Assaisonnez
selon votre goût. Remettez la viande dans la cocotte, portez
à ébullition à feu moyen, puis couvrez et laissez mijoter pendant
1 heure 30 à feu doux, en ajoutant, si nécessaire, un peu
de bouillon de légumes ou de vin de temps en temps. Retirez
du feu et laissez refroidir, puis couvrez et placez au réfrigérateur.

Juste avant de servir, préchauffez le four à 180 °C (therm. 6).
Enfournez l'osso bucco et faites-le réchauffer pendant 15 minutes,
à partir du moment où la préparation se met à frémir.

Pendant ce temps, préparez la gremolata. Réunissez tous
les ingrédients dans un bol et remuez soigneusement.

Sortez l'osso bucco du four, garnissez-le de gremolata,
puis servez-le sans attendre, avec une purée de pomme de terre
et des haricots verts cuits à la vapeur.

NOTE : si vous disposez d'une cocotte adaptée,
vous pouvez faire dorer les morceaux de viande sur le feu,
puis les enfourner pour 1 heure 30 à 180 °C (therm. 6).

En Espagne, ces steaks sont généralement
accompagnés de frites sautées dans l'huile d'olive,
ainsi que de piments frits, souvent très épicés !

STEAKS À LA POÊLE ET SAUCE AUX OLIVES

POUR **4 personnes**
MARINADE : **au moins 2 h**
PRÉPARATION : **15 min**
CUISSON : **de 3 à 6 min,**
selon le degré de cuisson désiré

> 4 steaks de bœuf de 2 cm d'épaisseur (dans le filet ou dans la noix)
> 3 gousses d'ail écrasées
> 3 cuill. à soupe de persil plat finement haché
> 5 cuill. à soupe d'huile d'olive vierge extra
> le jus fraîchement pressé de 1 citron
> quelques frites sautées dans l'huile d'olive (voir NOTE)
> sel et poivre du moulin

Pour la sauce aux olives
> 4 cuill. à soupe d'huile d'olive
> 1 cuill. à soupe de vinaigre de Xérès
> 125 g d'olives vertes et noires dénoyautées
> 2 gousses d'ail écrasées
> 2 tomates bien fermes pelées, épépinées et finement hachées

Disposez les steaks dans un plat, parsemez-les d'ail et de la moitié du persil plat, poivrez-les, puis badigeonnez-les d'huile d'olive et de jus de citron. Placez le plat au réfrigérateur et laissez la viande mariner pendant au moins 2 heures, et jusqu'à 1 nuit.

Sortez les steaks marinés du réfrigérateur et laissez-les reposer pendant environ 30 minutes avant de les faire cuire.

Pendant ce temps, préparez la sauce aux olives.
Dans un grand bol, mélangez au fouet l'huile d'olive et le vinaigre. À l'aide d'un robot, hachez finement les olives, sans les réduire en purée, puis incorporez-les à cette vinaigrette. Ajoutez l'ail et les tomates à la préparation, puis assaisonnez.

Salez légèrement les steaks, puis faites chauffer un gril à feu vif et faites saisir les steaks 1 minute 30 de chaque côté pour une viande bleue, 2 minutes pour une viande saignante, ou 2 minutes 30 à 3 minutes pour une viande à point — vous pouvez aussi faire griller les steaks au barbecue. Parsemez-les du persil plat restant et servez-les avec la sauce aux olives.

NOTE : pour préparer des frites à l'espagnole, détaillez 750 g de pommes de terre (des Belle de Fontenay, par exemple) en tranches de 5 mm d'épaisseur, puis en bâtonnets de 5 mm de large. Rincez-les à l'eau froide de manière à enlever l'amidon, puis essuyez-les à l'aide de papier absorbant. Emplissez une friteuse d'huile d'olive, faites chauffer celle-ci à 180 °C, puis plongez-y les frites jusqu'à ce qu'elles soient dorées. Égouttez-les sur du papier absorbant et servez-les très chaudes.

Ce grand classique de la cuisine du midi de la France est un plat riche, bien roboratif, qui se suffit généralement à lui-même, mais qui peut aussi être accompagné de pâtes, de riz ou de pommes de terre.

BŒUF EN DAUBE

POUR **4 à 6 personnes**
PRÉPARATION : **25 min**
CUISSON : **2 h 15 environ**

> 1 kg de bœuf (paleron, macreuse ou jumeau) coupé en tranches de 1 cm d'épaisseur
> 4 cuill. à soupe d'huile d'olive vierge extra
> 4 gousses d'ail émincées
> 125 g de poitrine de porc non fumée coupée en dés
> 3 carottes coupées en deux dans la longueur
> 12 à 16 oignons grelots épluchés
> 6 tomates olivettes pelées et finement émincées
> le zeste de 1 orange prélevé en un seul morceau
> 1 bouquet garni (persil, thym, laurier et romarin)
> 60 g de cerneaux de noix
> 25 cl de vin rouge corsé
> 2 cuill. à soupe de cognac ou de brandy
> 15 cl de bouillon de bœuf ou d'eau
> 1 morceau de couenne de porc de 15 cm de côté (facultatif)
> sel et poivre du moulin

Coupez les tranches de bœuf en morceaux de 5 cm de côté.

Dans une grande cocotte, faites chauffer l'huile d'olive, puis faites revenir l'ail, la poitrine de porc, les carottes et les oignons environ 4 ou 5 minutes. Retirez la préparation de la cocotte et réservez-la. Étalez la moitié des morceaux de bœuf au fond de celle-ci, déposez par-dessus la moitié des légumes aux lardons, puis garnissez du bœuf restant et, pour finir, couvrez le tout du reste de la préparation aux légumes et aux lardons, en ajoutant les tomates, le zeste d'orange, le bouquet garni et les noix.

Dans une petite casserole, portez le vin à ébullition, ajoutez le cognac ou le brandy, puis faites chauffer quelques secondes en secouant légèrement la casserole afin de laisser l'alcool s'évaporer. Arrosez la préparation de ce jus bouillant, puis versez suffisamment de bouillon de bœuf ou d'eau pour couvrir celle-ci. Déposez, si vous le souhaitez, la couenne de porc par-dessus, afin de donner du velouté à la sauce.

Laissez chauffer jusqu'à ce que la préparation commence à frémir, puis couvrez d'une feuille d'aluminium, fermez le couvercle de la cocotte et faites mijoter pendant 2 heures à feu doux, jusqu'à ce que la viande se détache à la fourchette, et que la sauce soit bien concentrée et épaisse. Il est également possible de faire cuire la daube au four. Dans ce cas, faites bouillir la préparation sur le feu, puis couvrez-la d'une feuille d'aluminium, fermez le couvercle, enfournez la cocotte à 150° (therm. 5) et faites mijoter de 2 heures à 2 heures 30.

Retirez la daube du feu, jetez éventuellement la couenne, puis servez très chaud.

Cette recette traditionnelle de la région de Naples, en Italie, consiste à farcir une tranche de bœuf maigre avant de le faire longuement mijoter dans une sauce à base de tomate. Cette dernière est généralement servie avec des pâtes, en début de repas, tandis que le roulé constitue le plat principal, avec un peu de sauce, accompagné de salade verte ou de légumes.

ROULÉ DE BŒUF FARCI À LA SAUCE TOMATE

POUR **4 personnes**
PRÉPARATION : **30 min**
CUISSON : **2 h 20 environ**

> 125 g de chapelure fraîche
> 1 cuill. à soupe de baies rouges (cassis, groseilles, etc.)
> 1 grosse tranche de rumsteck de 500 g environ et de 1 cm d'épaisseur
> 175 g de prosciutto finement haché
> 6 cuill. à soupe de persil plat finement haché
> 1 gousse d'ail finement hachée
> 1/2 cuill. à café de marjolaine séchée
> 2 jaunes d'œufs
> 1 cuill. à soupe de pignons
> 2 cuill. à soupe d'huile d'olive
> 1 clou de girofle
> 1 petit oignon finement haché
> 1 petite carotte finement hachée
> 1 branche de céleri finement hachée
> 2 cuill. à soupe de coulis de tomate
> sel et poivre du moulin

Dans un bol, humidifiez la chapelure avec un peu d'eau. Dans un autre bol, faites tremper les baies dans de l'eau tiède pendant 15 minutes, puis égouttez-les. Étalez la tranche de bœuf entre 2 morceaux de film alimentaire et aplatissez-la au maillet à viande ou au rouleau, de manière à obtenir une tranche de 5 mm d'épaisseur. Salez-la et poivrez-la.

Mettez la chapelure dans un saladier avec 125 g de prosciutto, le persil plat, l'ail, la marjolaine et les jaunes d'œuf, puis assaisonnez et mélangez soigneusement. Étalez cette farce sur la tranche de bœuf, puis parsemez celle-ci de baies et de pignons. Roulez la tranche en la maintenant fermement et en rentrant les bords, puis nouez le roulé ainsi obtenu à l'aide de ficelle alimentaire.

Dans une cocotte, faites chauffer l'huile d'olive, puis faites dorer le roulé, en le retournant pour colorer toutes les faces. Retirez-le du feu et déposez-le sur une assiette. Réunissez dans la cocotte le reste du prosciutto, le clou de girofle, l'oignon, la carotte et le céleri, puis faites-les attendrir 10 minutes à feu doux. Incorporez ensuite le coulis de tomate et 50 cl d'eau.

Préchauffez le four 180 °C (therm. 6).

Remettez le roulé dans la cocotte et portez à ébullition. Couvrez d'une feuille de papier sulfurisé, fermez le couvercle et rectifiez les bords du papier à ras de celui-ci. Enfournez la cocotte pour 2 heures, en ajoutant un peu d'eau de temps en temps. Sortez le roulé de la cocotte et disposez-le dans un plat de service, puis couvrez-le et maintenez-le au chaud.

Versez le contenu de la cocotte dans le bol d'un robot et mixez-le en une purée lisse. Faites réchauffer la sauce ainsi obtenue dans une petite casserole, puis rectifiez l'assaisonnement, si nécessaire. Coupez le roulé en tranches, puis servez-le avec la sauce dans un récipient à part.

LÉGUMES

Ce plat estival peut se servir chaud ou à température ambiante, en plat principal ou en hors-d'œuvre. Il doit son nom turc, *Imam bayildi* (« l'imam s'est évanoui »), à une légende selon laquelle un imam aurait été pris de vertige après en avoir abusé ou aurait défailli d'horreur devant la quantité d'huile utilisée pour le préparer.

AUBERGINES FARCIES À LA TOMATE ET À L'AIL

POUR **6 personnes**
PRÉPARATION : **15 min**
CUISSON : **de 1 h 35 à 1 h 45**

> 5 cuill. à soupe d'huile d'olive vierge extra
> 3 aubergines (environ 800 g) lavées, puis coupées en deux dans la longueur
> sel et poivre du moulin

Pour la farce

> 5 cuill. à soupe d'huile d'olive vierge extra
> 2 oignons finement hachés
> 4 gousses d'ail finement hachées
> 1 cuill. à café de cumin en poudre
> 500 g de tomates mûres hachées
> 1 cuill. à soupe d'origan séché
> 1/2 cuill. à café de sucre en poudre
> 3 cuill. à soupe de persil plat haché
> 1 cuill. à soupe de concentré de tomate dilué dans 15 cl d'eau chaude

Dans une grande poêle, faites chauffer la moitié de l'huile d'olive, puis faites frire 3 moitiés d'aubergine de 10 à 15 minutes, en les retournant de temps en temps, afin qu'elles soient uniformément dorées. Égouttez-les sur du papier absorbant, puis procédez de même avec les demi-aubergines restantes. Disposez le tout dans un plat allant au four et assaisonnez.

Préparez la farce. Dans une casserole à feu doux, faites chauffer l'huile d'olive, puis faites sauter les oignons, jusqu'à ce qu'ils commencent à se colorer. Ajoutez l'ail et le cumin, faites frire 2 ou 3 minutes, puis incorporez les tomates, l'origan, le sucre en poudre et 15 cl d'eau. Couvrez et laissez cuire pendant 15 minutes, en remuant de temps en temps.

Préchauffez le four à 190 °C (therm. 6-7).

Incorporez le persil plat à la farce, puis répartissez celle-ci sur les moitiés d'aubergine. Versez le concentré de tomate dilué dans le plat et enfournez pour 45 minutes, en arrosant les aubergines de jus de cuisson au bout d'environ 20 minutes. Servez chaud ou à température ambiante.

La ratatouille fait partie de ces recettes inratables, dont le goût s'affine avec le temps. Elle peut accompagner de nombreux plats ou se déguster avec du pain de campagne. Évitez d'utiliser des poivrons verts, trop amers pour ce plat.

RATATOUILLE

POUR **6 personnes**
ÉGOUTTAGE : **1 h**
PRÉPARATION : **10 min**
CUISSON : **45 min**

> 2 aubergines coupées en morceaux
> 3 poivrons rouges, jaunes ou orange
> 3 cuill. à soupe d'huile d'olive
> 2 gros oignons émincés
> 2 gousses d'ail écrasées
> 2 cuill. à café de graines de coriandre finement écrasées
> 5 cuill. à soupe de vin blanc
> 400 g de tomates hachées en conserve
> 1 cuill. à café de sucre en poudre
> 20 olives noires dénoyautées
> quelques feuilles de basilic
> sel et poivre du moulin

Mettez les morceaux d'aubergine dans une passoire, saupoudrez-les de sel et laissez-les égoutter pendant 1 heure. Coupez les poivrons en deux, ôtez les pépins et les membranes blanches, puis coupez la chair en épaisses lanières.

Dans une cocotte, faites chauffer l'huile d'olive, puis faites revenir les oignons, l'ail et les graines de coriandre écrasées, jusqu'à ce que les oignons soient tendres et translucides. Ajoutez le vin, portez à ébullition, puis laissez réduire.

Pendant ce temps, rincez les morceaux d'aubergine et égouttez-les sur du papier absorbant. Ajoutez-les ensuite dans la cocotte, avec les lanières de poivron, puis faites cuire le tout environ 10 minutes, en remuant de temps en temps, jusqu'à ce que les légumes ramollissent, mais sans les laisser brunir. Ajoutez les tomates, le sucre en poudre et les olives. Assaisonnez généreusement, puis couvrez partiellement et laissez mijoter pendant environ 25 minutes. Parsemez de basilic et servez, chaud ou tiède.

Ce couscous, aromatisé à la menthe et aux graines de sésame, et nappé de sauce pimentée, se marie à merveille avec les légumes ou les viandes rôtis. Pour un accord parfait, terminez le repas par un thé à la menthe marocain (voir p. 234).

COUSCOUS DE LÉGUMES D'HIVER À LA MENTHE ET AU SÉSAME

POUR **6 personnes**
PRÉPARATION : **25 min environ**
CUISSON : **35 min environ**

> 2 grosses carottes
> 2 gros panais
> 500 g de pommes de terre
> 2 grosses courgettes
> 200 g de courge musquée ou de citrouille
> 25 g de beurre
> 2 gousses d'ail écrasées
> 1 cuill. à soupe de piment d'Espagne doux ou de paprika
> 2 cuill. à café de cumin
> 1/2 cuill. à café de gingembre en poudre
> 2 feuilles de laurier
> 2 cuill. à soupe de concentré de tomate
> 400 g de tomates hachées en conserve
> 2 piments verts frais
> 2 cuill. à soupe de harissa diluée dans 10 cl d'eau chaude
> sel et poivre du moulin

Pour le couscous
> 380 g de couscous instantané
> 50 cl d'eau bouillante
> 125 g de beurre coupé en dés
> 4 cuill. à soupe de menthe fraîche hachée
> 3 cuill. à soupe de graines de sésame grillées

Épluchez les carottes, les panais et les pommes de terre, puis coupez-les en gros morceaux, ainsi que les courgettes. Pelez la courge musquée ou la citrouille, épépinez-les et détaillez-les également en morceaux.

Dans une grande cocotte à feu moyen, faites fondre le beurre, puis faites revenir l'ail 1 minute. Incorporez le piment d'Espagne, le cumin, le gingembre, 1 cuillerée à café de sel, 1 cuillerée à café de poivre, les feuilles de laurier, le concentré de tomate et les tomates. Portez à ébullition, puis ajoutez les piments, les morceaux de carotte et de panais.

Couvrez d'eau, ramenez à ébullition, puis fermez partiellement la cocotte et faites mijoter 5 minutes. Ajoutez les morceaux de pomme de terre, de courgette et de courge musquée ou de citrouille, puis laissez cuire pendant 20 minutes, jusqu'à ce que les pommes de terre soient tendres — veillez à ne pas trop cuire les légumes pour qu'ils ne se désagrègent pas.

Pendant ce temps, préparez le couscous. Mettez le couscous dans un saladier. Dans un récipient résistant à la chaleur, mélangez l'eau bouillante, le beurre et la menthe, puis versez le tout sur le couscous, couvrez-le de film alimentaire et laissez-le gonfler pendant 5 minutes.

Égrainez le couscous à la fourchette, puis incorporez les graines de sésame grillées et assaisonnez généreusement. Transvasez le couscous dans un plat de service, creusez un puits au centre, puis disposez-y les légumes. Servez immédiatement accompagné d'un petit bol de harissa diluée.

Le mot « tian » désigne à la fois un plat à gratin provençal en terre cuite vernissée et la préparation qui y est cuisinée. Les tians contiennent généralement des légumes et des fines herbes, mais peuvent aussi inclure du fromage, des œufs, du riz ou du petit salé. Ils se coupent en parts ou se servent à l'aide d'une cuillère, avec du pain ou une salade.

TIAN DE LÉGUMES

POUR **4 personnes**
PRÉPARATION : **20 min**
ÉGOUTTAGE : **15 min**
CUISSON : **35 min environ**

> 1 petite aubergine coupée en dés de 1 cm de côté
> 2 cuill. à café de sel
> 2 cuill. à soupe d'huile d'olive vierge extra
> 30 g de beurre
> 4 gousses d'ail hachées
> 1 oignon émincé
> 4 ciboules ou 1 petit poireau émincés
> 1 poignée de feuilles d'épinards ou de blettes hachées
> 1 poignée de petites asperges ou de haricots verts coupés en morceaux de 3 cm de long
> 8 gros œufs
> 25 cl de crème fraîche
> 75 g de parmesan, de pecorino ou de gruyère râpé

Mettez les dés d'aubergine dans un plat non métallique, saupoudrez-les de sel et laissez-les égoutter pendant 15 minutes.

Pendant ce temps, dans une poêle à feu moyen, faites chauffer l'huile d'olive et la moitié du beurre, puis faites sauter l'ail, l'oignon, les ciboules ou le poireau, les feuilles d'épinards ou de blette et les asperges ou les haricots verts de 6 à 8 minutes, en remuant constamment, jusqu'à ce que les légumes soient tendres, mais sans les laisser se décolorer. Ôtez les ingrédients de la poêle à l'aide d'une écumoire et réservez-les.

Égouttez les dés d'aubergine dans une passoire, sans les rincer, puis essuyez-les avec du papier absorbant pour éliminer toute trace de sel. Transvasez-les dans la poêle avec le reste du beurre et faites-les sauter 5 minutes.

Préchauffez le four à 200 °C (therm. 6-7).

Dans un saladier, battez à la fourchette les œufs, la crème fraîche et le fromage.

Transvasez le mélange de légumes, ainsi que l'aubergine et l'huile de cuisson dans un plat à gratin. Arrosez le tout de la préparation à base d'œuf, puis enfournez pour 20 minutes à 180 °C (therm. 6), jusqu'à ce que le tian soit ferme et doré.

Servez chaud, tiède ou froid.

Les feuilletés occupent une place importante dans la culture culinaire grecque. Cette recette, aussi appelée *spanakotiropita*, qui est la plus courante et l'une des plus savoureuses, peut se servir en plat principal, avec du riz ou une salade verte, ou en hors-d'œuvre, coupé en petits carrés.

FEUILLETÉ GREC AU FROMAGE ET AUX ÉPINARDS

POUR **12 portions environ**
PRÉPARATION : **25 min**
CUISSON : **1 h 05**

> 400 g de pâte filo
> 150 g de beurre fondu

Pour la garniture
> 500 g de feuilles d'épinards frais rincées
> 4 cuill. à soupe d'huile d'olive vierge extra
> 1 gros oignon finement haché
> 4 ou 5 ciboules préparées et grossièrement hachées
> 4 œufs battus
> 250 g de feta émiettée
> 90 g d'aneth frais finement haché
> 3 ou 4 cuill. à soupe de persil plat finement haché
> 4 cuill. à soupe de lait
> sel et poivre du moulin

Préparez la garniture. Plongez les épinards dans une grande sauteuse emplie d'eau, couvrez, puis laissez cuire 5 ou 6 minutes à feu doux, en remuant de temps en temps, jusqu'à ce qu'ils aient fondu. Égouttez-les dans une passoire et videz la casserole.

Faites chauffer l'huile d'olive dans la sauteuse, puis faites revenir l'oignon et les ciboules, jusqu'à ce qu'ils soient translucides. Ajoutez les épinards, assaisonnez, puis faites sauter le tout 4 ou 5 minutes. Laissez refroidir un peu.

Dans un saladier, mélangez à la fourchette les œufs battus, la feta, l'aneth, le persil plat, le lait et la préparation à base d'épinards.

Préchauffez le four à 190 °C (therm. 6-7).

Badigeonnez de beurre fondu un plat à rôtir d'environ 35 cm x 30 cm. Beurrez légèrement une feuille de pâte filo, puis disposez celle-ci dans le plat — n'oubliez pas que la pâte filo se rétracte à la cuisson. Renouvelez l'opération avec la moitié des feuilles restantes. Étalez la garniture sur le tout en une couche uniforme, rabattez les bords de la pâte par-dessus, puis ajoutez les feuilles restantes, en badigeonnant chacune d'un peu de beurre, comme précédemment, et en repliant les bords, si nécessaire.

Beurrez généreusement la feuille du dessus, puis quadrillez-la d'un motif en losanges ou en carrés à l'aide de la pointe d'un couteau, sans laisser s'échapper la garniture. Aspergez la pâte d'un peu d'eau pour éviter qu'elle ne se rétracte trop durant la cuisson.

Enfournez pour 50 minutes, jusqu'à ce que la surface du feuilleté soit dorée, mais le centre encore bien tendre. Coupez le feuilleté en parts et servez-le, chaud ou à température ambiante.

Ingrédients incontournables des hors-d'œuvre italiens, les poivrons sont excellents grillés et rôtis, car ces modes de cuisson font ressortir leur sucre naturel. Farcis d'anchois et de caprons, ils sont remarquablement mis en scène dans cette recette originaire du sud de l'Italie.

POIVRONS FARCIS AUX CAPRONS

POUR **4 personnes**
PRÉPARATION : **15 min**
CUISSON : **de 20 à 30 min**

> 4 poivrons rouges ou jaunes coupés en quatre dans la longueur et épépinés
> 16 filets d'anchois en conserve, rincés, puis égouttés
> 16 caprons (fruits du câprier) ou 2 cuill. à soupe de câpres rincées, puis égouttées
> 1 petit bouquet de marjolaine ou d'origan haché
> 2 cuill. à soupe d'huile d'olive vierge extra
> poivre du moulin

Préchauffez le four à 180 °C (therm. 6) et disposez les poivrons dans un plat à rôtir.

Coupez les anchois en deux dans la longueur à l'aide de ciseaux, puis déposez 2 moitiés d'anchois et 1 capron ou quelques câpres dans chaque quartier de poivron. Parsemez de fines herbes et arrosez d'huile d'olive.

Enfournez et faites cuire de 20 à 30 minutes sur la grille supérieure du four, jusqu'à ce que les morceaux de poivron embaument, et qu'ils soient racornis et commencent à noircir sur les bords. Saupoudrez de poivre et servez, chaud, tiède ou froid.

La réussite de ce plat très simple, composé de légumes d'été ou d'automne cuits au four, réside dans l'emploi d'une huile d'olive de grande qualité et dans le fait de rôtir les légumes dans leur peau, ce qui accentue leur saveur. Cette recette a de nombreuses variantes qui contiennent des anchois, de la morue salée, des câpres, des olives ou du fromage de chèvre. Vous pouvez ajouter diverses fines herbes juste avant de servir, en accompagnement ou en plat principal, avec du pain.

LÉGUMES RÔTIS À L'ESPAGNOLE

POUR **4 personnes**
PRÉPARATION : **15 min**
CUISSON : **de 35 à 40 min**

> 2 poivrons rouges coupés en deux dans la longueur
> 2 poivrons jaunes ou orange coupés en deux dans la longueur
> 2 oignons rouges non épluchés
> 4 tranches de courge musquée ou de citrouille d'environ 1,5 cm d'épaisseur, ou 2 grosses courgettes coupées en deux dans la longueur, puis rayées côté chair à l'aide d'une fourchette
> 2 têtes d'ail non épluchées
> 6 à 8 cuill. à soupe d'huile d'olive vierge extra
> 2 petites aubergines coupées dans la longueur, puis rayées côté chair à l'aide d'une fourchette
> 1 petite poignée de fines herbes fraîches (persil, origan, menthe, thym, etc.)
> poivre du moulin

Ôtez les pépins et les membranes blanches des poivrons, sans retirer les tiges. Coupez les oignons en deux en diagonale, mais sans dissocier complètement les moitiés les unes des autres. Retirez les pépins et les membranes de la courge.

Coupez les têtes d'ail en deux, sans dissocier non plus les moitiés. Versez 1 cuillerée à café d'huile d'olive dans chacune, puis refermez ces dernières et enveloppez-les de 2 feuilles d'aluminium.

Préchauffez le four à 250 °C (therm. 8 -9).

Disposez les légumes en une seule couche dans un plat à rôtir, côtés coupés en dessus, puis arrosez-les de 3 ou 4 cuillerées à soupe d'huile d'olive.

Enfournez et faites cuire de 35 à 40 minutes, jusqu'à ce que les légumes soient tendres et qu'ils embaument. Transvasez-les dans un plat de service, poivrez-les, parsemez-les de fines herbes, arrosez-les de l'huile d'olive restante et servez-les chauds ou tièdes.

Inspiré d'une recette provençale, ce ragoût de légumes est délicieux agrémenté d'un peu de livèche, une plante aromatique originaire de Perse, qui rappelle le céleri. Les artichauts poivrades, cueillis avant que leur foin se forme, peuvent être cuisinés et dégustés entiers.

ARTICHAUTS À LA PROVENÇALE

POUR **6 personnes**
PRÉPARATION : **15 min**
CUISSON : **45 min environ**

> 1 citron coupé en deux
> 18 à 24 artichauts poivrades
> 3 cuill. à soupe d'huile d'olive
vierge extra
> 200 g de lardons fumés
> 300 g de petites échalotes
> 3 gousses d'ail coupées en deux
> 4 carottes coupées en deux
dans la longueur,
puis émincées en julienne
> 20 cl de vin blanc
> 10 cl de bouillon de légumes
> 2 jeunes pousses de livèche
ou quelques feuilles de céleri
> 1 gros brin de thym
> 200 g de flageolets
ou de haricots blancs cannellini
> sel et poivre du moulin

Emplissez un saladier d'eau froide, pressez le citron au-dessus, ajoutez l'écorce, puis réservez le tout.

Ôtez les feuilles dures externes des artichauts, coupez les feuilles restantes à 1 cm de la pointe, puis tranchez les tiges à 3 cm de la base et pelez-les à l'aide d'un couteau Économe. Plongez les artichauts dans le saladier empli d'eau citronnée au fur et mesure de leur préparation, de manière à éviter qu'ils ne s'oxydent.

Dans une cocotte allant au four, faites chauffer 1 cuillerée à soupe d'huile d'olive, puis faites frire les lardons jusqu'à ce qu'ils soient croustillants et dorés. Transvasez-les sur une assiette.

Préchauffez le four à 200 °C (therm. 6-7).

Versez le reste de l'huile d'olive dans la cocotte, puis faites dorer les échalotes et l'ail. Égouttez les artichauts, ajoutez-les dans la cocotte avec les carottes, puis faites sauter le tout 2 minutes. Arrosez de vin, portez à ébullition, puis faites réduire 2 minutes. Ajoutez le bouillon de légumes, laissez mijoter encore 2 minutes, puis parsemez de livèche et de thym. Salez et poivrez.

Enfournez la cocotte pour 20 minutes, jusqu'à ce que les artichauts soient tendres. Ajoutez les flageolets ou les haricots blancs, puis remettez la cocotte au four et laissez cuire 5 minutes à découvert. Servez, si vous le souhaitez, avec du pain, du riz ou de la salade verte.

Le goût inimitable de ce plat napolitain est obtenu
en faisant caraméliser le sucre naturel des légumes,
puis en faisant cuire ces derniers avec du vinaigre.
Il se cuisine généralement dans une poêle,
mais si vous le préparez en grandes quantités,
il vous sera plus aisé d'utiliser un four.

CAROTTES ET COURGETTES AIGRES-DOUCES À LA MENTHE

POUR **4 personnes**
PRÉPARATION : **10 min**
CUISSON : **30 min environ**

> 2 courgettes
> 2 carottes
> 6 cuill. à soupe d'huile d'olive vierge extra
> quelques brins de menthe
> 2 cuill. à soupe de vinaigre de vin
> sel et poivre du moulin

Préchauffez le four à 200 °C (therm. 6-7).

Coupez et jetez les extrémités des courgettes et des carottes, puis détaillez les légumes en petits tronçons. Placez les morceaux de carotte dans un saladier, arrosez-les de la moitié de l'huile d'olive, puis mélangez pour bien les enduire. Transvasez-les dans un plat à rôtir et enfournez-les pour 15 minutes.

Pendant ce temps, dans le saladier, mélangez les morceaux de courgette avec le reste de l'huile d'olive, puis ajoutez-les aux carottes rôties. Enfournez de nouveau le plat pour 10 minutes, jusqu'à ce que les légumes soient tendres et caramélisés, puis retirez-le du four. Assaisonnez, parsemez d'un peu de menthe, arrosez de vinaigre, puis remuez bien.

Posez le plat sur la cuisinière, portez à ébullition, puis laissez réduire le vinaigre quelques secondes. Mélangez bien, puis servez les légumes chauds ou à température ambiante, agrémentés de quelques feuilles de menthe.

Ce plat sicilien peut être préparé avec toutes
les variétés de chou-fleur — blanches, violettes
ou vert citron ; il n'en sera que plus alléchant !

CRUMBLE DE CHOU-FLEUR AU SAFRAN

POUR **4 personnes**
PRÉPARATION : **15 min environ**
TREMPAGE : **20 min**
INFUSION : **15 min**
CUISSON : **30 min environ**

> 50 g de raisins secs
> 12 pistils de safran ou un petit pot
de safran en poudre de 0,6 g
> 1 chou-fleur d'environ 1 kg
> 4 cuill. à soupe d'huile d'olive
> 1 oignon émincé ou finement haché
> 2 gousses d'ail finement hachées
> 6 filets d'anchois à l'huile, rincés,
puis grossièrement hachés,
ou 3 anchois salés, sans les arêtes,
rincés, puis hachés
> 1 poignée de feuilles de basilic frais
> sel et poivre du moulin

Pour la pâte à crumble
> 4 cuill. à soupe d'huile d'olive
> 1 gousse d'ail pelée
et légèrement écrasée
> 4 cuill. à soupe de chapelure

Préparez la pâte à crumble. Dans une poêle à feu doux,
faites chauffer l'huile d'olive, puis faites frire l'ail jusqu'à
ce qu'il soit légèrement doré. Ôtez-le de la poêle et jetez-le,
puis faites-y revenir la chapelure 2 minutes à feu moyen,
en remuant constamment, jusqu'à ce qu'elle soit dorée.
Égouttez-la dans une passoire et laissez-la refroidir.

Versez les raisins secs dans un saladier, couvrez-les d'eau
bouillante et laissez-les tremper pendant 20 minutes.
Dans une tasse, délayez le safran avec 3 cuillerées à soupe
d'eau chaude pendant 15 minutes. Retirez les feuilles et la tige
du chou-fleur, puis divisez-le en gros bouquets. Faites cuire
ceux-ci 5 minutes dans une casserole emplie d'eau bouillante
salée, puis égouttez-les en réservant 15 cl d'eau de cuisson.

Dans une grande poêle à feu doux, faites chauffer l'huile d'olive,
puis faites frire l'oignon et l'ail environ 5 minutes, jusqu'à ce qu'ils
soient tendres et dorés. Ajoutez les anchois et les raisins secs,
laissez cuire 3 minutes, puis incorporez le safran délayé,
le chou-fleur et l'eau de cuisson réservée. Remuez le tout,
poivrez, puis couvrez partiellement et laissez mijoter encore
5 minutes, jusqu'à ce que le chou-fleur soit tendre. Parsemez
de chapelure frite à l'ail et de quelques feuilles de basilic.

Les Siciliens adorent les oignons rôtis ; cuits dans de grands plats métalliques, que l'on trouve dans la rue, en devanture des boutiques de fruits et légumes. Les oignons cuits dans leur peau sont généralement grignotés sur le pouce, mais ils sont également délicieux avec une sauce aigre-douce.

OIGNONS RÔTIS DANS LEUR PEAU

POUR **6 personnes**
PRÉPARATION : **5 min environ**
CUISSON : **de 1 h 05 à 1 h 20**

> 6 gros oignons rouges, blancs ou violets
> un peu d'huile d'olive
> 15 cl de vin blanc
> 3 cuill. à soupe de vinaigre de vin rouge
> 2 cuill. à soupe de raisins secs
> 1 cuill. à café de graines de fenouil
> 1 cuill. à soupe de petites câpres au sel, rincées
> sel et poivre du moulin

Coupez la base des oignons pour qu'ils tiennent à la verticale. Badigeonnez-les d'huile d'olive, puis coupez-les en quatre dans la hauteur, mais sans dissocier complètement les quartiers les uns des autres.

Préchauffez le four à 190 °C (therm. 6-7). Disposez les oignons dans une cocotte allant au four ou dans un plat à rôtir. Arrosez-les d'huile d'olive, assaisonnez-les, puis enfournez-les et faites-les cuire de 1 heure à 1 heure 15, jusqu'à ce qu'ils soient tendres à cœur.

Transposez les oignons dans un plat de service, sans prélever le jus de cuisson. Placez la cocotte ou le plat sur la cuisinière, puis faites chauffer le liquide à feu moyen. Ajoutez le vin, le vinaigre, les raisins secs, les graines de fenouil et les câpres. Mélangez le tout en grattant bien le fond du plat, puis faites bouillir 2 minutes, jusqu'à obtention d'une sauce sirupeuse.

Assaisonnez selon votre goût, puis nappez les oignons de cette sauce.

Le gombo, originaire d'Afrique, est un légume délicieux,
très apprécié dans l'ensemble du bassin méditerranéen.
Ce plat végétarien peut se préparer à l'avance
et se servir en entrée. Les citrons verts séchés
accentuent son goût sucré.

GOMBOS AU CITRON VERT SÉCHÉ

POUR **6 personnes**
PRÉPARATION : **10 min**
CUISSON : **55 min environ**

> 800 g de gombos frais
> 15 cl d'huile d'olive vierge extra
> 1 gros oignon émincé
> 1 cuill. à café de graines
de coriandre moulues
> 1/2 cuill. à café de piment
de la Jamaïque en poudre
> 700 g de tomates fraîches
coupées en tranches
ou 400 g de tomates en conserve
> 2 citrons verts séchés
(dans les épiceries orientales)
> 1/2 cuill. à café de sucre en poudre
> 2 cuill. à soupe de coriandre
fraîche finement hachée
> sel et poivre du moulin

Épluchez l'extrémité conique des gombos à l'aide d'un couteau
aiguisé, plongez-les dans un saladier empli d'eau froide,
puis égouttez-les délicatement.

Dans une grande casserole, faites chauffer l'huile d'olive,
puis faites sauter l'oignon jusqu'à ce qu'il soit légèrement
doré. Ajoutez les graines de coriandre moulues et le piment
de la Jamaïque. Lorsque le mélange commence à embaumer,
incorporez les tomates, les citrons verts séchés et le sucre
en poudre, assaisonnez, puis laissez cuire 10 minutes, en pressant
les citrons à l'aide d'une spatule afin d'en extraire le jus.

Répartissez les gombos dans la casserole, puis ajoutez
suffisamment d'eau pour les immerger presque complètement.

Faites cuire à feu doux pendant environ 30 minutes, sans remuer,
mais en secouant la casserole de temps en temps. Parsemez
de coriandre fraîche, laissez mijoter encore de 5 à 10 minutes,
puis servez, chaud ou à température ambiante.

Cette recette originaire de l'ouest de la Sicile se révèle une excellente manière d'accommoder les petits pois, les fèves et les cœurs d'artichaut. Souvent consommé en guise de soupe, ce plat peut aussi être accompagné de ricotta pour composer un repas léger.

LÉGUMES VERTS À LA SICILIENNE

POUR **4 personnes**
PRÉPARATION : **10 min environ**
CUISSON : **20 min environ**

> 250 g de fèves écossées
(650 g avant épluchage)
> 4 cuill. à soupe d'huile d'olive
> 250 g de ciboules
grossièrement hachées
> 30 cl de bouillon de légumes
ou d'eau
> 250 g de petits pois écossés
(500 g avant épluchage)
> 4 cœurs d'artichaut en conserve
ou surgelés, coupés en quatre
> 1 grosse pincée de sucre en poudre
> 2 cuill. à soupe de menthe
fraîche hachée
> sel et poivre du moulin

Portez à ébullition une grande casserole emplie d'eau salée, puis faites blanchir les fèves 1 minute. Égouttez-les, puis plongez-les dans de l'eau glacée afin de stopper la cuisson et de fixer la couleur. Entaillez la seconde peau des fèves, puis pressez-les délicatement pour les en extraire.

Dans la casserole, faites chauffer l'huile d'olive, puis faites cuire les ciboules 2 minutes à feu doux, jusqu'à ce qu'elles aient fondu et qu'elles soient tendres, sans les laisser brunir. Ajoutez le bouillon de légumes ou l'eau, assaisonnez généreusement, portez à ébullition, puis laissez mijoter 5 minutes.

Ajoutez les petits pois, prolongez la cuisson 5 minutes, puis incorporez délicatement les fèves et les cœurs d'artichaut. Laissez mijoter encore 3 ou 4 minutes, puis ôtez du feu, sucrez selon votre goût et parsemez de menthe. Laissez refroidir pour que les saveurs se développent et servez à température ambiante.

Cette spécialité de Gênes, en Ligurie, est agrémentée d'anchois qui donnent aux épinards une saveur particulière. L'association subtile des goûts salé (anchois), sucré (fruits secs) et doux (pignons) est typique de la gastronomie italienne.

ÉPINARDS AUX ANCHOIS ET AUX PIGNONS

POUR **4 personnes**
TREMPAGE : **15 min**
PRÉPARATION : **10 min**
CUISSON : **15 min**

> 3 cuill. à soupe de raisins secs
> 1 kg d'épinards frais
> 10 cl d'huile d'olive vierge extra
> 4 filets d'anchois à l'huile, égouttés, puis hachés
> 3 cuill. à soupe de persil plat haché
> 4 cuill. à soupe de pignons
> 1 grosse pincée de noix de muscade fraîchement râpée
> sel et poivre du moulin

Mettez les raisins secs dans un saladier, couvrez-les d'eau chaude et laissez-les tremper pendant 15 minutes.

Détachez et jetez les tiges des épinards. Lavez soigneusement les feuilles à l'eau froide, puis égouttez-les dans une passoire ou dans une essoreuse à salade.

Dans une casserole, faites cuire les feuilles d'épinards quelques minutes, jusqu'à ce qu'elles aient fondu, puis égouttez-les dans une passoire.

Dans une grande poêle à feu moyen, faites chauffer l'huile d'olive, puis faites revenir les anchois et le persil plat, jusqu'à ce que les anchois se désagrègent. Ajoutez les épinards, les raisins secs, les pignons et la noix de muscade, assaisonnez selon votre goût, puis faites sauter environ 5 minutes, jusqu'à ce que la préparation soit chaude, brillante et homogène. Servez sans tarder.

PÂTES, PAINS
ET PIZZAS

Originaire de Ligurie, le véritable pesto italien est
une sauce riche et intense, composée d'ail, de basilic,
de fromage et de pignons. Selon les amateurs,
le meilleur pesto s'obtiendrait en utilisant à parts égales
du parmesan et du pecorino, ou bien un seul type
de fromage, ou encore de la ricotta.

LINGUINE AU PESTO DE GÊNES

POUR **4 personnes**
PRÉPARATION : **10 min**
CUISSON : **10 min environ**

> 150 g de pommes de terre
coupées en deux
> 350 g de linguine ou de tagliatelles
> 150 g de haricots verts fins

Pour le pesto de Gênes
> 80 g de pignons légèrement grillés
> 3 gousses d'ail écrasées,
puis hachées
> 25 g de feuilles de basilic frais
grossièrement hachées
> 1/2 cuill. à café de gros sel
> 25 g de parmesan fraîchement râpé
> 25 g de pecorino fraîchement râpé
(voir NOTES)
> 5 cuill. à soupe d'huile d'olive
vierge extra

Préparez le pesto de Gênes. Dans un mortier ou dans le bol
d'un robot, pilez ou mixez par impulsions brèves les pignons
grillés, l'ail, le basilic et le gros sel, jusqu'à obtention d'une pâte.

En continuant de piler ou de mixer, ajoutez progressivement
la moitié du parmesan et la moitié du pecorino, puis la moitié
de l'huile d'olive. Renouvelez l'opération avec le reste
des ingrédients, jusqu'à obtention d'une sauce riche et épaisse,
d'un vert vif.

Portez à ébullition une grande casserole emplie d'eau salée,
puis faites cuire les pommes de terre 5 minutes. Ajoutez
les linguine ou les tagliatelles et prolongez la cuisson 4 minutes,
puis ajoutez les haricots verts et laissez chauffer encore environ
4 minutes, jusqu'à ce que les pâtes soient al dente. Égouttez
et transvasez le tout dans un plat de service. Nappez de pesto,
remuez bien et servez immédiatement.

NOTES :
• Le pecorino est un fromage italien de lait de brebis,
dont le plus connu, le pecorino romano, a une pâte cuite
à la saveur piquante.
• Le pesto est meilleur frais, mais il peut se conserver
jusqu'à 1 semaine au réfrigérateur, dans un récipient hermétique.

Ce plat consistant est agrémenté d'huile d'olive, d'ail et de légumes méditerranéens délicieusement apprêtés : les tomates olivettes sont cuites au four, tandis que les dés d'aubergine sont salés, puis sautés, ce qui tend à accentuer leur goût. Vous pouvez réaliser cette recette avec n'importe quel type de pâtes sèches (spaghettis, penne, rigatoni, etc.).

SPAGHETTIS À LA SICILIENNE

POUR **4 personnes**
ÉGOUTTAGE : **15 min**
PRÉPARATION : **15 min environ**
CUISSON : **30 min environ**

> 1 aubergine d'environ 350 g coupée en dés de 1 cm de côté
> 500 g de petites tomates olivettes coupées en deux et épépinées
> 8 cuill. à soupe d'huile d'olive vierge extra
> 400 g de spaghettis ou de penne
> 15 cl de coulis de tomate ou de jus de tomate
> 2 gousses d'ail hachées
> 1 gros bouquet de basilic frais
> sel et poivre du moulin

Mettez les dés d'aubergine dans un plat non métallique, saupoudrez-les d'un peu de sel, puis laissez-les égoutter pendant 15 minutes.

Pendant ce temps, préchauffez le four à 230 °C (therm. 7-8). Disposez les tomates sur une plaque de cuisson, côté coupé en dessous, saupoudrez-les de sel, arrosez-les de 2 cuillerées à soupe d'huile d'olive, puis enfournez-les pour 10 minutes, jusqu'à ce qu'elles aient fondu et qu'elles embaument.

Pendant que les tomates sont dans le four, portez à ébullition une grande casserole emplie d'eau salée, puis faites cuire les spaghettis ou les penne al dente. Égouttez-les et réservez-les au chaud.

Égouttez les dés d'aubergine et essuyez-les avec du papier absorbant. Dans une poêle antiadhésive, faites chauffer 4 cuillerées à soupe d'huile d'olive, puis faites revenir les dés d'aubergine environ 8 minutes, en remuant jusqu'à ce qu'ils soient tendres et grillés. Ajoutez les tomates rôties, la purée de tomate et l'ail, poivrez, puis prolongez la cuisson 2 minutes, en remuant constamment. Incorporez presque toutes les feuilles de basilic.

Ajoutez les pâtes dans la poêle, mélangez-les délicatement avec les légumes, puis arrosez le tout du reste de l'huile d'olive. Répartissez la préparation dans 4 grands bols préalablement chauffés, nappez-la de sauce et garnissez-la des feuilles de basilic restantes, puis servez.

Ce plat copieux associant des pâtes et des crustacés
se révèle aussi goûteux et raffiné qu'il est simple
à préparer.

PAPPARDELLE AUX FRUITS DE MER

POUR **4 personnes**
PRÉPARATION : **5 min environ**
CUISSON : **20 min environ**

> 20 cl d'huile d'olive vierge extra
> 450 g de chair de langouste
ou de crevette ou de crabe
> 1 bouquet d'aneth frais haché
(environ 40 g)
> 1 bouquet de ciboulette fraîche
haché (environ 40 g)
> le jus fraîchement pressé
et le zeste émincé de 1 citron
> 350 g de pappardelle
ou de tagliatelles (voir NOTE)
> sel et poivre du moulin

Dans une poêle à fond épais, faites chauffer l'huile d'olive,
ajoutez la chair de langouste, de crevette ou de crabe,
l'aneth, la ciboulette et 1 cuillerée à soupe de jus de citron,
assaisonnez, puis faites cuire brièvement le tout, de manière
à mêler les saveurs. Réduisez le feu pour maintenir
la préparation au chaud.

Portez à ébullition une grande casserole emplie d'eau salée,
puis faites cuire les pappardelle ou les tagliatelles al dente.
Égouttez-les, puis transvasez-les dans la poêle. Mélangez
délicatement le tout à l'aide de 2 cuillères en bois, ajoutez
le zeste de citron, puis répartissez la préparation
dans 4 grands bols.

NOTE : comme les fettucine, les pappardelle sont
une variété de pâtes en forme de ruban de 2 à 3 cm de large,
présentées en nid. Leur nom provient du verbe iatlien
pappare, qui signifie « dévorer ».

Ce plat succulent n'est pas très commode à déguster, la chair des coques devant être détachée avec les doigts.

PÂTES À LA TOMATE ET AUX COQUES

POUR **4 personnes**
PRÉPARATION : **10 min**
CUISSON : **55 min environ**

> 2 cuill. à soupe d'huile d'olive
> 2 gousses d'ail finement hachées
> 1 brin de romarin frais
> 50 cl de coulis de tomate
> 1/2 cuill. à café de sucre en poudre
> 300 g de spaghettis ou de linguine
> 1 kg de petites coques non décortiquées
> 2 cuill. à soupe de persil plat haché
> sel et poivre du moulin

Dans une casserole, faites chauffer l'huile d'olive, puis faites revenir l'ail et le romarin 2 minutes. Ajoutez la purée de tomate et le sucre en poudre, assaisonnez selon votre goût, puis portez à ébullition. Couvrez et laissez mijoter pendant 30 minutes, puis ôtez du feu et jetez le romarin.

Pendant ce temps, portez à ébullition une grande casserole emplie d'eau salée, puis faites cuire les spaghettis ou les linguine al dente.

Pendant que les pâtes cuisent, réunissez dans une autre casserole les coques et 2 cuillerées à soupe d'eau. Couvrez et faites cuire 4 ou 5 minutes à feu moyen, en secouant la casserole de temps en temps, jusqu'à ce que les coquilles s'ouvrent – jetez les coques qui demeurent fermées et les coquilles vides. Ôtez aussitôt la casserole du feu et laissez tiédir.

Filtrez le jus de cuisson des coques dans une passoire, puis incorporez-le à la préparation à la tomate. Ajoutez ensuite les coques, puis remettez le tout à cuire 3 ou 4 minutes à feu doux.

Égouttez les pâtes, puis mélangez-les délicatement avec les coques à la tomate. Répartissez la préparation dans 4 grands bols et servez.

NOTE : à défaut de purée de tomate, mixez des tomates à l'aide d'un robot ou pressez-les dans une passoire, de manière à obtenir une sauce bien fluide.

L'origine de ce plat classique italien demeure quelque peu obscure. Si certains affirment qu'il doit son nom aux charbonniers (*carbonari*) d'Ombrie et du Latium, d'autres soutiennent qu'il a vu le jour pendant la Seconde Guerre mondiale, pour accommoder les rations des soldats américains, composées de bacon et d'œuf. Quelle que soit son histoire, cette recette se révèle aussi savoureuse que rapide à réaliser, et peut se préparer avec ou sans fromage et crème fraîche.

SPAGHETTIS À LA CARBONARA

POUR **4 personnes**
PRÉPARATION : **10 min**
CUISSON : **20 min environ**

> 350 g de spaghettis
> 150 g de pancetta ou de bacon, sans la couenne, coupés en tranches fines, puis en lamelles de 3 cm de long (voir NOTE)
> 2 gousses d'ail écrasées, puis hachées
> 3 gros œufs
> 2 cuill. à soupe de crème fraîche épaisse (facultatif)
> 80 g de parmesan fraîchement râpé
> sel et poivre du moulin

Portez à ébullition une grande casserole emplie d'eau salée, puis faites cuire les spaghettis al dente. Égouttez-les et réservez-les.

Dans une poêle à fond épais, faites revenir la pancetta ou le bacon, jusqu'à ce que la graisse ait fondu et qu'ils soient cuits, mais à peine croustillant. Ajoutez l'ail, puis ôtez la poêle du feu.

Cassez les œufs dans un saladier, assaisonnez-les, puis battez-les vigoureusement, en ajoutant éventuellement la crème fraîche et réservez.

Remettez la pancetta ou le bacon à chauffer dans la poêle, ajoutez-y les spaghettis, remuez, puis versez sur le tout la préparation à base d'œuf battu et la moitié du parmesan, de manière à obtenir une sauce crémeuse. Ôtez du feu, mélangez à l'aide de pinces, parsemez du reste du parmesan, puis servez.

NOTE : la pancetta est une viande italienne de poitrine de porc roulée et séchée.

La *focaccia*, ou « pain cuit sur le foyer », peut aussi se préparer au four. On trouve des focaccias de formes et de textures variées, rondes ou carrées, fines et croustillantes, ou épaisses et moelleuses. Servez celle-ci avec quelques olives, ainsi qu'un mélange d'huile d'olive et de vinaigre balsamique dans lequel la tremper.

FOCACCIAS AU ROMARIN

POUR **2 focaccias**
PRÉPARATION : **30 min environ**
REPOS DE LA PÂTE : **de 1 h 30
à 2 h 30**
CUISSON : **de 20 à 25 min**

> 750 g de farine de blé blanche
> 1/2 cuill. à café de sel fin
> 25 g de levure fraîche émiettée ou 1/2 cuill. à soupe de levure de boulanger
> 15 cl d'huile d'olive vierge extra
> 40 cl d'eau chaude
> un peu de fleur de sel
> quelques brins de romarin

Tamisez la farine et le sel fin au-dessus d'un saladier, puis creusez un puits au centre et versez-y la levure. Incorporez à la levure 3 cuillerées à soupe d'huile d'olive, de manière à former une chapelure fine, puis ajoutez l'eau chaude et malaxez la pâte à la main.

Transvasez la pâte sur le plan de travail fariné et pétrissez-la pendant 10 minutes, jusqu'à ce qu'elle soit lisse et élastique — si nécessaire, ajoutez un peu de farine, 1 cuillerée à soupe à la fois. Déposez-la dans un saladier huilé, couvrez-la d'un torchon humide et laissez-la lever dans un endroit chaud de 30 minutes à 1 heure 30, jusqu'à ce qu'elle ait doublé de volume.

Pétrissez la pâte pour en évacuer l'air, puis divisez-la en deux sur le plan de travail fariné et façonnez-en 2 disques de 25 cm de diamètre. Placez chaque disque dans un moule rond de 25 cm de diamètre légèrement huilé, puis couvrez d'un torchon humide et laissez lever pendant 30 minutes.

Préchauffez le four à 200 °C (therm. 6-7).

Découvrez les disques de pâte et enfoncez-y régulièrement le bout des doigts. Arrosez-les du reste de l'huile d'olive, saupoudrez-les de fleur de sel, puis couvrez-les de nouveau et laissez-les lever pendant 30 minutes. Aspergez les disques de pâte d'un peu d'eau et parsemez-les de romarin, puis enfournez-les et faites-les cuire de 20 à 25 minutes.

Sortez les focaccias du four et laissez-les refroidir sur une grille. Servez-les le jour même ou congelez-les sans attendre.

La fougasse appartient à la même famille de pains anciens que la focaccia (voir p. 190). En Provence, ce pain plat ajouré, dont la forme rappelle celle d'une d'échelle, est très décoré et souvent parfumé d'olives et de fines herbes. Les versions sucrées contiennent de l'eau de fleur d'oranger et des amandes, et sont consommées les jours de fête.

FOUGASSES

POUR **4 fougasses**
PRÉPARATION : **30 min**
REPOS DE LA PÂTE : **de 50 min à 2 h 20**
CUISSON : **de 15 à 20 min par fournée**

> 6 cuill. à soupe d'huile d'olive vierge extra
> 40 cl d'eau tiède
> 2 cuill. à café de miel (facultatif)
> 250 g de farine de blé malté ou 200 g de farine de blé malté et 50 g de farine de sarrasin (voir NOTE)
> 500 g de farine de blé blanche
> 1/2 cuill. à soupe de levure de boulanger
> 2 cuill. à café de sel
> un peu d'eau chaude

Pour la garniture (au choix)
> un peu d'ail émincé
> quelques rondelles d'oignon
> quelques olives noires coupées en lamelles
> quelques zestes d'orange émincés
> quelques gouttes d'eau de fleur d'oranger

Dans un saladier, mélangez les deux tiers de l'huile d'olive avec l'eau tiède et, éventuellement, le miel. Dans le bol d'un robot, mixez ensemble les farines, la levure et le sel. Continuez de mélanger tout en ajoutant l'huile d'olive diluée, de manière à former une pâte dense. Arrêtez le robot, puis mixez de nouveau pendant 30 secondes pour développer le gluten.

Transvasez la pâte dans un grand saladier, couvrez-la d'un sac de congélation huilé, puis laissez-la lever dans un endroit chaud de 30 minutes à 2 heures, jusqu'à ce qu'elle ait doublé de volume.

Malaxez la pâte pour en évacuer l'air, puis déposez-la sur le plan de travail fariné et pétrissez-la de 5 à 8 minutes, jusqu'à ce qu'elle soit souple et homogène. Remettez la pâte dans le saladier, couvrez-la et laissez-la reposer pendant encore 20 minutes, jusqu'à ce qu'elle ait de nouveau doublé de volume. Divisez-la en 8 pâtons ovales, puis abaissez-en deux sur une plaque de cuisson huilée à environ 1 cm d'épaisseur. Incisez la pâte en diagonale, puis ouvrez les entailles.

Préchauffez le four à 220 °C (therm. 7-8).

Badigeonnez les fougasses de l'huile d'olive restante, aspergez-les d'un peu d'eau chaude, puis garnissez-les de l'ingrédient de votre choix. Enfournez et faites cuire de 15 à 20 minutes, jusqu'à ce que le pain soit gonflé et croustillant. Renouvelez l'opération avec le reste de la pâte, de manière à obtenir 4 fougasses.

Dégustez chaud, en déchirant le pain avec les doigts.

NOTE : la farine de blé malté est une farine à laquelle a été incorporé du malt, obtenu à partir du germe de blé, de manière à faciliter la fermentation de la pâte.

Parfaite pour les pique-niques, la pissaladière est une variante provençale de la pizza. Elle est généralement composée d'une pâte à pain fine, garnie de sauce tomate et d'oignons doux cuits avec des herbes de Provence, puis décorée d'olives noires et de lamelles de poivron rouge ou d'anchois.

PISSALADIÈRE

POUR **4 à 6 personnes**
PRÉPARATION : **35 min**
REPOS DE LA PÂTE : **1 h**
CUISSON : **2 h 05**

> 3 cuill. à soupe d'huile d'olive + 1 trait
> 1,5 kg d'oignons doux émincés
> 3 gousses d'ail hachées
> 1 cuill. à café d'herbes de Provence
> 1 poivron rouge coupé en lanières ou 10 filets d'anchois coupés en deux dans la longueur (facultatif)
> 12 à 18 petites olives noires
> sel et poivre du moulin

Pour la sauce tomate
> 2 cuill. à soupe d'huile d'olive
> 800 g de tomates hachées en conserve
> 3 cuill. à soupe de coulis de tomate
> 1 cuill. à soupe de câpres rincées, puis égouttées
> 15 cl de vin blanc sec

Pour la pâte
> 1/2 cuill. à soupe de levure fraîche émiettée ou 1 cuill. à café de levure de boulanger
> 1 pincée de sucre en poudre
> 150 g de farine tamisée
> 50 g de beurre coupé en dés
> 1 œuf battu

Dans une casserole, faites chauffer 3 cuillerées à soupe d'huile d'olive, puis faites revenir les oignons et l'ail avec 1 ou 2 cuillerées à soupe d'eau, en remuant. Couvrez et laissez mijoter pendant environ 1 heure à feu très doux, jusqu'à ce que les oignons soient fondants, en remuant régulièrement pour éviter qu'ils n'accrochent et qu'ils ne se colorent, et en ajoutant un peu d'eau, si nécessaire. Incorporez les herbes de Provence, puis égouttez le tout et réservez le jus de cuisson.

Préparez la sauce tomate. Dans une casserole, faites chauffer l'huile d'olive, puis ajoutez tous les autres ingrédients et assaisonnez. Mélangez et portez à ébullition, puis laissez mijoter pendant environ 1 heure à découvert, en remuant de temps en temps, jusqu'à obtention d'une sauce très épaisse. Égouttez, puis rectifiez l'assaisonnement, si nécessaire, et réservez.

Préparez la pâte. Dans un bol, délayez la levure fraîche ou déshydratée et le sucre en poudre avec 3 cuillerées à soupe du jus de cuisson des oignons et de l'ail, puis laissez reposer pendant 10 minutes pour que le mélange mousse. Dans un saladier, mélangez la farine et le beurre, puis creusez un puits au centre. Incorporez-y l'œuf battu, la levure délayée et 1 pincée de sel, de manière à obtenir une pâte très souple — ajoutez un peu de jus de cuisson, si nécessaire. Pétrissez celle-ci pendant 2 minutes, puis placez-la dans un saladier huilé, couvrez-la de film alimentaire et laissez-la lever pendant 1 heure, jusqu'à ce qu'elle ait doublé de volume.

Préchauffez le four à 190 °C (therm. 6-7).

Pétrissez la pâte pour en évacuer l'air, puis abaissez-la sur le plan de travail fariné. Transvasez-la dans un moule rectangulaire, puis couvrez-la de sauce tomate et garnissez-la du mélange d'oignon et d'ail. Disposez par-dessus le poivron ou les anchois, en dessinant des croisillons, arrosez le tout d'un trait d'huile d'olive, puis enfournez pour environ 1 heure, jusqu'à ce que la pâte soit dorée et croustillante. Ajoutez les olives et servez chaud ou froid.

Cette recette ancienne de la schiacciata,
qui relève à la fois de la pizza et de la tourte,
est composée d'ingrédients riches en saveurs,
typiques de la cuisine sicilienne.

SCHIACCIATA SICILIENNE

POUR **4 à 6 personnes**
PRÉPARATION : **35 min**
REPOS DE LA PÂTE : **2 h**
CUISSON : **de 40 à 45 min**

> 500 g de farine de blé blanche
> 2 cuill. à soupe de sucre en poudre
> 1 ½ cuill. à café de sel
> 1/2 cuill. à soupe de levure
de boulanger
> 30 cl d'eau tiède
> 1 gros œuf battu
> 2 cuill. à soupe d'huile d'olive
vierge extra
> 150 g de caciocavallo
ou de scamorza (fromages
italiens à pâte filée) hachés
ou coupés en tranches
> 50 g d'anchois en conserve,
avec leur huile
> 4 tranches de prosciutto
ou d'un autre jambon cru
(environ 80 g) grossièrement
coupées en morceaux
> 2 oignons rouges ou blancs
émincés, blanchis, puis égouttés
> 8 tomates séchées à l'huile,
hachées
> 16 olives vertes ou noires
dénoyautées
> 1 à 1 ½ cuill. à café de piment
en poudre
> 1 cuill. à soupe d'huile d'olive
vierge extra
> 1 cuill. à café de sel
> 2 cuill. à café de grains de poivre
noir concassés
> 1 cuill. à café d'origan séché
ou 2 cuill. à café d'origan frais haché

Dans le bol d'un robot, mixez par impulsions brèves la farine, le sucre en poudre, le sel et la levure, jusqu'à obtention d'une poudre fine.

Dans un saladier, battez ensemble l'eau tiède, l'œuf battu et l'huile d'olive, puis versez ce mélange dans le bol du robot et mixez le tout, de manière à former une pâte. Transvasez celle-ci sur le plan de travail fariné, saupoudrez-la d'un peu de farine puis pétrissez-la pendant 2 ou 3 minutes, jusqu'à ce qu'elle soit lisse et soyeuse, et façonnez-en une boule.

Placez la pâte dans un saladier huilé, couvrez-la de film alimentaire, puis réservez-la dans un endroit chaud pendant environ 1 heure, jusqu'à ce qu'elle ait doublé de volume.

Pétrissez de nouveau la pâte pour en évacuer l'air, puis coupez-la en deux et abaissez chaque moitié de manière à former 2 disques de 30 cm et de 35 cm de diamètre.

Étalez le plus grand disque de pâte sur une plaque de cuisson, puis répartissez dessus le caciocavallo ou le scamorza, les anchois et leur huile, le prosciutto, les oignons, les tomates séchées, les olives et le piment. Aspergez le tout d'un peu d'eau.

Déposez le second disque de pâte sur l'ensemble, pincez les bords pour les souder, puis tracez sur le dessus un quadrillage à la fourchette. Appuyez sur la schiacciata du bout des doigts pour former des trous à sa surface, puis aspergez-la d'un peu d'eau. Arrosez-la légèrement d'huile d'olive, assaisonnez-la et parsemez-la d'origan, puis laissez-la lever dans un endroit chaud pendant environ 1 heure, jusqu'à ce qu'elle ait presque doublé de volume.

Préchauffez le four à 250 °C (therm. 8-9).

Enfournez la schiacciata pour 15 minutes, puis baissez la température à 200 °C (therm. 6-7) et prolongez la cuisson de 25 à 30 minutes, jusqu'à ce que la pâte soit croustillante et dorée, et que la schiacciata embaume et sonne creux lorsque vous la tapotez.

Servez la schiacciata chaude ou tiède, déchirée en morceaux ou coupée en carrés ou en parts.

Cette pizza classique, créée à Naples en l'honneur de la reine Marguerite de Savoie, est aux couleurs du drapeau italien : vert, blanc et rouge.

PIZZAS MARGUERITAS

POUR **2 pizzas**
PRÉPARATION : **25 min**
REPOS DE LA PÂTE : **1 h 10**
CUISSON : **de 25 à 30 min**

> 250 g de mozzarella fraîche coupée en fines tranches
> 1 grosse poignée de feuilles de basilic frais
> 1 trait d'huile d'olive
> sel et poivre du moulin

Pour la pâte

> 250 g de farine de blé blanche, fine
> 1/2 cuill. à soupe de levure fraîche émiettée ou 1 cuill. à café de levure de boulanger
> 1 cuill. à soupe de jus de citron fraîchement pressé
> 1 cuill. à soupe d'huile d'olive
> 30 cl d'eau chaude

Pour la sauce pizzaiola

> 10 cl d'huile d'olive
> 2 gousses d'ail hachées
> 1 cuill. à café d'origan séché
> 800 g de tomates fraîches pelées, puis grossièrement hachées ou 800 g de tomates hachées en conserve

Enfournez une pierre à pizza ou une plaque de cuisson et préchauffez le four à 220 °C (therm. 7-8).

Préparez la pâte. Dans un saladier, mélangez la farine et la levure, puis incorporez le jus de citron, l'huile d'olive et 1 pincée de sel. Malaxez le tout en ajoutant progressivement l'eau chaude, jusqu'à obtention d'une pâte très souple. Transposez celle-ci sur le plan de travail fariné et pétrissez-la pendant 10 minutes, jusqu'à ce qu'elle soit bien élastique – si nécessaire, ajoutez un peu de farine, 1 cuillerée à soupe à la fois. Placez-la ensuite dans un saladier huilé, couvrez-la et laissez-la lever pendant environ 1 heure, jusqu'à ce qu'elle ait doublé de volume.

Pendant ce temps, préparez la sauce pizzaiola.
Dans une casserole, faites chauffer l'huile d'olive presque jusqu'à ce qu'elle commence à fumer, puis, en prenant vos distances afin de ne pas recevoir de projections, faites revenir l'ail, l'origan et les tomates de 5 à 8 minutes à feu vif, jusqu'à obtention d'une sauce épaisse et brillante. Assaisonnez et réservez.

Divisez la pâte en deux, abaissez chaque moitié de manière à former 2 disques de 25 cm de diamètre, puis étalez ceux-ci sur une plaque garnie de papier sulfurisé. Couvrez chaque disque de pâte d'une fine couche de sauce pizzaiola et de tranches de mozzarella, assaisonnez, puis laissez lever dans un endroit chaud pendant 10 minutes.

Faites glisser les préparations sur la pierre à pizza ou la plaque de cuisson préalablement chauffées, en retirant, si possible, le papier sulfurisé. Enfournez et faites cuire de 18 à 20 minutes, jusqu'à ce que la pâte soit dorée et le fromage fondu, mais encore blanc.

Sortez les pizzas du four, parsemez-les de feuilles de basilic, arrosez-les d'un peu d'huile d'olive et servez-les sans attendre.

Cette pizza en chausson peut être préparée avec des restes. Sa garniture doit contenir du fromage pour être suffisamment humide, et peut aussi inclure des anchois, de la sauce à la viande, des câpres, des olives et toutes sortes d'ingrédients gorgés de soleil.

PIZZA RUSTICA

POUR **2 personnes**
PRÉPARATION : **40 min environ**
REPOS DE LA PÂTE : **1 h 10**
CUISSON : **25 min**

> 15 g de levure fraîche émiettée ou 1/2 cuill. à soupe de levure de boulanger
> 1 pincée de sucre en poudre
> 25 cl d'eau tiède
> 350 g de farine de blé blanche
> 2 cuill. à soupe d'huile d'olive
> sel et poivre du moulin

Pour la garniture

> 100 g de fromage fondant (de type mozzarella) coupé en dés
> 100 g de salami, de jambon ou de saucisse cuite coupés en dés
> 50 g d'épinards cuits, hachés
> 4 tomates séchées à l'huile, hachées
> 3 ou 4 cuill. à soupe de sauce pizzaiola (voir recette p. 198)
> 2 ou 3 cuill. à soupe de fines herbes hachées

Dans un saladier, réunissez la levure et le sucre en poudre, incorporez l'eau tiède au fouet, puis laissez reposer pendant 10 minutes, jusqu'à ce que le mélange mousse.

Tamisez la farine au-dessus d'un grand saladier, creusez un puits au centre, puis versez-y le mélange à base de levure, la moitié de l'huile d'olive et 1 grosse pincée de sel. Mélangez le tout à l'aide d'une spatule, puis à la main, jusqu'à obtention d'une pâte. Transposez celle-ci sur le plan de travail fariné et pétrissez-la pendant 10 minutes, jusqu'à ce qu'elle soit souple et élastique — si nécessaire, ajoutez un peu de farine, 1 cuillerée à soupe à la fois. Placez la pâte dans un saladier huilé, couvrez-la d'un torchon humide ou de film alimentaire et laissez-la lever pendant environ 1 heure, jusqu'à ce qu'elle ait doublé de volume.

Préparez la garniture. Dans un saladier, réunissez tous les ingrédients, puis assaisonnez et mélangez bien le tout.

Préchauffez le four à 220 °C (therm. 7-8).

Abaissez la pâte sur le plan de travail, de manière à former un grand disque, en la saupoudrant régulièrement de farine pour qu'elle ne colle pas. Déposez la garniture sur la moitié du disque, en laissant un espace sur les bords, puis rabattez l'autre moitié par-dessus. Appuyez sur les bords pour bien les souder, puis roulez-les et pincez-les. Disposez la pizza sur une plaque de cuisson farinée, badigeonnez-la du reste de l'huile d'olive, puis pratiquez un petit trou sur le dessus pour éviter qu'elle n'explose à la cuisson.

Enfournez pour environ 25 minutes, jusqu'à ce que la pâte soit ferme et dorée. Sortez la pizza du four, laissez-la refroidir pendant 5 minutes, puis coupez-la en deux et servez-la.

En Turquie, ces pizzas à la pâte très fine sont vendues sur les marchés, coupées en fines bandes. Elles peuvent également être cuites sur un barbecue équipé d'une plaque ; badigeonnez-les d'huile d'olive et faites-les cuire 5 minutes, en les retournant une fois.

PIZZAS TURQUES

POUR **4 personnes**
PRÉPARATION : **25 min**
CUISSON : **30 min environ**

> 350 g de farine de blé blanche
> 1 ½ cuill. à café de levure de boulanger
> 1 ½ cuill. à café de sel
> 1 cuill. à soupe d'huile d'olive vierge extra
> 15 à 20 cl d'eau tiède

Pour la garniture

> 500 g de feuilles d'épinards
> 1 cuill. à soupe d'huile d'olive vierge extra
> 1 petit oignon finement haché
> 2 gousses d'ail écrasées
> 125 g de feta émiettée
> 2 cuill. à soupe de parmesan râpé
> 2 cuill. à soupe de mascarpone
> 1 pincée de noix de muscade fraîchement râpée
> poivre du moulin

Tamisez la farine au-dessus du bol d'un robot pétrisseur. Incorporez la levure et le sel, ajoutez l'huile d'olive et l'eau tiède, puis pétrissez jusqu'à obtention d'une pâte lisse et élastique.

Préparez la garniture. Jetez les tiges des épinards, lavez les feuilles, puis égouttez-les, transvasez-les dans une sauteuse et faites-les chauffer 2 ou 3 minutes à feu doux, jusqu'à ce qu'elles aient fondu. Rincez-les à l'eau froide, puis égouttez-les et pressez-les pour éliminer le maximum d'eau. Hachez-les et réservez-les.

Dans une poêle à feu doux, faites chauffer l'huile d'olive, puis faites frire l'oignon et l'ail 5 minutes, jusqu'à ce qu'ils soient très tendres et légèrement dorés. Incorporez les feuilles d'épinards, la feta, le parmesan, le mascarpone et la noix de muscade, poivrez, puis ôtez du feu.

Transposez la pâte sur un plan de travail fariné, pétrissez-la, puis divisez-la en quatre et abaissez chaque quart en un rectangle très fin de 20 cm x 40 cm. Étalez un quart de la garniture sur la moitié de chaque rectangle, en laissant un espace sur les bords, puis rabattez l'autre moitié par-dessus et soudez les bords.

Faites cuire les 4 pizzas ainsi obtenues dans une grande poêle. Retirez-les du feu, coupez-les en larges bandes, puis servez-les chaudes.

NOTE : pour pétrir la pâte, vous pouvez aussi la malaxer à la main de 8 à 10 minutes, en incorporant progressivement tous les ingrédients.

DESSERTS ET BOISSONS

Ces crèmes aux œufs au citron originaires de Catalogne constituent l'un des joyaux de la cuisine espagnole. Généralement confectionnées dans des cazuelas, elles sont garnies de sucre et peuvent être caramélisées sous le gril du four ou à l'aide d'un chalumeau de cuisine, l'essentiel étant d'utiliser une source de chaleur intense pour ne pas faire fondre ou durcir la crème.

CRÈMES CATALANES

POUR **4 personnes**
PRÉPARATION : **10 min**
CUISSON : **25 min**

> 15 cl de crème fraîche et de lait mélangés à parts égales
> le zeste de 1 citron coupé en 8 longues lanières légèrement écrasées
> 110 g de sucre en poudre
> 3 gros œufs
> 2 cuill. à café d'extrait de vanille

Versez le mélange de crème et de lait dans une casserole, ajoutez la moitié du zeste de citron, portez à frémissement, puis plongez la casserole dans un saladier empli d'eau glacée pour la refroidir rapidement.

Dans un saladier, battez au fouet 50 g de sucre en poudre avec les œufs et l'extrait de vanille, sans les faire mousser, puis incorporez-les à la préparation précédente.

Versez la crème ainsi obtenue dans 4 ramequins de 8 cl allant au four, puis introduisez dans chacun une lanière du zeste de citron restant.

Préchauffez le four à 150 °C (therm. 5).

Placez les ramequins dans un moule à gâteau, emplissez ce dernier d'eau bouillante jusqu'à mi-hauteur des ramequins, puis enfournez pour 20 minutes, jusqu'à ce que les crèmes aient légèrement pris. Sortez le moule du four et ôtez-en les ramequins.

Saupoudrez les crèmes du reste de sucre en poudre. Préchauffez le gril du four à une température élevée, puis placez les crèmes sur la grille supérieure du four pour les faire caraméliser — vous pouvez aussi utiliser un chalumeau de cuisine. Servez dans les 2 heures qui suivent, à température ambiante.

Le secret de la « crème cuite » italienne réside
dans sa tenue. Il faut donc utiliser de préférence
du lait entier et de la crème aussi riche et épaisse
que celle des régions italiennes du Piémont
et de la Lombardie, dont ce délicieux entremets
est originaire.

PANNA COTTA AUX ZESTES D'ORANGE CONFITS

POUR **6 personnes**
PRÉPARATION : **20 min**
RÉFRIGÉRATION : **au moins 5 h**
CUISSON : **15 min environ**

> 50 cl de crème fraîche épaisse
> 30 cl de lait entier
> 1 gousse de vanille fendue
> 100 g de sucre en poudre
> 3 feuilles de gélatine émiettées
ou 3 cuill. à café de gélatine
en poudre
> 2 oranges non traitées

Réunissez la crème fraîche, le lait entier, la gousse de vanille
et la moitié du sucre en poudre dans une casserole, puis portez
à ébullition. Saupoudrez le mélange bouillant de gélatine
et remuez jusqu'à ce que celle-ci soit complètement dissoute.
Laissez la préparation refroidir, puis placez-la au réfrigérateur
pour la faire épaissir. Mélangez vigoureusement la crème ainsi
obtenue pour répartir les graines de vanille — vous pouvez
ensuite rincer la gousse et la conserver dans votre boîte à sucre,
afin de parfumer celle-ci —, puis versez-la dans 6 moules souples
d'environ 12 cl. Disposez-les sur un plateau et placez-les
au réfrigérateur pendant au moins 5 heures, jusqu'à ce que
la préparation ait complètement pris.

Pendant ce temps, prélevez des zestes d'orange à l'aide
d'un couteau Économe, puis retirez-en soigneusement
les membranes blanches et coupez-les en longues lanières.
Portez à ébullition une petite casserole emplie d'eau, plongez-y
les zestes pendant 1 minute, puis égouttez-les et mettez-les
immédiatement à tremper dans de l'eau froide.

Dans une petite casserole à feu doux, faites chauffer le sucre
en poudre restant avec 10 cl d'eau, en remuant jusqu'à ce que
le sucre soit complètement dissous. Ajoutez les lanières
de zeste d'orange, puis ramenez à ébullition et faites cuire
2 ou 3 minutes. Égouttez les zestes et laissez-les refroidir,
en les séparant pour qu'ils ne se collent pas les uns aux autres.
Réservez le sirop de cuisson.

Démoulez délicatement les entremets sur des petites assiettes
de service, en appuyant légèrement sur le fond et en écartant
les bords des moules — pour plus de facilité, faites tremper
le fond des moules dans de l'eau chaude pendant quelques
secondes. Garnissez les panna cotta de zestes d'orange confits,
arrosez-les d'un peu du sirop de cuisson réservé, puis servez.

De belles fraises juteuses et bien mûres peuvent parfaitement se déguster telles quelles ; toutefois, l'assaisonnement proposé dans cette recette peut se révéler une alternative aussi raffinée qu'originale pour clore un repas copieux sur une note ensoleillée.

FRAISES SUCRÉES AUX ÉPICES

POUR **4 personnes**
PRÉPARATION : **10 min**
ÉGOUTTAGE : **10 min**

> 300 g de fraises mûres lavées, puis essuyées et coupées en deux
> 250 g de ricotta fraîche
> 1 cuill. à soupe d'amaretto + 1 trait (voir NOTE)
> 1/2 cuill. à café de vinaigre balsamique

Pour le sucre aux épices
> 1/2 bâton de cannelle écrasé
> 6 grains de poivre écrasés
> 6 cuill. à soupe de sucre en poudre
> 1 lanière de zeste de citron de 8 cm de long

Préparez le sucre aux épices. Réunissez tous les ingrédients dans le bol d'un moulin à café ou à épices électrique et mixez-les de manière à les réduire en poudre.

Dans un saladier, mélangez délicatement les fraises avec la moitié du sucre aux épices, puis laissez-les égoutter pendant 10 minutes. Pendant ce temps, filtrez la ricotta dans une passoire placée au-dessus d'un saladier, en la pressant du dos d'une cuillère. Ajoutez-y l'amaretto, le reste du sucre aux épices et le vinaigre, puis mélangez le tout afin de former une crème.

Répartissez cette crème dans 4 petites verrines ou coupelles, puis déposez les fraises dessus et arrosez chaque dessert de quelques gouttes d'amaretto.

NOTE : l'amaretto est une boisson alcoolisée (24 à 28 degrés) fabriquée en Italie depuis le milieu du XIXᵉ siècle. À la fois amère et délicieusement sucrée, cette liqueur est confectionnée à base d'amandes de noyaux d'abricot et d'extraits aromatiques.

Cette glace à l'italienne est servie avec de délicieuses cerises au sirop chaudes. Vous pouvez préparer ce dessert avec des cerises amarena en bocal rapportées d'un séjour en Italie ou en utilisant simplement des cerises griottes en conserve.

GELATO À LA VANILLE ET CERISES CHAUDES AU SIROP

POUR **6 personnes**
PRÉPARATION : **15 min environ**
INFUSION : **20 min**
CONGÉLATION : **de 20 min
à au moins 1 h, selon équipement**
CUISSON : **10 min environ**

> 1 gousse de vanille fendue
> 1,1 l de lait entier
> 2 cuill. à soupe de lait écrémé en poudre
> 4 cuill. à soupe de fécule de maïs ou de blé
> 275 g de sucre en poudre
> 1 cuill. à café d'essence de vanille
> 370 g de cerises amarena ou de cerises griottes en conserve
> 2 cuill. à soupe de marasquin ou de kirsch

Versez 90 cl de lait entier dans une casserole, ajoutez la gousse de vanille, puis incorporez le lait en poudre au fouet. Portez à ébullition, puis ôtez du feu et laissez infuser pendant 20 minutes.

Ôtez la gousse de vanille — vous pouvez ensuite la rincer et la conserver dans votre boîte à sucre, afin de parfumer celle-ci —, puis mélangez la préparation pour bien répartir les graines.

Délayez la fécule de maïs avec le reste du lait entier, puis incorporez-la au lait chaud. Ajoutez le sucre en poudre, mélangez, puis portez à ébullition en remuant constamment, jusqu'à ce que la préparation épaississe. Ôtez du feu, couvrez de film alimentaire et laissez refroidir, puis incorporez l'essence de vanille. Placez le mélange au frais, puis transvasez-le dans une sorbetière et faites-le prendre au congélateur de 20 à 25 minutes, en suivant les instructions du fabricant.

Si vous ne possédez pas de sorbetière, versez la crème dans un bac à glace métallique et réservez-la au congélateur jusqu'à ce que les bords commencent à geler. Sortez la préparation du congélateur, écrasez-la à la fourchette, puis faites-la de nouveau congeler à moitié. Transvasez-la ensuite dans le bol d'un robot et mixez-la jusqu'à ce qu'elle soit crémeuse, puis couvrez-la et remettez-la au congélateur jusqu'à ce que la glace ait bien pris. Environ 20 minutes avant de servir, placez la glace au réfrigérateur pour la faire ramollir.

Au moment de servir, dans une casserole à feu doux, faites chauffer les cerises avec le sirop et le marasquin ou le kirsch. Servez la glace dans des coupes, nappée de cerises et de sauce.

Gelato à la vanille et cerises chaudes au sirop 213

Les glaces françaises et italiennes offrent souvent des associations de goûts assez classiques, mais néanmoins savoureuses. Dans ce dessert élégant, les arômes du chocolat noir et des noisettes se marient ainsi parfaitement. Pilez les noisettes et le sucre dans un mortier, ou mixez-les à l'aide un moulin électrique, à café ou à épices, en procédant par impulsions brèves.

GELATO AU CHOCOLAT AMER ET AUX NOISETTES

POUR **4 à 6 personnes**
PRÉPARATION : **20 min**
CONGÉLATION : **de 20 min à 6 h,**
selon équipement
CUISSON : **de 10 à 15 min**

> 80 g de noisettes émondées finement hachées
> 180 g de sucre vanillé ou de sucre en poudre
> 250 g de chocolat noir à 70 % de cacao cassé en morceaux
> 15 cl de lait entier
> 1 cuill. à soupe de sirop de glucose (dans les épiceries spécialisées, voir NOTE)
> 1 cuill. à soupe de liqueur de chocolat ou de noisette ou de rhum foncé
> 40 cl de crème fraîche épaisse

Dans une poêle sans matière grasse, faites griller les noisettes 2 ou 3 minutes à feu moyen, en remuant constamment, puis laissez-les refroidir sur une assiette.

Dans un moulin à café ou à épices, mixez par impulsions brèves les noisettes grillées et 4 cuillerées à soupe de sucre vanillé, jusqu'à obtention d'une poudre fine.

Dans une casserole à feu très doux, faites fondre le chocolat avec le lait entier et le reste du sucre vanillé, en remuant, puis ajoutez le sirop de glucose, ainsi que le mélange de noisettes et de sucre. Ôtez du feu et faites tremper le fond de la casserole dans un saladier empli d'eau glacée pour la refroidir rapidement. Incorporez la liqueur et la crème fraîche, puis plongez de nouveau le fond de la casserole dans l'eau pour refroidir la préparation.

Versez la crème ainsi obtenue dans une sorbetière et faites-la prendre au congélateur de 20 à 25 minutes, en suivant les instructions du fabricant. Si vous ne possédez pas de sorbetière, versez-la dans un bac à glace métallique et réservez-la à couvert au congélateur pendant au moins 6 heures, en la fouettant au bout de 3 heures.

Servez la glace sous forme de boules, accompagnées de gaufrettes ou de biscuits.

NOTE : le sirop de glucose se présente sous l'aspect d'un sirop incolore, épais et visqueux. Il est notamment utilisé en pâtisserie pour la confection de glaçage et de mousse ; en chocolaterie-confiserie, il sert à la préparation de pâte de fruit, de pâte d'amande, de nougat, de fondant, de caramel, de guimauve, mais aussi de berlingots et de sucettes…

Ce sorbet exotique créé en Sicile peut être parfumé à la cannelle ou à l'eau de fleur de jasmin. Les pépites de chocolat, qui figurent les pépins de la pastèque, lui apportent une petite touche croquante.

SORBET À LA PASTÈQUE AUX PÉPITES DE CHOCOLAT

POUR **4 à 6 personnes**
PRÉPARATION : **10 min environ**
RÉFRIGÉRATION : **au moins 1 h**
CONGÉLATION : **de 20 min à au moins 1 h, selon équipement**
CUISSON : **5 min environ**

> 750 g de pastèque fraîche coupée en dés
> 150 g de sucre en poudre (ou un peu moins, si la pastèque est très sucrée)
> 1 petit bâton de cannelle
> le jus fraîchement pressé de 2 citrons mûrs
> un peu de colorant alimentaire rose (facultatif)
> 80 g de pépites de chocolat noir

Ôtez les pépins de la pastèque à l'aide de la pointe d'un couteau. Mixez la chair du fruit dans le bol d'un robot, puis, tout en continuant de mélanger, ajoutez le sucre en poudre. Mixez pendant encore 30 secondes.

Transvasez la préparation dans une casserole, ajoutez le bâton de cannelle, portez lentement à ébullition, en remuant constamment jusqu'à ce que le sucre soit dissous, puis laissez mijoter 1 minute. Ôtez du feu, ajoutez le jus de citron et quelques gouttes de colorant alimentaire, si nécessaire.

Laissez refroidir, puis retirez le bâton de cannelle et réservez le mélange au réfrigérateur pendant au moins 1 heure.

Transvasez la préparation dans une sorbetière et faites-la prendre au congélateur, en suivant les instructions du fabricant. Incorporez les pépites de chocolat quand le sorbet est encore tendre. Mettez-le ensuite dans une boîte résistante au froid, fermez celle-ci, puis placez-la au congélateur, jusqu'à ce que le sorbet ait complètement pris.

Si vous ne possédez pas de sorbetière, versez la préparation dans un bac à glace métallique et réservez-la au congélateur jusqu'à ce que les bords commencent à geler. Sortez-la alors du congélateur, écrasez-la à la fourchette, puis faites-la de nouveau congeler à moitié. Transvasez-la ensuite dans le bol d'un robot et mixez-la jusqu'à ce qu'elle soit crémeuse, puis ajoutez les pépites de chocolat, couvrez et remettez au congélateur jusqu'à ce que le sorbet ait bien pris. Environ 20 minutes avant de servir, placez la glace au réfrigérateur pour la faire ramollir.

Ce granité sicilien composé d'amandes émondées mixées avec du sucre et de l'eau glacée constitue une boisson laiteuse très rafraîchissante ; l'ajout d'amaretto permet d'accentuer le goût d'amande.

GRANITÉ AU LAIT D'AMANDE ET À L'AMARETTO

POUR **8 personnes**
PRÉPARATION : **15 min environ**
RÉFRIGÉRATION : **12 h maximum**
CONGÉLATION : **1 h minimum**

> 100 g d'amandes émondées
> 100 g de sucre en poudre
> 1 l d'eau glacée
> 3 cuill. à soupe d'amaretto

Dans le bol d'un robot, mixez les amandes et le sucre en poudre le plus finement possible. Ajouter 50 cl d'eau glacée, puis mélangez de nouveau pendant 2 ou 3 minutes, jusqu'à obtention d'un liquide laiteux.

Ajoutez le reste de l'eau glacée, en procédant en 2 fois, si nécessaire, puis continuez de mixer à une vitesse élevée pendant 2 ou 3 minutes. Versez le liquide obtenu dans un saladier ou dans une cruche, couvrez et réservez au réfrigérateur pendant quelques heures, et jusqu'à 1 nuit. Filtrez le liquide dans une passoire fine ou à travers un morceau de mousseline au-dessus d'un bac à glace métallique, afin de séparer le lait de l'amande en poudre. Jetez celle-ci, puis incorporez l'amaretto au lait d'amande.

Couvrez et réservez le bac au congélateur pendant environ 30 minutes, jusqu'à ce que les bords de la préparation commencent à geler, puis ramenez-les vers le centre du bac à l'aide d'une fourchette et écrasez l'ensemble du mélange. Renouvelez cette opération toutes les 30 minutes, de manière à former un monticule de cristaux scintillants.

Servez dans des verres préalablement refroidis.

La tarte au citron, crémeuse et acide à la fois, est un dessert d'un grand raffinement. L'idéal est de la préparer quelques heures avant de la servir, chaude ou froide, accompagné d'une boule de glace ou d'un peu de crème fraîche et d'un petit verre de liqueur d'agrume, de rhum foncé ou de cognac.

TARTE AU CITRON

POUR **4 personnes**
PRÉPARATION : **25 min**
RÉFRIGÉRATION : **de 1 h à 1 h 20**
CUISSON : **1 h 10**

> 4 gros œufs
> 150 g de sucre en poudre
> 2 cuill. à soupe de zestes de citron râpés
> 10 cl de jus de citron fraîchement pressé
> 10 cl de crème fraîche épaisse + 2 cuill. à soupe
> 3 cuill. à soupe de sucre glace

Pour la pâte

> 4 cuill. à soupe de sucre glace tamisé
> 180 g de beurre à température ambiante
> les jaunes de 2 gros œufs
> 2 cuill. à soupe d'eau glacée
> 250 g de farine tamisée

Préparez la pâte. Dans le bol d'un robot, réunissez les deux tiers du sucre glace et le beurre, puis mixez jusqu'à obtention d'un mélange blanc et crémeux. Ajoutez les jaunes d'œufs un à un, mixez, puis incorporez progressivement la moitié de l'eau glacée
et la farine. Mixez à une vitesse réduite, tout en ajoutant le reste de l'eau glacée, jusqu'à ce que la préparation forme une boule de pâte. Enveloppez celle-ci de film alimentaire et réservez-la au frais de 40 minutes à 1 heure.

Sur le plan de travail fariné, abaissez la pâte à une épaisseur de 5 mm, puis étalez-la dans un moule à tarte de 20 cm de diamètre tapissé d'une feuille de papier sulfurisé. Retirez le surplus de pâte. Réservez le fond de tarte au réfrigérateur pendant 20 minutes, jusqu'à ce qu'il soit très ferme.

Préchauffez le four à 180 °C (therm. 6).

Piquez le fond de tarte à la fourchette, couvrez-le d'une feuille de papier sulfurisé lestée de haricots secs — pour éviter qu'il ne gonfle durant la cuisson à blanc —, puis enfournez-le pour 15 minutes. Ôtez le papier sulfurisé et les haricots, laissez reposer la pâte pendant 5 minutes, puis enfournez-la de nouveau pour 10 minutes, jusqu'à ce qu'elle soit légèrement dorée.

Baissez la température du four à 120 °C (therm. 4).

Dans un saladier, fouettez au batteur les œufs, le sucre en poudre et la moitié des zestes de citrons pendant 2 minutes, puis incorporez le jus de citron et la crème fraîche au mélange. Versez celui-ci sur le fond de tarte et enfournez pour 35 minutes, jusqu'à ce que la garniture commence à prendre.

Pendant ce temps, dans une passoire, arrosez d'eau bouillante les zestes de citrons restants, puis rincez-les à l'eau froide. Mettez-les dans une casserole avec le sucre glace et 4 cuillerées à soupe d'eau, puis faites chauffer à feu doux jusqu'à ce que le zeste soit sirupeux. Parsemez-en la tarte, saupoudrez-la du sucre glace restant, puis servez celle-ci chaude au froide, avec une pointe de crème fraîche.

Cette recette italienne est meilleure avec des figues fraîches plutôt que séchées, mais elle peut également être préparée avec d'autres fruits. La ricotta permet en outre d'obtenir une garniture légèrement granuleuse.

TARTE AUX FIGUES CARAMÉLISÉES

POUR **6 personnes**
PRÉPARATION : **50 min**
REPOS DE LA PÂTE : **45 min**
CUISSON : **de 45 à 55 min**

> 225 g de ricotta fraîche
> 125 g de beurre ramolli
> 125 g de sucre en poudre ou de sucre vanillé
> 2 œufs battus
> 8 à 10 figues noires mûres coupées en deux ou en quatre
> un peu de gelée de groseille

Pour la pâte

> 70 g de beurre ramolli
> 70 g de sucre en poudre
> 3 jaunes d'œufs + 1 jaune battu
> 1/2 cuill. à café d'extrait de vanille
> 170 g de farine
> 1 cuill. à café de sel

Préparez la pâte. Dans le bol d'un robot, mixez le beurre, le sucre en poudre, 3 jaunes d'œufs et l'extrait de vanille, jusqu'à obtention d'un mélange homogène.

Tamisez la farine et le sel au-dessus d'une feuille de papier sulfurisé, puis versez-les dans le bol du robot et mixez de nouveau, de manière à former une pâte.

Transvasez la pâte sur le plan de travail fariné, pétrissez-la afin de la rendre lisse, puis façonnez-en une boule et aplatissez légèrement celle-ci. Enveloppez-la de film alimentaire et réservez-la au frais pendant au moins 30 minutes.

Pendant ce temps, dans un saladier, battez ensemble la ricotta, le beurre et le sucre en poudre ou le sucre vanillé, jusqu'à obtention d'une crème homogène. Incorporez progressivement les œufs battus et réservez le tout.

Abaissez finement la pâte, puis étalez-la dans un moule à tarte à fond amovible de 20 cm de diamètre. Piquez le fond de tarte à la fourchette, puis réservez-le au frais pendant 15 minutes.

Préchauffez le four à 190 °C (therm. 6-7). Couvrez le fond de tarte d'une feuille d'aluminium lestée de haricots secs, puis enfournez et faites cuire de 10 à 12 minutes au milieu du four. Ôtez la feuille d'aluminium et les haricots, badigeonnez la pâte de jaune d'œuf battu et prolongez la cuisson pendant 5 minutes, jusqu'à ce qu'elle soit dorée.

Sortez le fond de tarte du four, laissez-le un peu refroidir, puis versez la garniture dessus. Enfournez de nouveau et faites cuire de 25 à 30 minutes, jusqu'à ce que la tarte ait gonflé et bruni.

Retirez la tarte du four et laissez-la reposer pendant 10 minutes. Démoulez-la sur une grille, laissez-la refroidir complètement, puis garnissez-la de figues, côté coupé en dessus. Faites chauffer la gelée de groseille dans une casserole, puis badigeonnez-en légèrement les figues.

Préchauffez le gril du four. Couvrez les bords de la tarte de feuille d'aluminium pour éviter qu'ils ne brûlent, et glissez brièvement celle-ci sous le gril, jusqu'à ce que les figues commencent à brunir. Servez immédiatement.

Ce gâteau s'inspire du *halva*, gâteau de semoule
dont tous les Grecs connaissent la formule par cœur :
une portion d'huile d'olive, deux de semoule, trois
de sucre et quatre d'eau (1 portion étant égale à 25 cl).
Ce gâteau rond cuit au four sera délicieux
avec un peu de yaourt grec et un verre de cognac.

GÂTEAU GREC AU MIEL, AUX NOIX ET AU COGNAC

POUR **6 personnes**
PRÉPARATION : **25 min**
CUISSON : **40 min**

> 15 cl d'huile d'olive vierge extra
> 100 g de sucre en poudre
> 2 œufs
> 200 g de cerneaux de noix
> 180 g de farine autolevante
tamisée
> 1 pincée de sel
> 15 cl de yaourt grec
ou de yaourt épais
> 2 cuill. à soupe de miel liquide
> 2 cuill. à soupe de metaxa
ou de cognac (voir NOTE)

Dans un grand saladier, fouettez au batteur l'huile d'olive
et le sucre en poudre, jusqu'à obtention d'un mélange léger.
Réservez 1 poignée de cerneaux de noix dans un petit récipient
à part et hachez le reste à l'aide d'un couteau ou dans un robot,
en procédant par brèves impulsions, jusqu'à obtention
d'une poudre fine, mais non farineuse.

Incorporez au mélange précédent les noix en poudre,
la farine, le sel et le yaourt, en remuant vigoureusement
à l'aide d'une cuillère en bois, mais sans trop insister,
jusqu'à obtention d'une pâte lisse et homogène.

Préchauffez le four à 175 °C (therm. 5-6).

Versez la pâte dans un moule à gâteau rond à fond amovible
de 20 cm de diamètre, aux bords légèrement huilés et au fond
tapissé de papier sulfurisé. Lissez la pâte du dos d'une cuillère,
parsemez-la de cerneaux de noix, puis enfournez pour
40 minutes — une fois que le gâteau est cuit, la lame
d'un couteau introduite au centre de celui-ci doit ressortir
propre, en produisant le bruit d'une bulle qui éclate.

Sortez le gâteau du four. Dans un bol, mélangez le miel
et le cognac, puis arrosez-en le dessus du gâteau. Laissez
reposer ce dernier pendant 5 minutes.

Ôtez les bords du moule, puis laissez refroidir le gâteau
sur une grille pendant 10 minutes. Retirez le fond du moule
et le papier sulfurisé, puis servez chaud ou froid. Ce gâteau
se conserve dans une boîte hermétique pendant 4 jours.

NOTE : le metaxa, fleuron des alcools grecs, est un mélange
de 3 variétés de raisin distillé puis vieilli pendant au moins
5 ans dans des fûts de chêne ; y est ajoutée une mixture
secrète à base d'extraits de plantes et de pétales de roses.

Gâteau grec au miel, aux noix et au cognac 225

Ce gâteau évoque la Sicile, ses collines couvertes d'oliviers, d'orangers et de citronniers, ses paniers garnis d'amandes fraîches et ses bouteilles d'eau de fleur d'oranger, héritées de son passé arabe. Composé de semoule, d'amandes en poudre et d'huile, il ne contient aucun produit laitier. Servez-le saupoudré de sucre glace, avec une boule de sorbet à l'agrume de votre choix, ou dégustez-le tel quel, accompagné d'un expresso et d'un verre d'eau glacée.

GÂTEAU DE SEMOULE AU CITRON

POUR **8 à 12 personnes**
PRÉPARATION : **20 min environ**
CUISSON : **de 40 à 45 min**

> le zeste râpé et le jus de 1 citron
> le zeste râpé et le jus de 1 orange
> 20 cl d'huile d'olive vierge extra
> 220 g de sucre en poudre
> 1 pincée de sel
> 3 œufs
> 200 g de semoule
> 1 cuill. à café de levure chimique
> 120 g d'amandes en poudre
> 1 cuill. à café d'essence d'amande
> 1 cuill. à café d'eau de fleur d'oranger
> 4 cuill. à soupe de Cointreau® ou de Grand Marnier®

Réservez un peu des zestes de citron et d'orange dans un petit récipient à part. Mettez les zestes restants dans un saladier, ajoutez l'huile d'olive, le sucre en poudre, le sel, les jus d'orange et de citron et les œufs, puis fouettez le tout au batteur, jusqu'à obtention d'une pâte lisse.

Tamisez la semoule et la levure au-dessus d'un autre saladier, ajoutez les amandes en poudre, puis remuez. Incorporez l'essence d'amande et l'eau de fleur d'oranger à la préparation à base d'œufs, puis réunissez les contenus des 2 saladiers et mélangez délicatement le tout. Transvasez la pâte obtenue dans un moule à gâteau rond à fond amovible de 25 cm de diamètre, aux bords légèrement huilés et au fond tapissé de papier sulfurisé. Lissez le dessus de la pâte du dos d'une cuillère.

Préchauffez le four à 160 °C (therm. 5-6), puis enfournez le gâteau et faites-le cuire de 40 à 45 minutes, jusqu'à ce qu'il soit légèrement doré sur les bords et ferme au milieu — une fois que le gâteau est cuit, la lame d'un couteau introduite au centre de celui-ci doit ressortir propre.

Sortez le gâteau du four, laissez-le reposer pendant environ 10 minutes, puis arrosez-le d'un peu de liqueur. Ôtez les bords du moule, puis laissez-le refroidir sur une grille pendant 10 minutes. Retirez le fond du moule et le papier sulfurisé, coupez le gâteau en 8 ou 12 parts et servez-le chaud ou froid, mais non glacé. Ce gâteau se conserve jusqu'à 4 jours dans une boîte hermétique.

Très appréciées en Espagne, les *torrijas* sont des tranches de pain trempées dans un mélange à base d'œufs, puis frites et servies en dessert ou vendues en guise d'en-cas avec du café au lait dans les *confiserias* (pâtisseries). En Espagne, elles se dégustent surtout à Pâques, mais on en trouve également durant le reste de l'année. Elles sont généralement préparées avec du pain de campagne frais ou de la baguette.

TORRIJAS À LA CANNELLE ET AU MIEL

POUR **4 à 8 personnes**
PRÉPARATION : **15 min**
CUISSON : **15 min environ**

> 15 cl de lait
> 1 gousse de vanille fendue
> le zeste fraîchement râpé de 1 citron
> 3 gros œufs battus
> 1 baguette ou 1 autre pain de forme allongée coupés en 8 tranches
> 4 cuill. à soupe de moscatel ou de sauternes (voir NOTES)
> un peu d'huile d'olive pour la friture
> 6 cuill. à soupe de miel liquide
> 8 pincées de cannelle en poudre
> 5 morceaux de sucre grossièrement écrasés

Dans une casserole, réunissez le lait, la gousse de vanille et le zeste de citron, portez à frémissement, puis ôtez du feu et laissez refroidir le mélange. Incorporez au fouet les œufs battus, puis versez la préparation dans un récipient plat suffisamment grand pour contenir 2 tranches de pain.

Disposez les tranches de pain sur un plateau et arrosez-les d'un peu de vin pour les humidifier. Plongez deux d'entre elles dans le mélange de lait et d'œuf, puis laissez-les tremper pendant quelques minutes.

Dans une poêle à feu moyen, faites chauffer l'huile d'olive, puis faites frire les tranches de pain imbibées environ 2 minutes de chaque côté, jusqu'à ce qu'elles soient uniformément dorées. Égouttez-les sur du papier absorbant. Renouvelez l'ensemble de l'opération avec le reste des tranches.

Étalez les torrijas dans un grand plat de service, nappez-les de miel, saupoudrez-les de cannelle et de sucre, puis servez-les immédiatement.

NOTES :
• Le moscatel est un vin blanc doux sucré du Portugal et du sud de l'Espagne, issu du cépage éponyme. Ce vin de dessert accompagne généralement la dégustation de gâteaux, de fruits ou de biscuits.
• Vous pouvez aussi laisser reposer les torrijas pendant quelques heures et les servir froides, en les saupoudrant de sucre à la dernière minute.

Après une nuit de fête passée à manger, à boire et à parler, les Espagnols apprécient de déguster des churros trempés dans du chocolat chaud avant d'aller se coucher. Ce dernier est épais et ressemble davantage à une sauce qu'à une boisson. On trouve d'ailleurs en Espagne un chocolat spécialement conçu à cet effet, qui contient de la farine de riz.

CHURROS ET CHOCOLAT CHAUD

POUR **12 churros environ**
PRÉPARATION : **25 min**
CUISSON : **30 min environ**

> 1 pincée de sel
> le zeste finement râpé de 1 citron
> 1 cuill. à café d'huile de tournesol + un peu pour la friture
> 140 g de farine tamisée
> 1 gros œuf battu avec 1 cuill. à soupe d'eau
> un peu de sucre en poudre

Pour le chocolat chaud
> 250 g de chocolat noir à 50 % de cacao cassé en carrés
> 2 cuill. à soupe de sucre en poudre
> 1 bâton de cannelle
> 2 cuill. à soupe de farine de riz fine

Dans une casserole, mélangez 25 cl d'eau, le sel, le zeste de citron et l'huile, portez rapidement à ébullition, puis ajoutez la farine en une fois. Battez rapidement le tout à l'aide d'une cuillère en bois, jusqu'à obtention d'une consistance lisse, puis laissez reposer pendant 5 minutes. Incorporez progressivement l'œuf battu, de manière à former une pâte épaisse.

Emplissez une casserole ou une friteuse au tiers d'huile et faites chauffer celle-ci à 190 °C.

En procédant en plusieurs fois, si nécessaire, transvasez la préparation dans une poche à douille, puis déposez des « boudins » de pâte à cheval sur une spatule huilée, en les coupant tous les 15 cm à l'aide de ciseaux de cuisine. Faites frire les churros dans l'huile chaude environ 4 minutes, jusqu'à ce qu'ils soient dorés, puis égouttez-les sur du papier absorbant et saupoudrez-les généreusement de sucre.

Préparez le chocolat chaud. Dans une casserole à feu doux, faites fondre le chocolat avec le sucre en poudre, 80 cl d'eau et le bâton de cannelle. Dans un petit saladier, délayez la farine de riz avec 4 cuillerées à soupe d'eau, puis incorporez-la au mélange au chocolat. Portez celui-ci à frémissement, en ajoutant un peu d'eau si le chocolat est trop épais. Servez le chocolat chaud avec les churros.

Ces deux boissons sont idéales pour se rafraîchir durant l'été. Héritée des Maures, l'*horchata* était jadis préparée avec des pignons, des graines et du souchet, puis servie en guise de remontant. En Espagne, elle est vendue dans des *horchaterias* (bars à horchata et à glaces) et chez les glaciers. La version qui suit est préparée avec des amandes.

HORCHATA

POUR **4 personnes**
PRÉPARATION : **10 min**
INFUSION : **au moins 2 h**
CONGÉLATION : **1 h**

> 250 g d'amandes émondées grossièrement hachées
> 3 cuill. à soupe de sucre en poudre
> 60 cl d'eau bouillante
> le jus fraîchement pressé de 1 citron
> un peu de glace pilée
> 1 pincée de cannelle en poudre

Dans le bol d'un robot, mixez finement les amandes et le sucre en poudre avec 25 cl d'eau froide. Versez le mélange dans une cruche, ajoutez l'eau bouillante et laissez infuser pendant au moins 2 heures.

Filtrez la préparation dans une passoire ou à travers un tamis au-dessus d'une autre cruche, en la pressant du dos d'une louche. Incorporez le jus de citron, puis transvasez le tout dans un récipient résistant au froid.

Réservez au congélateur pendant environ 1 heure, jusqu'à ce que des cristaux de glace commencent à se former. Mélangez et servez dans de grands verres avec un peu de glace pilée et, éventuellement, 1 pincée de cannelle.

CITRON PRESSÉ GLACÉ

POUR **4 personnes**
PRÉPARATION : **5 min environ**
CONGÉLATION : **1 h**
CUISSON : **8 min environ**

> le zeste grossièrement râpé et le jus fraîchement pressé de 8 citrons
> 200 g de sucre en poudre
> un peu de glace pilée

Dans une casserole, réunissez le zeste de citron, le sucre en poudre et 25 cl d'eau, portez à ébullition, puis laissez bouillir 5 minutes. Filtrez le liquide, puis ajoutez 50 cl d'eau et le jus de citron.

Versez le tout dans un récipient résistant au froid et réservez au congélateur pendant environ 1 heure, jusqu'à ce que des cristaux de glace se forment sur les bords. Écrasez-les à l'aide d'une fourchette et servez dans des verres, avec un peu de glace pilée.

Le thé à la menthe est très agréable à déguster après un repas épicé. Le sucre se met traditionnellement dans la théière avant l'eau bouillante, mais vous pouvez également le servir séparément. Et si vous voulez respecter les traditions, prenez soin d'aérer le thé en le versant de haut dans les verres. En effet, l'ébullition de l'eau ayant désoxygéné le thé, cette manière pittoresque de le servir permet ainsi sa réoxygénation.

THÉ À LA MENTHE MAROCAIN

POUR **6 personnes**
PRÉPARATION : **2 min**
INFUSION : **de 5 à 8 min**

> 1 l d'eau frémissante
> 1 ½ cuill. à soupe de feuilles de thé vert
> 1 l d'eau bouillante
> 1 grosse poignée de feuilles de menthe fraîche
> 150 à 180 g de sucre en poudre, ou plus selon votre goût

Remplissez une théière de 1 l d'eau frémissante, puis videz-la.

Déposez-y les feuilles de thé, arrosez-les d'un peu d'eau bouillante pour les humidifier, puis remuez la théière et jetez rapidement l'eau, en conservant les feuilles de thé. Ajoutez les feuilles de menthe — et le sucre, si vous le souhaitez —, puis versez environ 1 l d'eau bouillante dans la théière. Fermez celle-ci et laissez infuser de 5 à 8 minutes.

Versez le thé à la menthe dans des verres préalablement chauffés, décorez de quelques feuilles de menthe, puis servez — en présentant le sucre séparément, si vous le souhaitez.

INDEX

Cet index rassemble toutes les recettes classées par ordre alphabétique et par nom de produit, ainsi que les **ingrédients** faisant l'objet d'une note spécifique.

TABLEAU INDICATIF DE CUISSON										
Thermostat	1	2	3	4	5	6	7	8	9	10
Température	30 °C	60 °C	90 °C	120 °C	150 °C	180 °C	210 °C	240 °C	270 °C	300 °C

Ces indications sont valables pour un four électrique traditionnel.
Pour les fours à gaz ou électriques à chaleur tournante, reportez-vous à la notice du fabricant.

TABLE DES ÉQUIVALENCES FRANCE – CANADA								
Poids	55 g	100 g	150 g	200 g	250 g	300 g	500 g	750 g	1 kg
	2 onces	3,5 onces	5 onces	7 onces	9 onces	11 onces	18 onces	27 onces	36 onces

Ces équivalences permettent de calculer le poids à quelques grammes près (en réalité, 1 once = 28 g).

Capacité	5 cl	10 cl	15 cl	20 cl	25 cl	50 cl	75 cl
	2 onces	3,5 onces	5 onces	7 onces	9 onces	17 onces	26 onces

Pour faciliter la mesure des capacités, une tasse équivaut ici à 25 cl (en réalité, 1 tasse = 8 onces = 23 cl).

CRÉDITS

RECETTES

Clare Ferguson : 10, 12, 16, 28, 34, 40, 44, 58, 76, 90, 94, 114, 116, 118, 120, 134, 138, 144, 156, 160, 162, 180, 182, 184, 188, 192, 196, 206, 210, 214, 220, 224, 226 ; Linda Tubby : 32, 42, 50, 52, 64, 72, 108, 122, 128, 142, 164, 228, 230, 232 ; Maxine Clark : 18, 22, 24, 26, 36, 60, 62, 70, 84, 88, 96, 102, 106, 124, 132, 136, 146, 152, 154, 166, 168, 170, 174, 176, 190, 194, 198, 200, 208, 212, 216, 218, 222, 234 ; Elsa Petersen-Schepelern : 54, 56, 66, 74, 78, 80, 86 ; Fran Warde : 68, 140 ; Rena Salaman : 14, 20, 30, 38, 92, 130, 150, 158, 172 ; Jennie Shapter : 46 ; Brian Glover : 98, 110 ; Silvana Franco : 186 ; Louise Pickford : 126, 202 ; Sonia Stevenson : 100, 104.

PHOTOGRAPHIES

Peter Cassidy : 11, 13, 15, 17, 21, 29, 31, 35, 39, 41, 45, 55, 57, 67, 73, 75, 79, 81, 93, 95, 103, 107, 112, 113, 115, 117, 131, 145, 147, 148, 149, 151, 159, 161, 165, 167, 169, 171, 173, 175, 177, 183, 185, 225, 227 ; Martin Brigdale : 23, 33, 37, 43, 48, 49, 51, 53, 59, 63, 65, 77, 82, 83, 91, 97, 101, 105, 109, 119, 121, 123, 129, 135, 137, 139, 143, 157, 163, 178, 179, 181, 189, 191, 193, 197, 199, 201, 204, 205, 207, 209, 211, 213, 215, 221, 223, 229, 231, 233 ; Noel Murphy : 19, 85, 89, 125, 133, 153, 155, 195, 235 ; Debi Treloar : 69, 141 ; Ian Wallace : 127, 203 ; Jean Cazals : 217, 219 ; Gus Filgate : 8, 9, 25, 27 ; Diana Miller : 61, 71 ; Richard Jung : 99, 111 ; Chris Tubbs : 4, 6 ; Tara Fisher : 47 ; Jeremy Hopley : 87 ; William Lingwood : 187

Imprimé en Espagne par Graficás Estella, Estella
Dépôt légal : avril 2010
304 101 – 01-11010212 mars 2010

- You might be able to enlarge a text or extract on the photocopier.
- By typing a text into a word processor you will be able to print it out with a font size of around 48 points – big enough for the class to read.

Whatever strategies are used it is important that all children have sufficiently clear sight of the text to read it for themselves. It is not sufficient in these sessions for children to have heard the text read to them.

> Experience has suggested the 'fifteen foot' test for shared texts – if you can read the text clearly from fifteen feet away, it is big enough for a class to work with together.

Do older children study the same text every day for a week?
You do not need to plan shared reading sessions this way. Younger children, for example up to Year 4, might well benefit from revisiting the same text over the five days. By using the same text over a whole week the children's increasing familiarity with it will enable them to explore it in more challenging ways as the week progresses.

Teachers of older children may choose to use the same text every day for a week. They may also choose to use a particular text for two or three consecutive days before moving on the next day to something different such as a text of a similar type or a further extract of the same text. The richer the text the more likely you are to want to use it for several days in a row.

How does the teacher do shared reading/writing with older pupils?
A typical sequence of shared reading/writing sessions with a Year 5–6 class might be organized as follows:

Text type for this term: biography and autobiography

Text for this sequence of lessons: an extract from *War Boy* by Michael Foreman

Learning objectives, taken from the National Literacy Strategy framework of objectives:
- to help children distinguish between fact, opinion, fiction and commentary
- to develop children's skills of biographical and autobiographical writing in role
- to help children distinguish between implicit and explicit points of view
- to engage the class in researching the origins of proper names, e.g. place names and names of products

Day 1
Tell the class the title of the book from which the extract has been chosen. Ask for suggestions about what the book might be about. After some initial responses tell them that the book has a subtitle 'A country childhood'. Ask them what effect this has on their expectations of what the book's content might be. Give out individual photocopies of pages 54 and 55, which contain a description of some air raids. Read the text aloud. You might choose to read it to the class yourself, choose a child to do it, or ask different children to read different paragraphs. Then check their understanding by asking questions. What sort of writing is

- noting and investigating new spelling patterns
- using new and alternative vocabulary for precision, to create effect, to avoid dullness and repetition
- using expressive and powerful language
- letter formation and consistency, upper and lower case, spacing between words
- using other presentation features, e.g. capitals and underlining for emphasis
- the features of different types of texts – style, grammar, language choices
- changing writing as you work, using editing marks to indicate changes
- adding, removing and reordering ideas.
- writing notes, asides and reminders for later inclusion or revision
- checking for sense by rereading as you write.

After writing
- reread the text with the class to discuss and improve its clarity, effect, suitability for purpose and audience
- edit to improve the text – use editing marks or rewrite as appropriate
- proof-read, checking for accuracy – grammar, punctuation and spelling
- discuss the presentation of the writing, e.g. how might it be displayed and used subsequently?

What you will need for shared reading and writing
Typically you will work with the class sitting in front of you on a carpeted area. Sit facing the class with the Big Book open on a bookstand or easel beside you. You might find a pointer useful for indicating particular details in the book. You will also find it useful to have at one side a writing-board (a portable whiteboard, a flipchart or a piece of large paper clipped to a painting easel).

Big Books

Using the Big Book
A Big Book might be used every day for a week. A new Big Book can be introduced on a Monday and then the same Big Book used for shared reading every day until the end of the week. Then, on the following Monday, you might introduce a new Big Book for that week. The reason for using the same Big Book over a whole week is that the children's increasing familiarity with the text will enable them to explore the text in more challenging ways as the week progresses.

> Don Holdaway first suggested the concept of the Big Book in 1979 in his book *Foundations of Literacy*.

What do you do with the Big Book?
The discussion you will have with the children about the Big Book, the questions you ask them and the features of the text that you explain

will be determined by the learning objectives you have selected for that week. Of course you will have to pick your Big Book so as to make sure that you have got a text that fits in with those objectives. This is not as difficult as it sounds – most good Big Books will be helpful for a very wide range of learning objectives.

How does the shared reading/writing vary over a week?
In a typical week with a Big Book you might do the following:

Monday
Introduce this week's Big Book (*Not Now Bernard* by David McKee) to the class. Show them the front cover and ask them to identify the title and the author. Ask the children what they think this story might be about. Show the children some of the illustrations and ask them to comment on these. Then read the book through to the children, using the pointer to indicate the words as you read. You might stop every now and then and ask the children to predict what is going to happen next in the story. At the end of the book ask for their responses to the story and finally read the story through again using the pointer. Some children will be able to join in this time and you should encourage and praise this.

Tuesday
Begin by reading the story again to the class. The growing familiarity with the text should mean that many children will be able to read along with you. After this initial reading, ask children questions which enable them to relate the text to their own experience, e.g. 'If you were Bernard what would you have done to make someone listen to you?'

Then draw the children's attention to the word 'ROAR' on a page halfway through the book. Through discussion and explanation establish that the word is printed differently from other words on the page – it is all in capital letters. You will need to employ further question and explanation to establish the purpose of this use of capitals. Here it is used to emphasize the word and to ensure that it is read loudly and fiercely. You might then contrast this with the title of the book as printed on the cover. This is also in capitals. Through question and explanation establish that this is a different use of capitals and that titles are often, although not always, printed in capital letters.

Wednesday
Turn to the page where the monster is breaking one of Bernard's toys. The text says 'And broke one of his toys'. Previously you should have covered up the last word with a Post-it. Ask the children what the covered-up word might be. Several children should remember the word and you can either write the word yourself on the writing board or you can ask one of the children to come out and write it for you. Then uncover the word and ask the children to check if they had got it right. Then cover up the word again and ask the children to suggest some other words that would fit – that is, would still make sense. When the children suggest alternatives you can add these to the list on the board. Then tell the children that they are going to read the book again, but this time when they come to that covered word in the book they are going to use one of the new words they have suggested instead. Help the children to select one of the new words and write it on a Post-it and fix it in the right place. Then reread the book from the beginning (using the pointer) but including the substituted word in the appropriate place.

Thursday
Start the session by reading the book together with the whole class. Try to make this a brisk and expressive reading. After this turn back to the page where Bernard's father says 'Not now, Bernard'. Tell the children that they are going to add something to the story. Bernard's father is going to explain to Bernard why he can't listen to him now. Ask the children to suggest different sentences. For example: 'Not now, Bernard. I am busy', 'Not now, Bernard. I am hammering a nail', and so on. As these sentences are suggested either write them on the board yourself or ask children to come out to write them. Even if you write them yourself you may ask the class how to spell particular words, or prompt for reminders about capital letters and full stops. Your final stimulus to the class might be to ask them to think of a sentence that could be written in capital letters (reminding them of what they learned on Tuesday about the use of capital letters for emphasis or exclamation).

Friday
Show the class the front cover of the book and ask the children to describe the monster illustrated there. Record all or some of their suggestions on the board. You might do this yourself or ask individual children to come out to do it. Then read the book through together for one last time. Remind the children that a normal-size copy of *Not Now Bernard* is available for them to read by themselves in the classroom.

> This sequence can readily be adapted for other shared texts. Revisiting a text is important as it allows children to focus on particular aspects of reading at particular times.

Shared reading and writing with Key Stage 2 children

Beyond the Big Book

In Key Stage 2 the first fifteen minutes are again used to work with the whole class on a shared text. This may be a Big Book. Teachers are most familiar with Big Books written for younger readers but publishers are increasingly producing Big Books that contain challenging reading and are aimed at an older audience.

Although there are some Big Books available that could be used with children up to Year 6, teachers will need to use other sources of text as well. By Key Stage 2 these shared reading and writing sessions will need to look at a wide range of texts – poems, advertisements, newspaper articles, short extracts from novels, etc. Big Books are not likely in themselves to meet the demand for such a wide range of reading material.

In any case some Key Stage 2 teachers will not be able to use Big Books because the physical constraints of their classrooms will not enable all the children to sit together in an area where they can all have a good view of a Big Book.

So, for one reason or another, Key Stage 2 teachers will need to have other strategies for sharing texts with their classes. There are a number of such strategies:

- You might be able to copy short straightforward texts by hand on to a whiteboard or blackboard.

- You might also make each child a photocopy of the chosen text or extract.

- If you have access to an overhead projector you can make OHP transparencies from the original text.

this? Is it fact or fiction? Ask if they can tell you the clues which tell them this (the extract includes two technical drawings of planes and a very detailed statistic).

Then ask the children to explain some of the figures of speech in the text, e.g. 'our skies and minds were full of planes'. Through discussion and explanation bring out the fact that, although this text is non-fiction, it is not a straightforward historical account. Rather, it is a personal perspective on history.

Day 2
Study the text again, this time focusing on a paragraph referring to a Borough Surveyor. Explain the nature of this job and then explain the term 'Borough' and its historical meaning. Make sure, through discussion, that all the children understand the meaning of the reference to '125 per cent of houses in the area being damaged or destroyed'.

Day 3
Today focus on the paragraph relating to the bombing of Brother Pud's school. The paragraph begins 'Brother Pud arrived home early from school one day to say it had been bombed'. A description of the bombing then follows but the language used in this indicates that this is not the account of the bombing which Brother Pud would have given. Talk to the children about this and draw out the key language features that indicate an objective and impersonal account. Ask them to suggest how Brother Pud might have told this story. Groups can go on to write this account from Pud's perspective, or you can begin this together as a shared writing session next day.

Word level work at Key Stage 1

The second fifteen minutes

The second 15 minute segment of the literacy hour at Key Stage 1 should focus on the teaching of word level knowledge, that is, the teaching of phonics. Phonics teaching has, in the past, had rather a dull image and, consequently, many Key Stage 1 teachers are rather suspicious of it. It is, however, central to the teaching of literacy as envisaged in the National Literacy Strategy and you will need to have a firm grasp of the underpinning principles of this kind of work. These principles are:

In the past phonics teaching has meant masses of drills and fairly meaningless text of the 'Can Dan fan Nan?' variety.

- that the most appropriate teaching sequence in phonics goes from listening to speaking to writing to reading

- that the concepts of segmentation, rhyme and analogy are crucial in children's learning of the phonemic system of written English.

A teaching sequence for phonics, spelling and vocabulary
The teaching sequence for all word level work should begin with listening activities, followed by writing *then* by reading. The teaching aims of each of these phases are as follows:

Speaking and listening
1. to develop children's awareness of the sounds in spoken language
2. to teach children to discriminate and distinguish these sounds

Spelling and writing
1. to teach children how the sounds are represented
2. to teach them to recognize, find and invent words with similar spellings
3. to teach them to write these spellings

Reading
1. to give children practice in using the phoneme/spelling patterns to identify words
2. to help them build up unknown words
3. to help them identify common patterns and analogous spellings when reading text, e.g. 'You know the word "night" so can you work out this word?' (frighten)
4. to teach them to recognize the common spelling pattern of each phoneme on sight

The emphasis in this teaching should be on oral work, particularly exploration, play and invention. The work should be brisk and enjoyable.

It is particularly important that what children learn is used in other activities. Make sure that the skills are applied in shared, guided and independent reading.

....

Phonological awareness

Segmentation of sounds in words
In order to develop phonological awareness, children have to listen consciously to sounds in speech. This should begin early in their school careers through an emphasis on sound sequences with plenty of exposure to rhyme in language, to language patterns and to segmentation activities.

If children are to learn to read and spell, they need to learn that speech is made up of words and that words are made up of units of sound. The smallest units of sound are phonemes. In the early stages, children can be helped to hear the initial phonemes in words, to recognize the letters that represent these phonemes and to write these letters with the correct formation. Phonemes are the smallest segment of sound, usually represented by single letters – e.g. /b/ or /a/ – but sometimes two or more letters are needed as in /ch/ or /ee/ or /ght/.

There are three levels of segmentation of the sounds in words and each of these is useful in the process of learning to read and write. Although segmentation into phonemes is important, it is not the only segmentation system and there is evidence that children only become aware of phonemic segmentation when they have begun to learn to read.

> The evidence from researchers such as Peter Bryant and Usha Goswami is that phonemic awareness is a product of learning to read rather than a precursor.

The most approachable level of segmentation in the very earliest stages is that of the syllable. Syllables help to break big words up into manageable chunks and most children will have some understanding of syllabic segmentation when they arrive at school. There are many enjoyable ways to develop this awareness including:

• clapping games. Get children to clap the 'beats' in their names, e.g. *Chris-to-pher, A-lex-an-der*.

• making up new verses to familiar songs or poems. Children will have to focus on syllables to maintain the beat.

The next level of segmentation, whose importance we have only recently realized, provides a key principle in the teaching of phonics programme. Based upon the concept of rhyme, it involves the further segmentation of each syllable in a word into:

   its beginning, or *onset*
   its conclusion, or *rime*

Thus the word *string* can be broken down into the onset *str-* and the rime *-ing*. An awareness of how this works has proved to be fundamental to an understanding of the development of phonological awareness in children.

Rhyme and rime

We know from the work of Goswami and Bryant (1990) that children who are sensitive to rhyme do much better at reading. A knowledge of nursery rhymes in pre-school children is strongly associated with success in reading. We also know that children who are taught about rhyme are more successful at reading than those who are not given this teaching. Rhyme, then, has to be central to any programme of phonics teaching.

In the literacy hour there should a strong emphasis on the use of rhyme. In planning for phonics work you will find it very useful to compile sets of rhyming words. These are lists of words that focus on onset and rime. The simplest kinds of words to collect are those in which the onset is a consonant, or consonant cluster, and the rime thus contains the vowel sound plus a closing consonant. Here are some examples of the kinds of rhyming sets it would be useful to compile.

ch-ip	*cl-uck*	*ch-ew*	*f-ound*
d-ip	*l-uck*	*dr-ew*	*r-ound*
h-ip	*d-uck*	*fl-ew*	*gr-ound*
sh-ip	*m-uck*	*thr-ew*	*s-ound*

Literacy by analogy

We know that children make use of their sensitivity to rhyme and alliteration when faced with new words to read and write. They extend their knowledge by drawing on words they already know in order to work out unknown words. In doing this they are using their phonological awareness and the cognitive strategy known as analogy.

This strategy involves three processes:

- recognizing the similarity between something unfamiliar and something familiar (for example, between a word that you know and a word that you do not know)

- using your knowledge of the familiar item and applying it to understand the unfamiliar item

- using this experience to make deductions about the differences between the two items.

Using this strategy in writing might involve thought processes like the following (similar thought processes will take place when trying to read an unfamiliar word):

The importance of analogy

Usha Goswami has written extensively on the topic of reading by analogy and her ideas have been taken up in such published materials as the *Rhyme and Analogy* programme from Oxford University Press.

1. I want to write the word 'fright' but I've never written this word before.

2. It sounds like 'night' – we had that when we were reading our Big Book yesterday.

3. 'Night' doesn't start in the same way as 'fright' but it sounds the same – it rhymes.

4. The different bit is at the beginning. 'night' – 'fright'. It's the 'fr' that's different. I can spell that 'f', 'r'. So it must be 'fright'.

(It is quite useful to teach children to say the words out loud to help them use their listening skills and phonological awareness. It is also helpful to encourage them to think out loud as they go through these processes and you will need to model this for them several times. Thinking out loud helps develop their explicit awareness of what they are doing, which in turn helps consolidate the skills.)

The advantages of using analogy
There are a number of advantages to such an approach to writing and reading new words:

- it makes use of children's existing knowledge

- it makes use of a 'natural' set of thought processes familiar to fluent as well as beginner readers and writers

- it reduces the loading on memory

- it gives access to words which cannot be analysed (broken down) or synthesized (built up) by simple letter-to-sound correspondences.

Using the sets of rhyming words you have compiled, children can be encouraged to develop an analogy strategy. This needs to be modelled by the teacher consistently during the second fifteen minutes of the literacy hour, during guided reading, and children invited to use the same process.

Planning phonics work
This is the sequence you might adopt for the initial teaching of phonics:

Hearing the sound
Get children to identify the initial sound in a spoken word. 'Listen to this word, "mat". What sound can you hear at the beginning?' (N.B. Do not encourage them to respond with 'I can hear em at the beginning', but rather encourage 'I can hear [*mm*]'. Letters have their names – sounds are what you hear!)

Matching the letter to the sound
Get children to identify letters by the most common sounds they make. 'Look at this letter I have written. This is the letter em. What sound does it make?'

Matching the sound to the letter
Get children to write letters in response to hearing their sounds. 'Listen to this sound: [*mm*]. Now can you write its letter?' Or 'Listen to this word, "monkey". Write the letter it begins with'.

Generating the sound and the letter from an object
Get children to write letters in response to seeing objects whose names begin with the appropriate sounds. Hold up a picture of a monkey (or a toy monkey). 'Now look at this. Say the word in your head. Listen to its first sound. Now write the first letter of the word.'

The pace should be brisk and involves children learning letter names, their corresponding sound and how to write these letters with the correct formation and orientation.

Once the children have learned initial sounds (and perhaps the consonant digraphs which can form initial sounds – *ch, th, sh, wh*) the phonics programme can move on to give particular attention to spelling.

The whole class setting for these phonic sessions creates a good opportunity for you to model good practice for the beginning writer. Using your sets of rhyming words, model systematically the analysis of words through analogy to help children generate new and unfamiliar words for themselves. At first you should concentrate on simple three-letter words which follow the consonant–vowel–consonant pattern (CVC words).

Use the following model:

1. I want to write the word 'big'.

2. What is the first sound you can hear? What is the name of its letter? How do we write the letter?

3. What is the middle sound you can hear? What is the name of its letter? How do we write the letter?

4. What is the last sound you can hear? What is the name of its letter? How do we write the letter?

Then introduce other words from the rhyming set and show how you can write other related words by analogy. Ask children to generate and write other similar words by analogy. You might explain this as follows:

1. Now listen to this word – 'pig'. Can anyone tell me which word it is like?

2. Remember the word we just wrote – 'big'. Listen carefully to these two words – 'pig', 'big'. Are these the same or different?

3. Can anyone tell me what is different about them? It's the beginning. In 'big' the beginning was [b], but in 'pig' the beginning is [p].

4. How can we write the [p] sound?

5. Then what else do we need to write to make 'pig'? Remember how we wrote 'big'.

Obviously, the more you can involve the children in thinking through the process for themselves, the better. Use the same process to introduce other words in the same rhyming set – *wig, jig, fig,* etc. On other occasions you will use different rhyming sets for this activity.

You might want to reinforce the words you have taught by using short rhymes with the children:

I used to have a pig,
But he wasn't very big.
He couldn't give a fig.
What a pig!

When children are familiar with CVC words containing short-vowel phonemes, you will want to move on to teach other letter patterns. The important groups to teach are:

- words with initial consonant clusters – e.g. *bl-, cr-, tr-, str-*

- some long-vowel phonemes – e.g. *seed, rain, boat.* At this stage children need to be taught that the same long-vowel sound can be spelt by different letters/combinations of letters (e.g. the long /a/ phoneme in *day, rain* and *cake*).

- further long-vowel phonemes – /oo/ as in *good*, /ar/, /oy/, /ow/. As in the previous stage children must be taught that the same phoneme can be spelt by different letter combinations (e.g. *cow* and *out*).

- further vowel digraphs – e.g. *air* as in *there, or* as in *law* and *er* as in *fur*.

In teaching each of these groups the same sequence of teaching applies:
SPEAK AND LISTEN
WRITE AND SPELL
READ

Use sets of rhyming words and a similar teaching-through-analogy approach.

Word and sentence level work at Key Stage 2

The second fifteen minutes at Key Stage 2

The second fifteen minutes of the literacy hour at Key Stage 2 should be used to teach spelling, vocabulary, punctuation and grammar.

Spelling work
Use these sessions mainly to focus on two aspects of spelling:
- spelling strategies, e.g. recognizing common visual letter strings
- spelling conventions and rules, e.g. to recognize and spell prefixes and suffixes.

You will find it useful to use a similar analogy-based teaching process to that described in the previous section on phonics teaching. However, bear in mind that letter strings are visual patterns that may not be phonically regular. You will also find it useful to have a 'word wall' in your classroom – that is, a display wall space on which you can pin words written on pieces of card. Pin the words on to the wall in such a way that children can easily remove them for teaching activities.

Activities for spelling

You will find the following teaching activities useful in your spelling work:

> Spelling by phonics alone is a very immature strategy which children should have left behind at least by Year 3. English words are spelt on a number of bases, not least of which is the morphological basis. Thus *sign* is spelt like *signature* not because the words sound the same but because they are linked in meaning.

- Draw children's attention to letter patterns in words and encourage them to suggest and find other examples of the same patterns. Write the words they suggest on the flipchart and underline the similar spelling strings within them. Continually remind children of these spelling strings. Some strings may have both a visual and a sound regularity, but others will be visually regular and phonically irregular. For instance, *ei* in *weir, their, height* and *eight* is visually regular but signifies different sounds. Knowing these visual patterns is very important for efficient adult spelling.

- When you have built up a sufficiently large number of words containing a similar spelling pattern, you can either write the words on pieces of card yourself or get children to do this. These words can then form a new section of your word wall.

- Use your word wall for games and teaching activities such as:

  word races – children in a group have to race to see who can be first to collect, say, five words containing the spelling string *ant*

  word sorting – children are given a group of mixed-up words and have to sort them into groups each containing the same spelling string

  look–cover–write–check – children have to look hard at a particular word trying to get a mental picture of it in their heads; the word is then covered up and they have to write it from memory; they check their writing against the original word; if they have made a mistake they repeat the process; when they are confident about spelling the word they then try to spell other words with the same spelling string, perhaps from dictation.

Children can also be asked to compile their own personal lists of words that bother them in spelling, and then occasionally they can work with a partner to test each other on some of these words.

See page 108 for a lesson plan outlining how to organize partner spelling.

Activities to broaden vocabulary

Vocabulary work
Vocabulary work will often link directly to the text you use in the shared reading session. You might, for example, select words from that text to be used as starting points for:

- generating synonyms and antonyms – Ben's fantasy dog in *A Dog So Small* (Philippa Pearce) was tiny. What other words do we know for 'tiny'? What words mean the opposite of tiny?

- defining words and applying them in new contexts – at the beginning of *The Hodgeheg* (Dick King-Smith) we are told that Auntie Betty has 'copped it'. What does that mean? Can you use it in another sentence? Is it an example of formal or informal language? What do we mean by 'slang'?

- exploring how writers can make up new words to express ideas that would previously have taken several words – in *Through the Looking Glass* (Lewis Carroll), Humpty Dumpty explains some of the words in *The Jabberwocky*, e.g. 'mome' means 'from home'; in *Little Wolf's Book of Badness* (Tony Whybrow), Little Wolf ends his letters with new ways of saying goodbye – 'Yours tiredoutly'.

• investigating how new words are added to the language – in *Goodnight Mister Tom*, the word 'blitz' is used. Where does this come from?

These sessions also create good opportunities for direct teaching about the structures, organization and purpose of vocabulary aids such as the dictionary and the thesaurus. They also provide you with opportunities to model the use of such aids and engage in reciprocal teaching of their use.

> Dictionary exercises are not as powerful a teaching tool as the teacher demonstrating that she can and does use the dictionary.

Activities to develop punctuation

Punctuation work

As with vocabulary work, the shared text used in the first fifteen minutes of the literacy hour will often provide you with a starting point for the work to be covered. Some examples of this include the following:

• noting where commas occur and discussing the way they help the reader interpret the meaning of the sentence

• distinguishing between the use of the apostrophe to indicate possession and its use to show contraction

• noting the setting out of speech in text – e.g. on separate lines for different speakers, and the positioning of commas before speech marks.

These sessions also create a good opportunity for direct teaching about sentence construction. You might, for example, involve the children in:

• considering the effect of deleting words from a sentence – which are essential to retain meaning and which are not?

• exploring the significance of word order – e.g. how some reorderings completely destroy the meaning, whilst others make sense but change the meaning

• exploring ways of reconstructing and reordering sentences whilst retaining meaning

• considering how sentences can be contracted for note-making.

> On occasions you might use as your shared text a piece of electronic mail that contains novel punctuation such as :-). (Look at this example sideways to see why it signifies 'happy'.) There are a number of such signs, generally referred to as 'emoticons', and children love to explore and invent them.

Activities to develop an awareness of grammar

Grammatical awareness

As with vocabulary and punctuation work, the shared text used in the first fifteen minutes will frequently provide a starting point for grammatical work. You might, for example, get the children to:

• notice the use of past tense for narration

• compare adjectives on a scale of intensity (e.g. *hot, warm, tepid, lukewarm, chilly, cold*) and degree (*cold, colder, coldest*)

• understand the need for agreement between nouns and verbs

• transform sentences from active to passive and vice versa.

These sessions also create opportunities for direct teaching, for example about:

• parts of speech and their functions in sentences
• the basic conventions of standard English
• changes in the use of standard English. For example, should we still insist on the use of *whom*, or when is *shall* used?

> The evidence suggests that grammatical exercises have minimal effect upon children's abilities to use appropriate grammar in their writing. The embedded teaching we suggest here is much more likely to have impact.

Group and independent activities in the literacy hour

In the second half of the literacy hour the children can be organized to work in smaller groups. You should plan to work directly on guided reading with one group for about ten minutes and then with another group for about the same amount of time. At Key Stage 2, given children's increased levels of concentration, it might be better to plan for one extended session of guided reading per day. Children who are not working directly with you should be engaged in independent activities in groups or working individually. If you organize your class into five groups it will be possible for you to do group reading with each group twice a week at Key Stage 1 and once at Key Stage 2. Using five groups will keep your planning simple and will ensure that children have regular, planned opportunities to work in a group directly with you.

Managing group and independent activities

How do the children know what they are expected to do independently?
You will need to institute a system for organizing the class, to ensure that children always know exactly what it is they have to do. Remember that, if you are working intensively with a group of children, the rest of the class will have to be able to get on profitably by themselves, without continually interrupting you to find out what they have to do. One way of managing this is to prepare a task management board. This is a board on which the daily menu of activities for each group during the second half of the literacy hour is clearly listed and to which you can refer children. You can either make a board especially for this purpose, using heavy card or other strong material, or you can adapt something else. The cork noticeboards sold in most DIY shops are ideal.

Classroom organization to encourage children to work independently is not unique to the literacy hour, of course. This issue is relevant to all primary teaching.

You need to prepare separate cards – one for each group – listing the names of the children in each group. You will probably want to give each group an identifying name and this should appear at the top of the group list. These cards can be pinned or Blu-Tacked in place on the task management board. They will only need to be moved or changed if you want to alter the composition of the groups.

Decide on the range of independent activities you will use during this part of the literacy hour and make a symbol card for each of them. For example, if listening to a story tape in the listening centre is going to be one of your independent activities, your symbol card might have a picture of a pair of headphones. As you develop additional independent activities you will need to prepare a new symbol card for each one and clearly you will have to devote some time to explaining to your children what each symbol card means.

You will also need two cards to signify that a group will be working with you – a large T might symbolize 'teacher led'. You will need two of these cards because there will be two groups working with you every day.

Each day set out a row of symbol cards alongside each group's cards. The number of cards to be set out alongside each group will depend on how many different activities you want them to work on during the second half of the literacy hour. The activities will change each day. Sometimes you will simply want to rotate the groups through a similar range of activities, at other times you will want groups to complete different activities, perhaps for differentiation purposes.

Although the literacy hour is a very directive approach to teaching, there is still some scope for children having some choice in what they do. Perhaps you could include a 'free choice' symbol from time to time.

**How do children know when to move on from one independent
activity to another?**

Some activities will have a natural end point. Listening to a story tape,
for example, obviously ends when the story ends; discussing a cloze
passage ends when the passage is complete. That will provide the
signal for children to move on to their next activity. Some activities
could go on indefinitely – working in the dramatic play area, or
performing a piece of readers' theatre, for example. For activities such
as these you will need to have some kind of signal, perhaps clapping
your hands or holding up a notice which says 'Change'. You might find
it convenient to give this signal when you move from one group you
are working with to another. This will be approximately halfway
through this particular section of the literacy hour.

**How do I choose activities that children will be able to work on
independently?**

This will obviously depend on the abilities of your children, and on the
kinds of resources you have available. Make sure that the activities you
use do provide opportunities for worthwhile learning. They should not
be simply time-fillers.

As children get older the provision of independent activities becomes
easier because children tend to become more skilful, autonomous and
able to concentrate for longer periods at a time. Some activities you
might find useful for Key Stage 2 children are:

- group discussion of cloze passages (i.e. passages with words deleted
  for which the group has to suggest and evaluate possibilities)

- group discussion of jumbled passages (i.e. passages which have
  been cut into paragraphs and mixed up. The group has to work
  together to suggest an order which makes sense.)

- text restructuring (i.e. children are given a text and asked to show
  the meaning of this text in a different way, using either other words
  or a combination of words and pictures. This can be done as a group
  activity or each child in the group can do it independently.)

- computer-based activities (perhaps two groups of three children
  working on two computers to complete a variety of tasks, for
  example, interacting with an electronic story, using a CD-ROM to
  locate particular pieces of information or composing a group
  poem)

- sentence level activities (e.g. exploring the punctuation used in a
  particular passage and trying out the effects of alternative ways of
  punctuating this passage; identifying the verbs in a text and
  exploring what happens if alternative verbs are substituted;
  examining a written piece of dialect speech and transforming it into
  standard English)

- vocabulary activities (e.g. looking at archaic words in a pre-
  twentieth century piece of writing and suggesting modern
  equivalents; playing synonym/antonym snap; finding and inventing
  puns, word plays, familiar expressions, etc., and illustrating them –
  what would 'laughing your head off' really look like?)

An approach to genre theory

Providing genuinely independent activities for the youngest children can be a little more difficult. Some activities that teachers have found to work well are as follows:

- word building with magnetic letters

- dramatic play in a role-play area

- listening to story tapes

- independent reading of small-book versions of Big Books that have been used earlier in the term for shared reading

- computer work

- word games

- retelling stories using story props

- following reading trails around the room, e.g. looking for particular captions, labels, etc.

- role-play linked to story themes

- independent writing perhaps using scaffolding structures.

> There are a number of software packages now available whose chief aim is to give children more reading practice. Electronic books such as Sherston Software's *Naughty Stories* are one example.

Do these activities have to be independent or can the children work with another adult?

If you have other adults to help you, such as nursery nurses, classroom assistants or parent volunteers, they can work with groups and so those children can work on activities which require adult direction. You should remember, however, that independent activities are not intended just to keep the children busy while you work in a focused way with other groups. One of the main purposes is to try to build up children's independence, self-organization and autonomy. Even if you have a lot of help from additional adults in the classroom, therefore, you should not organize the literacy hour so that children never get a chance to work independently.

Classroom assistants can be very valuable in your English teaching. During the literacy hour assistants can work with groups either to provide additional support for strugglers or to develop the work of more able children. Assistants can also conduct guided reading sessions. Outside the literacy hour classroom assistants may well feel able to undertake individual reading and paired reading, including making notes. This leaves you free to monitor children's individual reading. However, whatever activities assistants undertake, they need to be well prepared. It is vital that, in supporting groups, for instance, classroom assistants are aware of the precise focus of an activity and the teaching points you wish to emphasize. You will need to undertake some training and share your planning with the classroom assistants.

> By classroom assistants here we mean anyone working in a classroom who is not the paid teacher of the class. Thus we include parents in this group.

What happens if the children cannot work independently and keep disturbing me when I am trying to work with a group?

This can be a very frustrating experience with some children and is largely a question of classroom management. It will occur not only during the literacy hour, of course. There are several steps you can take to minimize interruption.

- It is vital to explain to children that they are expected to work during this time without disturbing you – except in an emergency, of course. The argument that 'you wouldn't like it if someone came and disturbed you when it was your turn to work with me' can be very effective.

- You will need to make sure that children are clear about where things are kept in the classroom and how they should organize themselves, clear away, etc.

- Discuss with them some ground rules for what to do if they get stuck. These might include moving on to some other activity, asking help from other children or another adult in the room, or using the resources available to them such as dictionaries, word banks and strategy charts.

- Enlist help from other children – if they see someone 'stuck' or trying to interrupt you they should remind that child that they should not bother you and see if they can help that child themselves.

- Offer lavish praise to children who show they can get on independently.

- If you have organized for independent activity, do not weaken and reward a persistent interrupter with attention.

> One strategy you might consider is Graded Snarling. If you have explained to everyone what they have to do, but children still interrupt you, try responding to them with ever-increasing levels of snarl! This usually has the desired effect!

Guided reading and writing

What do I do during the second half of the literacy hour?

During the second half of the literacy hour you will be working first with one group for about fifteen minutes and then with another group for about the same amount of time. With each group you will work on either a guided reading or a guided writing activity, although the exact nature of this activity will vary according to the attainment level of the particular group.

Guided reading is an activity that enables children, in a small group setting, to practise being independent readers. In particular, you will be aiming to enable children to use a range of reading strategies in combination to problem-solve their way through a text which they have not read before and which has not yet been read to them.

Guided reading is founded on the notion that reading is a multi-strategic process and this concept underpins the approach to the teaching of reading in the literacy hour. When we read we are using a variety of clues to work out the meanings of the marks on a page (or screen). These clues are usually referred to as cue systems and include the following:

> This is now a well-documented and widely supported model of reading. Reading is not a 'simple' process, but involves the complex integration of a number of skills.

- Knowledge of individual words. Research has shown that adult readers actually recognize the majority of words they read without needing to use any other information.

- Knowledge of the letters in words and the sounds usually attached to those letters. English spelling is not as regular in its way of linking sounds to letters as many other languages, although, if we take the major units of words as syllables, or onset-rime divisions, English is more regular than if we use the phoneme as the basis.

- Knowledge of the grammatical structures possible within words and within sentences. The morphology of English makes many words decipherable even if you do not know them. If, for example, you know the word *port* the system allows you to work out *report, porter, reporter, import, important,* etc. Knowledge of sentence grammar also helps you work out words. For instance, in the sentence, 'The teacher asked his pupils to write during a history lesson on papyrus', even if you do not know the word 'papyrus', you can work out that it must be some kind of writing surface.

- Previous knowledge of the topic of a text gives a lot of clues about the words in that text. Some specialized words are found only in particular contexts, other words have different meanings depending on the context in which they are found. You would, for example, interpret the sentence 'What is the difference between these two?' differently if it occurred in a mathematics textbook or if it occurred in an art book.

- Knowledge about the type of text that you are reading can also influence the way you read it. Nobody reads a telephone directory in the same way as they read a poem, even though there are poems that are written in a similar list-like way.

To be a fluent reader demands the control of all these cue systems. As fluent readers read they are constantly drawing upon all these sources of knowledge. In fact, for fluent readers, there is usually too *much* information available for reading – we tend to use only a fraction of it because we do not need all the cues available. This is the principle of redundancy in reading. There are many ways of deriving meaning from our reading but we actually make use only of a very few at once. Children, however, are not as practised or as competent at reading and need to be taught to use the whole range of cues available.

The five steps of guided reading
1. You should work with a small group. It is usual for the children in this group to be ability grouped, so they are all reasonably close to one another in terms of the appropriateness of texts they might use.

2. Introduce the text to the group in a way that provides enough structure and support for the children to read the book for themselves, without solving the problems for them. You might discuss the cover, illustrations, individual words, the genre, books they have read by the same author. These clues act as a scaffold for the children's understanding of the text.

3. Then ask each child to read the text to himself. Note that this is not choral reading: each child is reading the book at his own pace. Young children may read aloud (quietly) but you should not place the emphasis on performance, rather you should 'listen in' on how individuals are using cueing systems and showing they understand the text. Older children will read silently. Remember, this is not simply 'hearing six children read'.

4. Observe the children reading to themselves, their vocalization and finger pointing (and other reading behaviours). These might give clues to any points of difficulty. When difficulties are encountered

try not to provide them with the word but rather with strategic cues or prompts that help the children to solve the problem for themselves. Use the list of cue systems given above to help you.

5. These sessions will present children over time with progressively more difficult texts selected to give increasing challenges and therefore opportunities to extend their skills.

How do I organize a guided reading session?

You will need to work with children who are roughly at the same stage in their reading. You will need to choose a book which you would expect them to be able generally to read on their own but which also provides some degree of challenge and some area of difficulty in order to create an opportunity for new learning. You will need enough copies of this book for each child to have their own, plus one for yourself. Most picture books and novels can be good guided reading books. Non-scheme books can be graded, for easy management, using systems such as Individualized Reading or the Reading Recovery grades or pre-graded scheme books can be used. You will probably find it best to use a mixture of scheme and non-scheme guided reading sets. Ideally, you will offer each group a choice of three or four guided reading sets at each level. Although this requires a good supply of books do not forget useful support services like the schools library service in your area.

How do I introduce the book?

The introduction takes the form of a conversation between you and the children about the book. You should structure that conversation to cover the knowledge that you judge will be needed for the children to be properly prepared to read the book for themselves.

The exact steps you need to cover in the introduction will vary according to the book and according to the reading development level of the group. The following examples illustrate an introduction for children at an early stage, one for more advanced readers and one for a very advanced group.

Introducing a guided reading session for beginner readers
- Talk about the title – what do they think the story might be about?

- Relate the theme of the story to the children's own experience, e.g. if the story is about a dog, do any of the children in the group have a dog at home?

- Introduce the characters in the story, e.g. 'This is a story about two bears and their names are Big Bear and Little Bear.'

- Look through the book at the pictures, discussing what seems to be going on in those pictures.

- In conversation about the book, use some phrases or words that will be helpful to children in their reading of the book, e.g. in introducing *Let's Go Home, Little Bear*, you might talk about some of the things Little Bear thinks he hears while pointing to these words on the page.

Introducing a guided reading session for a group of readers who have some independence and confidence

A group further on in its development might need a less extensive introduction.

- Introduce the book and give an overview, e.g. 'This story is called *Farmer Duck*. It is about a duck that has to work terribly hard on a farm because the real farmer is too lazy.'

- Use the pictures selectively, e.g. 'Let's look at what's going on in the first few pictures.'

- Give a cue to help children with an unusual phrase, e.g. 'Look at the lazy farmer, just lying there in bed. All he does is lie there and ask the duck, How goes the work? How goes the work? (N.B. Use the phrase but do not specifically point out those words on the page. If you feel you need to make the cue more explicit you might ask the children to find those words on the page.)

- Tell the children about something they will be able to find out when they read the book for themselves. 'When you read the book you'll find out how the duck makes the lazy farmer get out of bed.'

Introducing guided reading to a group of more able or experienced children

A more advanced group (e.g. a group of average Year 2 children) might need the briefest of introductions, e.g. 'This book is called *Elmer Again*. We've read a book about Elmer before. Who can remember what happened?'

What do I do after the introduction?

After concluding the introduction to the book, ask the children to read the book to themselves 'in a quiet voice' and to use their fingers to point to the words as they read.

Watch the children as each one reads and note any hesitancy in their reading (the finger pointing will help you to keep a check on this). Do not intervene immediately any difficulty is encountered but be ready to do so as soon as you judge that a child needs some additional prompting.

You can modify this basic approach for readers at an early stage of development. Instead of introducing the whole book in one go you might choose to guide their reading on a page-by-page basis. For example:
- give the children an introduction to a page of text
- ask them to read that page for themselves
- give them an introduction to the next page
- ask them to read that page for themselves
  and so on.

Finally they can go back to the beginning and again independently reread the whole book, this time in one go.

What do I do next?

You can conclude the activity in a variety of ways by:

- discussing the text they have just read with the group
- rereading the text simultaneously, both you and the group together (The purpose of this is to model reading with expressiveness and pace.)
- setting a follow-up activity based on the guided reading text.

Guided writing

The purpose of guided writing is to provide children with a structured opportunity to practise independent writing. The key to this activity is providing children with a simple, predictable structure that provides a basis, a focus and a model for their own writing. Guided writing makes use of existing stories, poems and non-fiction as structures which children use as a basis for their own writing – through substitution, extension, retelling and modelling.

- Substitution – Children change existing words, phrases and sentences for ones of their own invention.

- Extension – Children elaborate on existing texts by inventing additional material, words, phrases, sentences, etc.

- Retelling – Children recreate a story or other text in their own words.

- Modelling – Children use a story structure, a textual form or pattern to help them to write about their own experience or an imagined one.

It is important to note that the use of existing texts in guided writing is partly to provide a supportive structure to help children to develop the skills of independent writing and partly to begin to familiarize children with a wide range of textual forms and structures.

> The need to familiarize children with the structures of a range of texts has come to prominence only recently. Children will already have an implicit awareness of the texts they come across often, particularly stories. Their awareness of the structure of other texts, for example non-fiction, tends to be less developed.

A guided writing session in a Reception class

In a previous shared reading session you might have worked with the class on the Big Book version of *We're Going on a Bear Hunt* by Michael Rosen and Helen Oxenbury. Discuss this book again with the group and ask the children for ideas about some new difficulties which the bear hunters might face. They might suggest a mountain, or a haunted house.

Show them a typical sequence from the original book and remind them of the pattern of the text every time a new difficulty is faced. The section always starts with

> *We're going on a bear hunt.*
> *We're going to catch a big one.*
> *What a beautiful day.*
> *We're not scared.*

Then the new difficulty is always introduced in the same way:

> *Uh-uh!*

Then the difficulty is identified (e.g. *A river*) and then described (e.g. *A deep cold river*). This is always followed by the same lines:

> *We can't go over it.*
> *We can't go under it.*
> *Oh no!*
> *We've got to go through it.*

The sequence always finishes by the repetition of a short phrase that describes the experience of getting round the difficulty:

> *Splash splosh!*
> *Splash splosh!*
> *Splash splosh!*

Explain to the children that you want them to fit their own idea for a new difficulty for the bear hunters into this pattern. Give them a photocopied framework that reproduces the essential elements of the pattern, leaving blanks where they can write their own variation:

> *We're going on a bear hunt.*
> *We're going to catch a big one.*
> *What a beautiful day!*
> *We're not scared.*
> *Uh-uh!*
> ....
> ....
> *We can't go over it.*
> *We can't go under it.*
> *Oh no!*
> *We've got to go through it.*
> ....
> ....
> ....

Children might write their words for themselves if they are able, and they can either experiment with invented spellings or use class word banks or dictionaries. Some might copy an adult's writing-down of their words.

You could finish this activity by inserting each child's new variation into the original version and reading it as a group or class activity.

A guided writing session in a Year 1 class
In a previous guided reading session you might have read together *This is the Bear* by Sarah Hayes and Helen Craig. Work with the group in a guided writing session to extend that text.

A feature of this text is that on some pages, but not on all, the illustrations include speech bubbles, indicating what particular characters are saying.

Remind the children of the purpose of speech bubbles and ask them to identify a couple of examples in the book and read out what the characters are saying. Then ask them to find a page that does not include speech bubbles. Ask if they can think of something this character might have said. Share a few ideas and then ask the children to create some speech bubbles of their own, using either the page you have just discussed or a new page, depending on the children's abilities. Ask them to write independently. The session might finish by several children reading out what they have written.

A guided writing session in a Year 2 class
You might previously have read and discussed the poem 'The Magic Box' by Kit Williams (from his anthology *Cat Among the Pigeons*). This poem follows a model which includes the line 'I will put in the box', which is followed by three lines, each describing something to be included in a Magic Box. Ask the children to work individually to produce a new verse each following this model. You can then agree an order in which to assemble their separate verses into a new poem based on but different from the original. Conclude the activity by reading the new poem as a group or class activity.

Guided reading and writing with older children
With older children the focus of guided reading changes and you should focus your time and attention not on enabling the children to practise independent reading, but on enabling them to analyse text, fiction and non-fiction, at a deeper level. You might focus particularly on plot, character, setting and dialogue in fiction texts and on purpose, structure and language features in non-fiction texts.

The purpose of guided reading at this level is to help children to develop more complex responses to texts, supported by references to what they have read, and to help them to take account of the views of others. You will be aiming to help the children:
- develop deeper and more complex responses to text
- make inferences from subtle textual cues
- evaluate character motivation and the author's intentions
- analyse the way in which authors create particular effects through their use of vocabulary, grammar, textual organization and other stylistic devices.

In guided reading all children will need to have a copy of the same text. This might be a complete text, perhaps a short story or a poem. Or it might be an extract, perhaps an excerpt from a novel, a newspaper report, a page from a non-fiction book, a letter, or even a piece of computer-generated text (e.g. an article from a CD-ROM encyclopaedia). Sometimes you might want the group to read a whole book over a number of weeks, a chapter at a time.

Occasionally, while you are working with the first of your two guided reading groups, the second group can be preparing the text you are going to discuss with them, perhaps using a list of preliminary questions to focus their discussion and thoughts.

Sometimes when you have reached the end of the guided reading session with the first group they will carry on with the activity independently for the second 15 minutes. This means that these guided reading activities can sometimes be seen as a block of 30 minutes work, although you will only be working with the group for half of that time.

As in all the other aspects of the literacy hour it is important to make close links between reading and writing. Through your discussion in guided reading sessions you are making explicit for children a knowledge about text genre (both fictional and non-fictional) and its characteristic features, including its structures and styles. This might then lead to children writing in the particular genre for themselves.

The following example illustrates how a reading session might lead first to group discussion and then to an individual writing task.

Use the following extract from *The Wizard of Oz* (Frank Baum) with a group of Year 5–6 children.

> *When Dorothy stood in the doorway and looked around, she could see nothing but the great grey prairie on every side. Not a tree nor a house broke the broad sweep of flat country that reached to the edge of the sky in all directions. The sun had baked the ploughed land into a grey mass, with little cracks running through it. Even the grass was not green, for the sun had burned the tops of the long blades until they were the same grey colour to be seen everywhere. Once the house had been painted, but the sun blistered the paint and the rains washed it away, and now the house was as dull and grey as everything else.*

> (A cyclone picks up Dorothy's house and carries it away to the Land of Oz.)

> *The cyclone had set the house down, very gently – for a cyclone – in the midst of a country of marvellous beauty. There were lovely patches of greensward all about, with stately trees bearing rich and luscious fruits. Banks of gorgeous flowers were on every hand, and birds with brilliant plumage sang and fluttered in the trees and bushes.*

Ask the children to read the extract to themselves and then discuss with them the following points:
- How does that first part of the description make you feel? Why?
- How does the second part of the description make you feel? Why?
- What does the author do to create a contrast?

Then give them the task of rewriting both sections of the passage to reverse the contrast. You will probably need to talk about this for a while and to give, or get from the group, one or two examples of the changes they might make.

Working with non-fiction

Guided reading and writing of non-fiction texts

You need to make sure that during guided reading and writing sessions you include non-fiction as well as fiction texts. Make sure also that guided reading of non-fiction texts focuses on more than simple information retrieval. Simply finding information in a book is a very small part of the process of skilfully using a non-fiction text and you need to use guided reading to reinforce many of the points you will have included in shared reading sessions, such as:

- clarifying what children already know about the topic of the text they will be studying

- helping them to generate some enquiry questions with which to approach the text

- making explicit the processes of text-based enquiry and research

- ensuring children read information texts critically

- finding ways of responding to what is read and transforming what they learn from the text.

You will also need to teach the children about the main structural and language features of the range of non-fiction text types. They should learn to write these text types confidently over their primary school careers. The main text types in non-fiction are:

> recounts
> reports
> instructions
> explanations
> persuasions
> discussions.

Traditionally, children have had most experience in one particular type: recount (that is, the children telling the story of what they did or found out).

> Do not forget to teach children to locate information in books. You can model the use of information retrieval devices such as index pages in shared reading sessions.

The structure of non-fiction texts

The major structural and language features of these text types are summarized below.

Recount genre
- *The purpose of recounts*
  Recounts are written to retell events with the purpose of either informing or entertaining their audience (or even with both purposes!).

- *The structure of recounts*
  A recount usually consists of:

  > a 'scene setting' opening (orientation)
  > *I went on a visit to the museum ...*
  > *Our class planted some seeds ...*

  > a recount of the events as they occurred (events)
  > *I sat with Sarah on the bus ...*
  > *We put soil in four pots ...*

  > a closing statement (reorientation)
  > *When we got back from the trip we wrote about it.*
  > *The seeds with soil, light and water grew best.*

- *The language features of recounts*
  Recounts are usually written:

  > in the past tense
  > *The Romans landed in Britain in ...*

  > in chronological order, using temporal conjunctions
  > *They established a camp and then began to ...*

  > focusing on individual or group participants
  > *After that the general ordered the legion to march ...*

using 'doing/action' clauses
landed, established, ordered to march

Recounts are often found in biographies, autobiographies and history texts.

Report genre
- *The purpose of reports*
  Reports are written to describe the way things are. They can describe a range of natural, cultural or social phenomena.

- *The structure of reports*
  A report usually consists of:

    an opening, general classification
    Exeter is a city in Devon.
    Humans are mammals.

    a more technical classification (optional)
    A city holds a Royal Charter.
    The scientific name is Homo sapiens.

    a description of the phenomenon, which includes some or all of its qualities
    Exeter is situated on the river Exe.
    The city is the county town of Devon. It has the university, law courts, County Hall, the headquarters of several large companies and local TV and radio stations within its boundaries.

- *The language features of reports*
  Reports are usually written:

    in the present tense
    is situated

    are non-chronological

    focusing on groups of things (generic participants)
    a city, mammals

    using 'being' and 'having' clauses
    Exeter is, it has

Reports are often found in science and geography text books and in encyclopaedias.

Explanation genre
- *The purpose of explanations*
  Explanations are written to explain the processes involved in natural and social phenomena or to explain how something works.

- *The structure of explanations*
  Explanations usually consist of:

    a general statement to introduce the topic
    A butterfly goes through several stages in its life cycle.
    Computers use a binary number system.

    a series of logical steps explaining how or why something occurs. These steps continue until the final state is produced or the explanation is complete.

The adult butterfly lays eggs on a suitable leaf. The eggs hatch and a caterpillar emerges. The caterpillar begins to feed and when it is fully grown it ...

- *The language features of explanations*
  Explanations are often written:

  in the simple present tense
  lays, hatch

  using temporal conjunctions
  then, next, after, etc.

  and/or using causal conjunctions
  because, therefore, etc.

  using mainly 'action' clauses
  the eggs hatch, a caterpillar emerges

  Explanations are often found in science, geography, history and social science textbooks.

Instruction genre
- *The purpose of instructions*
  Instructions are written to describe how something may be done through a series of sequenced steps.

- *The structure of instructions*
  An instruction text usually consists of:

  a statement of what is to be achieved
  How to make a sponge cake

  a list of materials/equipment needed to achieve the goal
  2 eggs
  4 ozs of self-raising flour

  a series of sequenced steps to achieve the goal
  Cream the sugar and butter.

  Often there is a diagram or illustration.

- *The language features of instructions*
  Instructions are usually written:

  in the simple present tense or imperative tense
  First you sift the flour or *Sift the flour.*

  in chronological order
  first, next, after that

  focusing on generalized human agents rather than individuals
  First you take rather than *First I take*

  using mainly doing/action clauses
  cream the butter, sift the flour

  Instructions are commonly found in instruction manuals, with games, and in recipe books.

Persuasion genre
- *The purpose of persuasive writing*
  Persuasive writing takes many forms from advertising copy to

polemic pamphlets but its purpose is to try to promote a particular point of view or argument – unlike a discussion paper which considers alternative points of view.

- *The structure of persuasion*
  A piece of persuasive writing usually consists of:

  > an opening statement (the thesis), often in the form of position/preview
  > *Fox hunting should be banned for it is a cruel and barbaric sport.*

  > the arguments, often in the form of point plus elaboration
  > *Foxes rarely attack domestic animals. Statistics show that ...*

  > a summary and restatement of the opening position (reiteration)
  > *We have seen that ...*
  > *Therefore, all the evidence points unmistakably to the conclusion that ...*

- *The language features of persuasion*
  Persuasive text is usually written:

  > in the simple present tense
  > *statistics show, it is*

  > focusing mainly on generic human participants
  > *hunters believe, environmentalists argue*

  > using mostly logical rather than temporal conjunctions
  > *this shows, however, because*

Arguments are found in pamphlets and booklets produced by special interest groups, in political writing, in publicity and promotional material.

Discussion genre

- *The purpose of discussions*
  Discussion papers are written to present arguments and information from differing viewpoints before reaching a conclusion based on the evidence.

- *The structure of discussions*
  A discussion paper usually consists of:

  > a statement of the issue plus a preview of the main arguments
  > *Our school is trying to decide whether to have a uniform. Some people think it would improve the school whilst other groups argue that it is unnecessary and would stop our freedom of choice.*

  > arguments for plus supporting evidence
  > *Children from our school look scruffy compared to other schools because most of the local schools already have a uniform.*

  > arguments against plus supporting evidence
  > *Most of the pupils feel very strongly that not wearing uniform allows them to feel more individual and grown-up because everybody looks the same in uniform. A recent poll held in the school showed that 90% of pupils agreed that wearing their own clothes allowed them to express their identity.*

  > a recommendation given as a summary and conclusion
  > *One group wants to unify the school whilst the other group claims freedom of choice. I think ...*

N.B. The order of arguments for/against can be reversed and it is worth discussing which case you would want to present last and why. Alternatively the structure may be argument/counter-argument, a point at a time, rather than all for/against points being clustered together.

- *The language features of discussion texts*
  Discussion is usually written:

  in the simple present tense
  look, feel

  using generic human (or non-human participants) rather than personal pronouns (except in the thesis/conclusion)
  pupils, children

  using logical conjunctions
  therefore, because, etc.

  Discussions are often found in philosophical texts, history and social study texts, and newspaper editorials.

Guided writing of non-fiction texts

One powerful strategy, which provides support for children as they explore these features in the context of their own writing, is the use of writing frames. A writing frame is an outline that provides a support or scaffold for children's writing. It consists of a series of linked sentence starters, which contain particular key words or phrases, linked to the specific text type being scaffolded. It is a template which guides the structure of a child's writing, allowing the child to concentrate on what he/she has to say. An example of a writing frame is given on page 16.

See *Resources sheets* for several examples of scaffolds for planning writing, including writing frames.

The plenary session

The final part of the literacy hour

The final 10–15 minutes of the literacy hour is used as a plenary session when all the children are brought together to present, review and discuss what they have been doing during the hour. The main aims of this plenary session are:

- to enable you to disseminate ideas across the class, to re-emphasize the teaching points currently being focused upon, to clarify any misconceptions the children may have and to develop new teaching points

- to enable the children to reflect upon and explain what they have learned, thereby clarifying their thinking

- to enable the children to revise and practise the new skills they have been working upon in an earlier part of the lesson

- to develop in the class an atmosphere of constructive criticism and to provide opportunities for you to give feedback and encouragement to the children

- to provide opportunities for you to monitor and assess the work of some of the children

- to provide opportunities for children to present and discuss important issues in the work they have been doing.

Organizing the plenary session

There are a number of ways of organizing the plenary session. Here are some examples of approaches you might take:

- Lead the plenary yourself by choosing pieces of work from the various groups to illustrate and emphasize specific teaching points made in the lesson.

- Focus on the work of one group and ask them to demonstrate and explain the activity they have been doing. This allows you to introduce the activity to groups who will be using it later in the week. It also allows you to reinforce the work of the focus group.

- Get one child from each group to explain their activity to the rest of the class. You can reinforce the teaching points arising from each group activity as they occur.

- Get one group to present their work to the rest of the class while the other children identify strengths in the work and suggest areas for improvement.

Lesson plans for primary English

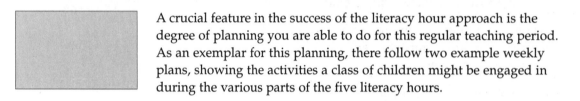

Managing the literacy hour

A crucial feature in the success of the literacy hour approach is the degree of planning you are able to do for this regular teaching period. As an exemplar for this planning, there follow two example weekly plans, showing the activities a class of children might be engaged in during the various parts of the five literacy hours.

Plan 1: Fiction based

This plan is based on the use of *The Grumpalump*. It assumes that the whole of one week's literacy hours will be devoted to this book and the activities described will be suitable for Year 1 or Year 2 children.

Whole class work – shared reading (10–15 minutes)

Monday
Show the class the book, if possible using a Big Book version of it. Talk about the cover and the book's title. What might this book be about? What animals can the children see on the cover? What is it they are all sitting on?

Open the book at the title page, which shows a picture of the grumpalump. Encourage speculation about what this might be. Are there any clues? (With some children it would be worthwhile reading and discussing the other information given on the title page, that is, the names of the author and illustrator. Check that they know the difference between these two. Ask if they know of any other books written or illustrated by either Sarah Hayes or Barbara Firth.)

Read the story to the class in as lively a way as you can. After each page you might ask the children if they have any further clues about what sort of creature the grumpalump is.

At the conclusion of the story check the children have grasped the real nature of the bear-shaped airship that the grumpalump turns out to be.

Tuesday
Remind the class of the book they read yesterday. Ask them if they can remember what the grumpalump turned out to be.

Do a quick but lively rereading of the text. Encourage the children to join in as you read.

After reading the book, ask the children what might have happened if other animals had come to look at the grumpalump. Remind them what the animals did, e.g.

The bear stared
The cat sat
The mole rolled

What might a dog have done? (The dog jogged the grumpalump?) Write down their suggestions on the flipchart or chalkboard.

Add other animals to this list. The lesson can conclude with a group reading of the new 'verses' to the story.

Wednesday
Remind them of the story of the grumpalump. Turn to the second page of the story. The text reads:
The bear stared and
the cat sat on the grumpalump.
The lump grumped.

Write the pairs of words on the flipchart:
bear   stare
cat   sat
lump   grump

Ask the children what they notice about these pairs of words. From discussion draw out the concept of rhyming. Write the word 'dog' under the left-hand words. Ask if the children can think of another word to rhyme with this. Write one of their suggestions under the right-hand list.

Carry on with this for four or five more words.

Thursday
Before this lesson you need to have written on the flipchart a list of the animals involved in the story:
bear
cat
mole
dove
bull
yak
armadillo
gnu

You might get the children to try to read this list out of context. Offer lavish praise for any successes.

Explain that you are going to read them the story of *The Grumpalump* but they are not going to look at the book. They have to try to join in using the list on the flipchart to help them. Read the book and point at each relevant moment to the animal's name. Encourage the children to join in and leave spaces in your reading for them to do so.

Friday
Give the book one last expressive read, encouraging the children to join in as you point to the text in the Big Book.

Whole class work – word and sentence level work (10–15 minutes)

Monday

Write the word 'grumpalump' on the flipchart. Get the children to say the word slowly. Then write the word in three parts – 'grump a lump'. Ask them to tell you what is the same about two of these parts. Then ask them if they can think of some other words ending with 'mp' as you write them on the flipchart. Use these to make a 'grumpalump' chart for display.

Tuesday

Write the word 'bear' on the flipchart. Remind them what the bear did in the story and write the word 'stare' underneath. Ask them to think of other words which sound the same as these two and add them to the list as the children say them. Each time you write a word ask the children to look carefully at it and notice how the rime sound is spelt.

Wednesday

In the shared reading session you began to focus on rhymes. For your word work today, you might want to carry on with this idea, or you could change the focus to initial sounds by asking the children to think of other words which begin in the same way as 'bear, 'cat' and 'mole'.

Thursday

Before this lesson you need to have prepared the Big Book text by covering up the names of the animals on two pages with small pieces of Post-its. Ask the children to look carefully at a page where you have done this. Read out the text a phrase at a time, substituting the word 'something' for the covered-up words. Some children will undoubtedly remember what the words should be. Ask them to pretend they had not heard this story before.

Go back to the beginning of the page and ask the children what sort of word could be under each piece of Post-it. Prompt them by asking, for example, if it could be 'The catching stared', or 'the happy sat'. The object of your discussion here will be to elicit from the children that these words are names of things. With some Year 2 children you might be able to introduce the word 'noun' at this point.

Repeat this with the second page to reinforce the idea that, in these slots in the sentences, only names (nouns) make sense.

Friday

Remind children of important things they have learnt this week – about rhymes, some initial sounds and the importance of naming words. Do a brief revision of each of these ideas.

Group activities: rotated through five groups (30 minutes each)
- Work with a group to guide their reading of the book selected for this week and for that particular group (they need a copy each). Discuss what kind of book this is, how it is organized and share the reading of the text.

- Worksheet activity involving events from *The Grumpalump* in jumbled order, e.g.
    the cat sat
    the armadillo used it for a pillow
    the bear stared

Children have to reorder them by referring back to the book.

- Phonic worksheet containing words which rhyme with either 'bear', 'cat' or 'lump'. You need to prepare this sheet. Include words such as 'care', 'where', 'mat', 'flat', 'bump', 'stump'. The children have to sort out the words according to their rhymes. You might also include some red herrings which do not rhyme with the target words.

- Simple cloze exercise related to *The Grumpalump*. Children can complete this either individually or in pairs. (The _____ stared, the cat _____ , the _____ rolled, etc.)

- Matching exercise. Children have to match names of animals against what they did in *The Grumpalump*. For example:

bear	rolled
cat	whacked
mole	stared
yak	sat

Plenary (10 minutes)

Monday
Groups 2–5 report back on what they have been doing. Use this as a way of giving prior warning to the rest of the class of what they will be doing later in the week in groups.

Tuesday
Use this for another shared read of the made-up parts of *The Grumpalump* the children wrote earlier.

Wednesday
Phonic group report on their activity today. Teacher reminds them of rhyming words studied.

Thursday
Revise rhyming. Get children to suggest lots of rhyming pairs.

Friday
Each guided reading group reports to the class on their activities this week. You might also want to preview next week's shared text.

Plan 2: Non-fiction based

This plan is based on the use of *Tadpole Diary*. It assumes that the whole of one week's literacy hours will be devoted to this book and the activities described will be suitable for Year 4 or Year 5 children.

Whole class work – shared reading (10–15 minutes)

Monday
Show the class the Big Book version of text. Talk about cover and title. What might this book be about? What is a diary?

Go through the book talking about illustrations and what children know about tadpoles.

Tuesday

Show class Big Book version of text. Read together the contents. Talk about how the book is organized. Remind them about diaries. Read some diary entries together (shared read). Talk about information they are given.

Wednesday

Use Big Book text and introduce the labelled diagrams which occur on each page of the diary section of the book. Ask what these contain. Discuss information in them, particularly numbered labels.

Thursday

Review text. Introduce the class to the index. Discuss what this is for and practice using it together. Demonstrate index use then ask some children to come up and show how this is used.

Friday

Share tadpole facts and frog facts pages. Unison read. Ask children to think of things they have learnt about tadpoles and frogs from reading this book.

Whole class work – sentence level work (10–15 minutes)

Monday

Talk to the children about tense. How do we know when something in a book happens? Give examples from the first pages of the book, e.g. 'We found some frogs' eggs in a pond' and ask whether this is past, present or future. Ask them to make up sentences in the past tense. Write a suggestion on the flipchart and ask the class if they can tell you what would change if this were about something that was happening now.

Tuesday

Read the text on page 6. Ask whether this is present, past or future. Why is it present tense? Discuss the idea that the present tense is used to describe things that are happening now *or* were happening when the writer wrote this book. Contrast the text on page 7 where there is a switch to past tense, 'We found the hole'. Talk about the difference between the tenses and try to explore why this difference occurs in this book.

Wednesday

You need to have written some parts of sentences on pieces of card, as follows:

| We found some frog's eggs | and | brought them home |

Look at the first sentence part with the children. Could this make sense by itself? What would it need to be really complete? (A full stop.)

Look at the third sentence part. Could this make sense by itself? Bring out that it could if they added a 'we' at the beginning.

Look at the 'and'. What does this do in the sentence? It joins together two sentences to make one. Explain that it also causes some changes, such as the 'we' to be missed out. Why? (Because the subject of the sentence is already stated in the first part of the sentence.)

What other ways can the children suggest of joining together these two
sentences? Write some possibilities on the flipchart and, if there is time,
try them out with your cards.

Thursday
Remind the class of yesterday's work on sentence joining. Today you
are going to look at the different meanings various connecting words
give to a sentence. Start with some sentence cards.

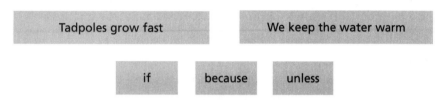

Try combining the first two sentences using each of the three connecting
words. As you make each new compound sentence, discuss with the
children:

• What changes do you have to make to the first two sentences to
  make the new sentence sound right?
• What different meanings do each of the connecting words convey?

Ask if they can think of any other ways of joining these sentences.
(Hint, what if you were to reverse the order of the first two sentences –
'We keep the water warm so that the tadpoles (will) grow fast', or 'We
keep the water warm in case the tadpoles grow fast'.)

Friday
Remind children of important things they have learnt this week – the
difference between past and present tenses and the effects of different
ways of connecting sentences. Check that they can remember these
ideas by referring to other examples in the book.

Group activities: rotated through five groups (30 minutes each)
• Work with a group to guide their reading of the book selected for
this week and for that particular group (they need a copy each). Discuss
what kind of book this is, how it is organized and share the reading of
the text.

• Worksheet activity involving events from the eight diary pages of
Tadpole Diary in jumbled order. Children have to reorder them by
referring back to the book.

• Spelling worksheet. Words containing spelling string -*tch* with
various preceding vowels (e.g. *hatch, fetch, stitch, crutch, botch*).
Children have to sort out words according to the medial vowel, think of
two more words for each group and write sentences containing the
words they have produced.

• Simple writing frame related to book. Children can complete this
either individually or in pairs. (e.g. I already knew that tadpoles ...
I have learnt that tadpoles ... , etc.)

• Matching exercise. Children have to match weeks against simple
summaries of what happened at those times, e.g. The tadpoles began to
hatch.

Plenary (10 minutes)

Monday
Groups 2–5 report back on what they have been doing. Use this as a way of giving prior warning to the rest of the class of what they will be doing later in the week in groups.

Tuesday
Brainstorm what the class already know about tadpoles. Use a KWL grid to record this knowledge and also record some of the questions they have.

Wednesday
Spelling group report on their activity today. Remind them of spelling strings studied and compare their new words.

Thursday
Class discuss diaries and places where they may see this form of text. Log books may also be mentioned as similar texts (use *Star Trek* as example).

Friday
Groups asked to report what they have learnt during the week about tadpoles. Fill in the L column of the KWL grid you began earlier.

Teaching text level work

Once upon a time ...

Suitable age range
Year 4 upwards.

Key learning focus
Knowledge of the key elements of structure in traditional and, by extension, in other short stories.

The place of this lesson in the literacy hour
This activity will begin during a whole class session and children will carry on the work on it during subsequent group activities.

What you will need to have available
- At least two fairy tales, preferably ones the children are not likely to know.
- A flipchart.
- A poster showing a typical story structure. (A version of such a poster is given on page 161.)

What to do during the lesson
Talk to the children about a fairy tale they know well, e.g. Cinderella. Use the story structure poster to prompt children's recall of the elements of the story. Make sure they are familiar with the concepts of setting, plot, characters, etc. and can identify them in a story they know well.

Using a fairy story they may not know quite so well, read out to them some paragraphs from the middle of the story. Ask them to speculate about what has gone before these extracts and what might come next. They can then be given the task of writing suitable fairy stories to include the paragraphs you have read to them.

Follow-up activities you might use
Compare the children's versions of the fairy story with the original version. Ask them about items that surprised them.

Some children might use the story structure poster as a planning tool to write their own stories.

Suspense stories

Suitable age range
Year 4 upwards.

Key learning focus
Writing from a starting prompt.

Being able to continue the theme of a piece of already started writing.

The place of this lesson in the literacy hour
This is an activity children can do in groups. They might need some time outside the literacy hour to complete it.

What you will need to have available
A container with several suspense story prompts written on pieces of card. The prompts might include the following:

It was a dark and stormy night ...

I knew there was something funny about that house the minute I set foot into it ...

She seemed like such a nice lady. Who would ever believe that she was really ...

It was odd. One day our teacher just ... disappeared!

It looked like a plain old milkshake to me ...

If they hadn't been in such a hurry, they wouldn't have taken that short cut through the cemetery ...

It was the strangest thing I ever heard. And it was the last thing my uncle said before he died ...

I thought it was just a glitch in my computer. But that was yesterday, before I discovered that ...

What to do during the lesson
The group should choose one prompt. Tell them that they will be writing five different stories using the same prompt. At the end of the timed writing, they will select the version they like best to share with the class.

Tell them to begin by writing the prompt as an opening. Then give them exactly two minutes to write. At the end of the two minutes, they must stop, even if they are in a middle of a sentence.

They pass their papers to the right. This time you give them three minutes. During that time, they must read what the previous author has written and continue that story. At the end of the three minutes, they again stop and pass their papers. The third writer has four minutes to write, the fourth writer has five minutes, and the fifth writer has six minutes. The final writing session should return the paper to its original owner for seven minutes, where the story is ended.

The stories are then shared within the small groups. After they have read them, each group can choose one to share with the class.

Follow-up activities you might use
Each group can collaborate to combine, revise and edit a final version of the story using the best plot, images and details from all their stories.

Reading instructions

Suitable age range
Year 4 upwards.

Key learning focus
To be able to read a range of instruction texts.

To understand the organization and layout of instruction texts.

To be able to write instructions in a range of curriculum areas.

The place of this lesson in the literacy hour
Part of this lesson will be conducted in the whole class section of the literacy hour; part will be done during subsequent group work.

What you will need to have available
An example of a recipe, preferably enlarged so that all children can see it.

What to do during the lesson
Discuss the shared recipe text with the class and talk about its purpose and audience.

Investigate with the children the organization of the text (e.g. title, ingredients, method) and its layout (how the content is arranged). Draw a table on the flipchart containing two columns, one headed ORGANIZATION, the other LAYOUT. List the key features of the recipe under these headings.

Investigate the kinds of verbs used in recipes, i.e. imperatives (commands). Talk with the children about these. Ask them why, for instance, the recipe does not say 'I broke two eggs into a cup'.

Follow-up activities you might use
Groups can carry out the following:

Using a range of recipes and a sheet with two headings, ORGANIZATION and LAYOUT, children look at the texts and note their features under the appropriate headings.

Some children can explore the texts to highlight the various ingredient lists. They can then discuss these lists and compare them. Are ingredients always the same kind of thing?

Some children can go through the texts underlining verbs. They can sort them into two groups – commands and other verbs. Discuss their findings during the plenary session.

Later all children should try to write their own instructions relating to activities they are carrying out elsewhere in the curriculum. Group revision should focus on the extent to which they use appropriate forms, etc.

What happened?

Suitable age range
Year 4 upwards.

Key learning focus
The structure and language features of recounts, that is, texts written to tell a sequence of events, such as a newspaper report, an autobiography, etc.

The place of this lesson in the literacy hour
Part of this lesson will be conducted in the whole class section of the literacy hour; part will be done during subsequent group work.

What you will need to have available
An enlarged version of a recount text such as a newspaper report.

What to do during the lesson
Read together the recount text you are going to study.

After the reading get the children to suggest what each part tells them. You might, for example, look at the introductory paragraphs. What do these tell us?

Introduce the children to the idea of the five Ws – who? what? where? when? why? Discuss with them why it is so essential to get these into the early paragraphs. (They set the scene and orientate the reader, in a newspaper where space is at a premium, the report might have to be shortened and the simplest way of doing this is to cut material from the end.) Pick out the answers to these questions in the text you are studying. You might highlight this information using one colour.

Talk with the class about connecting phrases and/or words, e.g. *at first, yesterday, next, then, finally*. You can highlight these connectives, using a different coloured pen. Discuss what kinds of information these give. Elicit the idea that they all indicate the passage of time – recounts are chronologically organized.

Ask the children when the events in this recount happened. Was it in the past, or are they happening now? Use a third colour of highlighter to mark the clues to this in the text. You might introduce the children to the idea of the past tense.

Follow-up activities you might use
In a subsequent lesson, the class can use shared writing to create their own recounted text using the same kind of connectives.

Genre exchange: the children can read a recipe or a set of instructions, and translate them into a recount. Make sure you allow time for them to discuss the changes they have had to make.

Reading TV guides

Suitable age range
Year 3 upwards.

Key learning focus
Reading for a purpose.

Using and understanding reading.

The place of this lesson in the literacy hour
This activity could form the basis of several group sessions.

What you will need to have available
Several copies of TV guides such as the *Radio Times*, the *TV Times*, etc.

What to do during the lesson
Set children a quiz based on the TV guide, made up of tasks such as the one that follows:

> In a TV guide, find and underline one example of each type of programme in this list. Write the programme's title next to its description.
> a daily chat programme: _____
> a daily game programme: _____
> a sports programme: _____
> a film that starts between 7.00 and 9.00 p.m.: _____
> a programme dealing with government/politics: _____
> a national news programme: _____
> an arts programme: _____
> a local news programme: _____

Follow-up activities you might use
Ask children to fill in a timetable, listing the names, channels and times of the programmes they would have liked to watch between 6.00 and 9.00 on particular nights of the week.

Ask them to choose one film they would have liked to watch. They have to say when it is on, on which channel, and why they chose that particular film.

Ask them to design an advertisement for their chosen film to convince other class members to watch it as well.

Nursery rhymes galore

Suitable age range
Year 3 upwards.

Key learning focus
Increased recognition of the importance of nursery rhymes in the culture.

The ability to use nursery rhymes as a basis for further original writing.

The place of this lesson in the literacy hour
You would start this as a whole class activity, then extend it to include several group activities.

What you will need to have available
• As many sources of nursery rhymes as you can find.
• If possible, some accounts of the origins of nursery rhymes.

What to do during the lesson
Get the class to brainstorm nursery rhyme titles and list them on the flipchart. Ask some of the class to choose a nursery rhyme to say aloud from memory.

Talk to them about what nursery rhymes might have originally meant. *Ring a ring o' roses*, for example, was originally about the plague. You will need to do some of your own research before this.

Follow-up activities you might use
Groups of children can do these additional activities:

- draw the nursery rhyme
- act out the nursery rhyme
- write a modern-day nursery rhyme
- write a nursery rhyme about a book or TV character
- write and draw an advertisement for a product using a nursery rhyme
- make up a story about a nursery rhyme character
- write a newspaper article and/or make a political cartoon about a nursery rhyme character
- publish a nursery rhyme newspaper
- find nursery rhymes used in other ways (political cartoons, comics, advertisements, literature).

Successful paragraphs

Suitable age range
Years 5 and 6.

Key learning focus
The writing of paragraphs and an understanding of when new paragraphs begin.

The place of this lesson in the literacy hour
This activity would begin during a whole class session and continue during group work.

What you will need to have available
A flipchart or chalkboard for writing on.

What to do during the lesson
Ask each child to list three things they wish they had, three events that would make them happy, and three places they would like to visit. You might help them by modelling an example on the chalkboard:

THINGS	EVENTS	PLACES
A Ferrari	Peace in the world	Australia
Diamonds	Energy consciousness	Jamaica
Money	More recycling	Italy

Each child should choose one favourite item from each list. The following five sentence patterns are used as each child writes his/her sentences. Sentences should be numbered at this stage. Later they will be put into paragraphs. For each pattern, the teacher models first, children give oral examples, then write their own sentences.

The first sentence is the opening or topic sentence. Examples:
Three things that would make me happy are a Ferrari, an energy-conscious society, and a trip to Australia.
If I had three wishes they would include ...

The second sentence begins with an *-ing* word and includes the thing wished for. Examples:

> *Racing down the road in my Ferrari, I would be the envy of everyone.*
> *Owning a red Ferrari would probably get me a lot of speeding tickets.*

The third sentence begins with *To* plus an action word and includes the event wished for. Examples:

> *To live in an energy-conscious society would make our lives healthier.*
> *To know that everyone was energy conscious would make me feel satisfied.*

The fourth sentence begins with a prepositional phrase and includes the place they want to visit. Examples:

> *During a visit to Australia, I would certainly see kangaroos.*
> *For visiting Australia, I would need a new camera.*

The last sentence is a concluding sentence beginning with a word such as *finally, certainly, surely*, etc. Examples:

> *Surely I deserve all that I am wishing for.*
> *Certainly I want my wishes to come true before I'm 50.*

The final step is for the children to rewrite their sentences in paragraph form. Each sentence will form the basis of a paragraph. They may need to add extra sentences or information into each paragraph. Discuss with them the concept of topic change in writing.

Dear Character

Suitable age range
All ages.

Key learning focus
Writing with a particular audience in mind.

The place of this lesson in the literacy hour
This will begin as a whole class session and could involve shared writing with younger children. Older children can be given the activity to complete during a group session.

What you will need to have available
A chalkboard or flipchart for shared writing.

What to do during the lesson
Discuss with the children a character they have come across in a story they are all familiar with. Ask them to tell you what this character is like. List some of the words they suggest which describe his/her character traits.

Repeat this process using a character from a different story.

Ask the group to imagine that the first character is writing a letter to the second character. What is the letter about? Plan and write the letter together as a shared activity. (For example, you might choose Wilbur from *Charlotte's Web* and the Iron Man. What would they have to say to each other?)

Follow-up activities you might use
Older children might try this with different characters.

If you have ready access to e-mail, you could ask the children to pretend they are particular characters in books and to e-mail each other in role.

You might display some of the letters, missing off identifying marks. Children have to guess who the two characters are in each case.

Inferring character

Suitable age range
Year 3 upwards.

Key learning focus
Being able to recognize character in stories and talk about particular character relationships.

The place of this lesson in the literacy hour
This begins as a whole class session and then carries on into group work.

What you will need to have available
A flipchart, chalkboard or overhead projector for writing on in front of the class.

What to do during the lesson
Remind the children of a story they have experienced recently. Ask them to think who the main character in that story was. If the story was *Charlotte's Web*, for example, they might suggest Wilbur. Write the name of that character in the centre of a large piece of paper (or chalkboard, or overhead transparency).

Ask them to think what the character was like. Write descriptions under the name, then draw a box around the name and all the descriptors.

Ask them to think who else was important in the story. Write these names evenly spaced around the centre box.

Take each character and ask how the main character feels about them. Write the children's suggestions on arrows running from the centre box towards the other names.

Ask how each minor character feels about the main character. Write the suggestions on arrows running from the outer boxes towards the centre box.

When you have finished filling in the boxes described above, you might write together how you felt about the main character at the beginning and at the end of the story.

Follow-up activities you might use
You could ask some children to change a character trait of the main character and decide how that might have affected the story.

Bio poems

Suitable age range
Year 4 upwards.

Key learning focus
An awareness of character in stories.

The place of this lesson in the literacy hour
This is a group activity although you might want to introduce it during the whole class section of the literacy hour.

What you will need to have available
You will need to have already done a bio poem outline frame on whatever writing surface you will be using. The frame could look as follows (although you can vary this to suit your needs):

BIO POEM

His first name is _____

Four of his characteristics are _____

He is related to _____

He cares deeply for _____

And feels _____

He needs _____

He gives _____

He would like to see _____

He lives in _____

What to do during the lesson
Remind the class of a character in a story they have recently read. Talk about that character.

Introduce the bio poem framework and discuss how they might fill in each line. Choose ideas to fill in on your version of the frame.

An example of a bio poem
> Her first name is Snow White
> Four of her characteristics are beautiful, giving, loving, unhappy
> She is related to the Queen, her wicked stepmother
> She cares deeply for the seven dwarfs
> And feels safe in the forest
> She needs the love of a Prince
> She gives love to the seven dwarfs
> She would like to see goodness throughout the kingdom
> She lives in the forest.

Follow-up activities you might use
Children could write other bio poems about other book characters.

Story pyramid

Suitable age range
Year 3 upwards.

Key learning focus
An understanding of story structure and features.

The place of this lesson in the literacy hour
This will be a whole class session, but can be followed up in a group activity.

What you will need to have available
A prewritten blank story pyramid, as below:

STORY PYRAMID
1. _____
2. _____ _____
3. _____ _____ _____
4. _____ _____ _____ _____
5. _____ _____ _____ _____ _____
6. _____ _____ _____ _____ _____ _____
7. _____ _____ _____ _____ _____ _____ _____
8. _____ _____ _____ _____ _____ _____ _____ _____

What to do during the lesson
Remind the children of a story they have read recently.

Ask them to fill in the pyramid with the information asked for in the list below.

On line 1 write the name of the main character in the story.
On line 2 write two words describing the main character.
On line 3 write three words describing the setting.
On line 4 write four words stating the story problem.
On line 5 write five words describing one event in the story.
On line 6 write six words describing a second event.
On line 7 write seven words describing a third event.
On line 8 write eight words describing the solution to the problem.

An example of a story pyramid

W i l b u r
Lovable, worried
Zuckerman's farm yard
Worried about his bacon
Charlotte tries to rescue him
She writes words in her web
She defends him from the greedy rat
She saves him at the fair but dies

Follow-up activities you might use
The more children work with this activity, the easier it will become.
They can use the approach for other characters and other stories.

A mythology project

Suitable age range
Years 5–6.

Key learning focus
Learning to interpret text by applying ideas in another context.

The place of this lesson in the literacy hour
This project will involve a series of group activities, each of which can
be introduced and reviewed in a whole class session.

What you will need to have available
Copies of profile worksheets as detailed below. These can be versions that children can work on individually or you may want to have enlarged versions for shared class work.

What to do during the lesson
Either remind children of a Greek myth they have recently read *or* do a shared reading of a Greek myth involving the gods.

Talk with the children about the Greek gods and their special roles. Together try to complete profiles for gods the children know about, using the following worksheet pattern:

Name of god/goddess _____
Has powers over _____
Positive characteristics _____
Negative characteristics _____
Symbol _____

Groups of children can be set the activity of completing this profile for all the gods and goddesses they have heard of, including: Zeus, Hera, Poseidon, Hades, Athena, Aphrodite, Apollo, Hermes, Ares.

Follow-up activities you might use
Children can then go on to carry out the following activities, which involve creating their own mythological creatures:

- Create 3–5 gods/goddesses and write a 2–3-paragraph myth about each deity. Use the profile worksheet as a starting point. The myth must show how the gods have human characteristics.

- Create 2 nature myths 2–5 paragraphs long. Use worksheets with the following prompts for the children:
  Choose an object or an event in nature (e.g. a rainbow, an earthquake, thunder)
  Where does the object come from, or what causes the event?
  What characters are involved in the myth?
  Write a 2–5-paragraph myth about the object or the event in nature.

  Tell the children that these myths should explain the object or the event. For example, they can explain how and why a specific animal was created and/or why there are earthquakes.

- Create a mythological hero and a mythological creature. Write short myths about these characters.

Prediction activities

Suitable age range
Year 3 upwards.

Key learning focus
Predicting on the basis of what has already been read.

The place of this lesson in the literacy hour
This is best done as a group activity. Discussion between group members is an essential part. It could be a guided reading activity.

What you will need to have available

A suitable text, with sufficient copies for each group member. The text should be cut into sections and copies of each section placed in a separate envelope. An example of a suitable text follows.

What to do during the lesson

The children draw copies of the first section of the text from the appropriate envelope. They read it individually and then talk together to try to work out what is happening in the extract, who are the characters involved and, most important, what will happen next. When they feel they have exhausted their discussion of the first extract, they each take a copy of the second extract. Reading this may cause them to change their minds about the text and its likely direction and outcome. Again they talk as a group about the text they have so far.

This process carries on until each extract has been read. The children then discuss what it was about the text that either gave them a good idea of its ending, or misled them.

Follow-up activities you might use

You might get some children interested in composing their own texts for use in this activity. The idea of writing a text to mislead other readers, only revealing the answer in the last few lines, is a very attractive one for many children.

Sample text

> I stood watching as four men came into the darkened room. They walked round slowly, stopping before and inspecting each piece of furniture. Two of the men showed great interest in the sideboard. Drawers were taken out. The contents spilled on to the floor. Silver knives, forks and spoons clattered into a heap. One man immediately bent down and started sorting them out. All were wrapped and stacked into a box. He worked quickly and quietly.

> Meanwhile the other two men were busy emptying a corner cupboard. The tea-pot rattled as it was carried across to the table. The best cups, saucers and plates were also stacked on the table. The door of the cupboard swung open showing the empty shelves. No longer did the shelves hold the treasures collected over the years.

> One of the men started to unscrew the cupboard from the wall. One side came undone easily and the cupboard hung crazily askew. After all the screws had been taken out the cupboard was lifted down and set on the carpet. Valuable pictures were unhooked from the wall and propped against the cupboard. On the wallpaper faded shapes showed where they had hung.

> Now that the walls were bare, the men started to carry the furniture out. The table caused some trouble and had to be eased round the door frame. Stacked chairs were passed from one man to the other till they disappeared from sight. The sideboard was half lifted, half pulled across the carpet to be edged round the open door. The room which I had known for over 100 years had never been so bare. I alone remained.

Two men approached and roughly got hold of my back. I rocked unsteadily on my feet. My face was covered. My outstretched hands were turned to point downwards.

I felt myself being tilted on to my back. In this strange position I was carried downstairs and out into the fresh air. Minutes later I was aware of being carried up a slope and put in a corner of a large van. A strong rope was tied around me. As soon as the engine started, I was glad of the security of the rope.

After several hours' journey we reached our destination. I was untied and carried into a hall where I was placed in a sunny corner. My face was uncovered. My weights were replaced so that movement could begin again. My hands were put at the right time, and I settled down to tick away the years in my new home, glad that removal day was over.

Ideas to stimulate writing

The following are some ideas to start children writing. They are suitable for children at Key Stage 2, although some may work with younger children, given the right level of support.

• Use photos. Ask children what is happening in the picture. What happened before the picture was taken? What is going to happen?

• On the planet Zoopiter, there is a zoo with animals from several planets. You are the director of the zoo. You have been asked to provide a write-up on each of the animals so that visitors to the zoo can learn all about them. Include the name of the animal, the planet of origin, what it likes to eat, what it likes to do, its interesting habits, whether or not it is dangerous, and any problems it may have. Draw a picture to go along with your write-up.

• *Myths and folk tales from around the world*
  The Greeks invented a large family of gods and goddesses. We think that most myths were made up by the storytellers who travelled around ancient Greece. Their tales, or myths, were designed to explain, in the absence of scientific data, that which could not be understood. With a cast of characters of your own gods and goddesses, compose a myth that explains one of the following natural phenomena: volcano, floods, hurricane, winter, eclipse, tidal wave, tornado, drought.

• *An invention*
  Many people dream of inventing something during their lives. Describe your invention and how it works. Explain who it will help and how. Describe how you made it. Draw a picture to illustrate your invention.

• You have been asked to choose carefully ten objects to put into a time capsule. These objects must represent life today. Name the objects you have chosen and explain why you chose them.

- *Cold virus*
  What does a cold virus look like? Draw one! How does it choose its victim? How does it enter its victim's body? What symptoms does its victim get? How does its victim get rid of it? Where does the cold virus go?

- *Michael Phant*
  The police are searching everywhere for Michael Phant. What has he done? What does he look like? Why are the police looking for him? Put Michael Phant into a story and explain everything!

- You are an alien from another planet and have landed on Earth. Describe what you see and explain your observations. (Perhaps you land during Hallowe'en, or in a shopping centre ...)

- What are the advantages and disadvantages of being your age? What is unique about your age? If you could change your age what would you choose and why?

- *A mystery story*
  Use the following characters, settings and objects in a mystery story. Professor Alexander Grimby, Michelle King, a midnight meeting, a white handkerchief, a plane, a chance meeting, Mozambique ...

- *Newspaper article*
  What makes a good journalist? The questions a journalist must answer are who, where, when, why, what. Find the answers to the five Ws in newspaper articles. Use headlines from newspapers and magazines to write your own newspaper report.

- Invent a recipe. Think of the most exotic food you can imagine and write a recipe of how to prepare it.

- I was an ordinary child until I discovered MY SECRET IDENTITY. What would you do with your super powers? Help your family and friends? Defend your country? Do something super?

Teaching sentence level work

Colour-coded parts of speech

Suitable age range
Years 5–6.

Key learning focus
An understanding of the grammatical function and use of various word classes.

The grammatical features of a range of text types.

The place of this lesson in the literacy hour
This is an activity for a group to work on independently. It could also be profitably introduced to the whole class during the sentence level work section of the literacy hour.

What you will need to have available
A supply of cards of different colours.

Select one colour and on these cards write a number of different nouns.

On cards of a different colour write a number of different verbs. Repeat this for adverbs, adjectives, prepositions, etc., depending on the planned focus of your teaching.

Add a supply of other kinds of words, e.g. articles, on plain white pieces of card.

What to do during the lesson
Ask a group of children to take a selection of cards of different colours. Using these cards they have to make sentences.

Within the group they can then discuss the patterns of colour they have produced. The word classes they have used in their sentences will show up easily because of the colour coding. They might find, for example, that a common sentence pattern is noun, verb, noun (e.g. *The boy kicked the ball*). They can also discuss the patterns which emerge if words of other word classes are added. For example, if you add an adjective to the noun, it invariably comes before the noun. If an adverb is added where is this placed?

Another line of inquiry is to take one of the sentence patterns they have already established, e.g. noun, verb, noun, and move around the words. Can they then alter the words they are using to make a meaningful sentence? What do they have to do? For example, if in *The boy kicked the ball* the words *boy, kicked* and *ball* are removed and rearranged as *kicked ball boy*, a sentence might be made to read *Kick the ball, boy*. What grammatical changes have taken place here?

Follow-up activities you might use
Using the word cards, get children to compose particular kinds of sentences or texts and identify the patterns which emerge. For example, in commands, or instructions, where does the verb usually come?

Grammatical deletions

Suitable age range
Years 5–6.

Key learning focus
An understanding of the grammatical function and use of various word classes.

The place of this lesson in the literacy hour
This is an activity for a group to work on independently. It could also be profitably reviewed with the whole class during the plenary section of the literacy hour.

What you will need to have available
A number of texts prepared as cloze texts, that is, with various words deleted. For each text, make the deletions by omitting words of particular word classes, e.g. adjectives.

You could also prepare one set of materials using several copies of the same text, each with a word of a different word class deleted.

What to do during the lesson
Ask a group of children to work together on one text to suggest appropriate words to complete the text in a meaningful way.

When they have agreed on their suggested words, they should discuss the kinds of words they have been working on. The aim is to get them to arrive at some kind of definition of the word class they have been working with. It is not too important that they come up with the technical term for that word class, although you might want to tell it to them if you think it useful.

The group can then examine copies of other texts, which do not yet have deletions and underline examples in these of the word class they have been working with.

Follow-up activities you might use
Give each member of a group a copy of a text with words of a different class deleted. Ask them individually to suggest words to fill the deletions. Bring the group together to discuss what they have done and explain to each other the kinds of words they have each been working with.

Some children might be asked to discuss the effects of the choice of word class for deletion on the number of possible alternatives for each deleted word. They should realize that whereas there will be lots of alternatives for adjectives and adverbs, there will be very few for articles and probably not too many for nouns. They can discuss why this should be so.

Parts of speech review

Suitable age range
Years 4–6.

Key learning focus
The parts of a sentence and the various word classes.

The place of this lesson in the literacy hour
This is an activity for the whole class during the sentence level work section of the literacy hour.

What you will need to have available
A number of sentences in which each word is written on a separate piece of card or paper. The writing will need to be large enough for all children in the group to read easily. The sentences you use should include the particular sentence features you want to teach: phrases, compound sentences, etc.

What to do during the lesson
Distribute the cards for one sentence among the class. Tell the class the sentence you are going to be using. Ask the children with the cards to line up in front of the rest of the class in an order that makes the sentence.

Get another child to read the sentence for the rest of the class.

Identify the simple subject of the sentence by asking, 'Who or what is the sentence about?' Identify the simple predicate of the sentence by asking, 'What is the subject doing in this sentence?' As you progress you will identify the direct object next. As each part of the sentence is identified, the child holding that card steps forward.

If an auxiliary (helping) verb is in the sentence get the child with that card to step forward and put his/her arm around the child holding the action verb in the sentence.

Go back to the person holding the subject card. Identify any adjectives. Get each child holding a card that describes the subject to move behind the child holding the subject. Move on to the person holding the object card. Identify any adjectives. Get each child holding a card that describes the object to move behind the child holding the object.

As children become more proficient at this you might add prepositional phrases and identify the object of the preposition and what the phrase modifies.

Follow-up activities you might use
Groups of children might try to analyse other sentences they find in a similar way by labelling the parts.

Using auxiliary verbs

Suitable age range
Year 5 or 6.

Key learning focus
The correct use of verb forms in speech and writing.

The appropriate matching of auxiliary and main verbs (e.g. *I have seen him* rather than *I seen him*).

The place of this lesson in the literacy hour
This is an activity for the whole class during the sentence level work section of the literacy hour.

What you will need to have available
You should have already written the following pairs of verbs on the board or flipchart.

threw	thrown	did	done
wrote	written	broke	broken
saw	seen	ate	eaten
froze	frozen	gave	given
fell	fallen	grew	grown
chose	chosen	knew	known
rode	ridden	rose	risen
wore	worn	spoke	spoken
took	taken	stole	stolen

What to do during the lesson
Get the children to use each verb in the list on the left by making a sentence that starts *I* ... (Example: *I wrote a story for English*). Write some of these sentences on the board.

Discuss how the sentence can also be expressed with the use of auxiliary verbs (you might call them 'helping' verbs) and then read each sentence, replacing the verb with the helping verb *have* and the appropriate form of the verb from the right column. (Example: *I have written a story for English.*)

Explain that when a helping verb is used, the form of the main verb must change and often it is hard to remember the appropriate form. Give examples of common local errors, e.g. *I done my homework, I worn the jacket.*

Write a list of auxiliary verbs such as *have, been, is, are, was*, etc. on the board. Tell the children that you are going to teach them a special trick that will help them use the correct form.

Get them to study the column of verbs on the right side of the board and say what all these forms have in common and how they are different from the verbs in the left column. They will notice that every verb has an N in it. All the verbs in the right column have a 'crippled N' and need a helping crutch, the helping verb. Ask the children to choose a helping verb for each 'crippled N' verb. Demonstrate each verb by using both forms. (Example: 'You wouldn't say, *I written a story for English*. Neither would you say *I have wrote a story for English*. *Wrote* has no "crippled N" and does not need a crutch.')

Write the following on the board.

ran	run
became	become
began	begun
came	come
drank	drunk
rang	rung
sang	sung

Explain that sometimes neither of the forms has an N or both of them do. Ask the children to find what all the verbs on the right have in common. They should notice that they all have the 'uh' sound in them. These words also need help from a helping verb. Give some examples of each.

Follow-up activities you might use
Later a group might play a matching game with two sets of cards – one of auxiliary verbs like *have, was, did*, etc. and the other of past verb forms that require auxiliary verbs. The children have to match words from both these sets and then write a sentence for each match.

Adverbily

Suitable age range
Year 4 upwards.

Key learning focus
The understanding that adverbs describe how an action is carried out.

The place of this lesson in the literacy hour
This is an activity for a group to work on independently. It could also be profitably introduced to the whole class during the sentence level work section of the literacy hour.

What you will need to have available
Two lists of words. One list should be of action verbs which children could easily do in the classroom. The second list should be of adverbs such as *quickly, hurriedly, crossly*, etc. The following lists might be used.

run	quickly	hop	noisily	write	carelessly
jump	quietly	laugh	timidly		
talk	slowly	read	madly		

What to do during the lesson
Select one child from the class and ask him to choose a verb and an adverb from the word lists. The child then has to perform the action specified in the verb in the manner described by the adverb. For example, the verb might be *jump* and the adverb *quietly*. The child jumps quietly.

Do this a few times and then make a game of it. Ask the child to choose verb and adverb without telling anyone. The class have to guess what these are from the action that is performed.

Follow-up activities you might use
An extension to this is to select a child, who then has to go out of the room. Together you and the rest of the class choose an adverb. When the child comes back he tells various class members to perform some of the verbs from the list. They have to do this in the manner of the agreed adverb. The child tries to guess the adverb.

Fun with words

Suitable age range
Year 3 upwards, depending on the content you choose to use.

Key learning focus
Reinforcement of parts of speech and the constituents of a sentence.

The place of this lesson in the literacy hour
This is an activity for a group to work on independently.

What you will need to have available
• A supply of highlighter pens.
• Plenty of old newspapers.

What to do during the lesson
Children should have a highlighter pen each and several pages from newspapers. They can work in pairs if you prefer.

Depending on the skill you want to reinforce, they can be asked to highlight:

• common nouns	• two-syllable words	• suffixes
• proper nouns	• three-syllable words	• contractions
• verbs	• past tense	• singulars
• adjectives	• future tense	• plurals
• homophones	• present tense	• conjunctions
• homographs	• alliteration	
• pronouns	• prefixes	

Follow-up activities you might use
Groups can highlight other things, such as:
• ten words which they then have to join in alphabetical order
• the names of places which they then locate on a map
• numbers written in words, which they then write in digits
• words ending with -*ed*: the children should consider the sounds of the word endings and use one colour for [*t*] sound, one colour for [*d*] sound, one colour for [*ed*] sound.

Fantastic pictures!

Suitable age range
Year 3 upwards.

Key learning focus
Review of adjectives and nouns.

The place of this lesson in the literacy hour
This is an activity for a group to work on independently.

What you will need to have available
- Two boxes.
- Index cards.
- Art materials.

What to do during the lesson
Set up two boxes, one labelled NOUNS and the other ADJECTIVES.

Take 30 or so index cards and write one noun on each card, the more interesting and unusual the better. Some examples might be: *dinosaur, castle, centipede, monster.*

Next, write an adjective on each of 40 or more index cards. Choose adjectives that are interesting and visual, such as *purple, tremendous, spotted, fanged,* and *striped.*

Get individual children to choose one noun card and at least one adjective card from the boxes. Explain that they are to put the adjectives and nouns together and make a drawing (or a collage) of what they describe. The picture must show something fantastic – that is, something that probably could not be found in real life. Note that if the adjective and noun together represent something realistic (for example, a blue box or a red dress), children will need to choose other adjectives.

Follow-up activities you might use
Once children have done this activity, they can add to it by writing their own noun and adjective cards.

There is plenty of scope here for using other word classes – verbs and adverbs, for example.

Connecting ideas

Suitable age range
Year 3 upwards.

Key learning focus
The range of ways in which ideas can be joined together in compound sentences.

The place of this lesson in the literacy hour
This is an activity for a group to work on independently. It could also be profitably introduced to the whole class during the sentence level work section of the literacy hour.

What you will need to have available
A series of cards, in two sets. One set should each contain a sentence.

The other set should each contain a connective word or phrase, e.g. *in contrast, on the other hand, subsequently, furthermore, nevertheless, meanwhile, however, in spite of.*

What to do during the lesson
Children have to work in pairs. They pick two sentence cards at random and then a connective card. They then have to combine the sentences by the use of the connective and write down their new compound sentence. For example, if their sentences are:

The boy was playing with his dog.

and:

The boy's brother was doing his homework.

and the connective is:

in spite of

the sentence which might be made is:

> In spite of the boy playing noisily with his dog in the next room, the boy's brother was carefully doing his homework.

The children should then talk together as a group about the kinds of changes they had to make to their sentences to make them fit best.

Follow-up activities you might use
During a plenary session it would be useful to review the ways sentences change when they are combined.

Sentence consequences

Suitable age range
Year 3 upwards.

Key learning focus
The concept of word classes.

Ways in which sentences can be manipulated to develop meaning.

The place of this lesson in the literacy hour
This is an activity for a group to work on independently.

What you will need to have available
You will need a supply of grids for the children to work on. Each grid should contain several columns, each headed with a part of speech. A sample grid you might use with Year 6 children is given below. (This can be copied on to a large sheet and photocopied for use with your class).

ADJECTIVE	ADJECTIVE	NOUN	ADVERB	VERB	ADJECTIVE	ADJECTIVE	NOUN

For younger children you can simplify this, by using, for example, only one adjective each time, or omitting the adverb.

What to do during the lesson
Each child in the group has to think of an adjective and write it down in the first column. They then fold the column over so their word is not visible to the next person. The sheet is then passed to the next person who has to write an appropriate word in the next column. This sequence carries on until the grid is complete. The final person to receive it opens it up and then attempts to make a sentence from the components available.

Children should be encouraged to alter the words of the sentence, to change the order, to add in new words, or even miss some words out. Inevitably the resulting sentences will be somewhat wacky and will amuse the group a lot.

Follow-up activities you might use
It would be useful to review this activity during a plenary session to bring out the ways in which the component words were altered to make meaningful sentences.

Clause consequences

Suitable age range
Years 5–6.

Key learning focus
The constituent elements of clauses and how these can be combined.

The place of this lesson in the literacy hour
This is an activity for a group to work on independently. It could also be profitably introduced to the whole class during the sentence level work section of the literacy hour.

What you will need to have available
A supply of sheets containing clause grids. Each column of the grid needs to have as a heading a major part of a clause, as follows:
• participant – who is involved in the clause (the subject)
• process – what the participant is doing (verb)
• circumstance of place – where the action took place
• circumstance of time – when the action took place.

An example grid is given below; you could make a larger version for photocopying.

PARTICIPANT (Who was taking part in this action?)	PROCESS (What was happening?)	CIRCUMSTANCE OF PLACE (Where was it happening?)	CIRCUMSTANCE OF TIME (When did it take place?)

What to do during the lesson
Members of the group have a grid each and have to think of a participant to write in the appropriate column. This might be one word (*John*) or a more elaborate phrase (*the very fierce dragon*). They then fold the sheet so their writing is not visible and pass it to the next person.

The next person writes in a process, e.g. *was riding his bike, fell over.* The sheet is then folded and passed on again. The next two children write, respectively, where the event happened (*in the river, at the other end of the universe*), and when (*before human beings existed, last Saturday when the shops closed*), folding after each contribution. The sheet is passed on once more.

The final recipient has to read everything and combine the elements into a clause.

Follow-up activities you might use
It would be useful, after children have tried this activity, to discuss with them what it is that makes a clause funny or silly. They could then discuss how they might use this knowledge in their writing.

Reworking sentences

Suitable age range
Year 3 upwards.

Key learning focus
The way sentences can be adapted to convey different shades of meaning.

The place of this lesson in the literacy hour
This would be a useful activity to do as part of the sentence level work section of the literacy hour. There are also plenty of ways it could lead into group work.

What you will need to have available
• A white board or other flat surface upon which you can stick pieces of card with Blu-Tack
• Several word cards (Ensure you have enough cards to make a range of interesting sentences.)
• A supply of blank cards and a suitable pen to write on them.

What to do during the lesson
Begin by composing a sentence using the word cards. Make this a fairly simple sentence to begin with, such as *The dog bit the man.*
Read the sentence through with the class and point out that this is not a very interesting sentence. There are ways in which you can make it more interesting. Ask if they can think of ways.

They might suggest saying some more about the dog. Ask what more they could say and either use an already written card if you have one, or write a fresh card to add to the sentence. Talk about where you will add in the new information. Thus, they might suggest the dog was fierce. Write *fierce* on a card and add it into the sentence. Try it in several places until the children agree it is in the right place. *The **fierce** dog bit the man.*

Repeat this process with other parts of the sentence. You might use phrases as well as simple adjectives, e.g. *The dog **with the very sharp teeth greedily** bit the **fat** man **on his bare leg**.*

If you exhaust the possibilities with this sentence, then compose another. You might steer children's suggestions towards the kinds of grammatical features you are teaching at that time, e.g. phrases, clauses or adjectives.

Follow-up activities you might use
Groups of children can do this activity in reverse. Provide sentences
which are full of information and ask the children to reduce them to the
minimum words needed to keep them as sentences.

Grammar quizzes

Suitable age range
All Key Stage 2.

Key learning focus
Awareness of various grammatical features of English.

The place of this lesson in the literacy hour
This can be done as part of a whole class session, or, if written as a
worksheet, can be a group activity. It can also be set as a homework
activity.

What you will need to have available
Suitable illustrative material for the features you will include in the quiz.

What to do during the lesson
Set the children a quiz based on items of grammar, They can try to
answer the questions in teams, or individually. Questions you might
use include the following:

Find as many words as you can that sound the same but are spelt
differently (homophones), e.g. *right/write*.

Find as many words as you can that are spelt the same but have
different meanings (homonyms), e.g. *bat*.

Find the words that mean lots of certain animals, e.g. a *flock* of
sheep, a *pride* of lions.

Find as many plurals as you can that do not just add *–s*, e.g. *men*.

Find the nouns that go with the verbs, e.g. *speech* goes with *speak*,
emptiness goes with *empty*. (N.B. sometimes the nouns and verbs are
the same, e.g. *run, talk*.)

Follow-up activities you might use
Once they get the hang of this, children can set similar quizzes for each
other.

Transpositions

Suitable age range
Year 3 upwards.

Key learning focus
The use of language conventions for particular purposes, especially the
use of punctuation.

The place of this lesson in the literacy hour
These make good group activities. You might also want to use them in
whole class sessions if they fit your plans.

What you will need to have available
Texts and extracts that provide source material for the children to use.

What to do during the lesson
The task the children are given will be to transpose text from one form to another. They might, for example, change:
- speech bubbles in cartoons into direct speech dialogue
- reported speech into direct speech, and vice versa
- playscript extracts into direct speech dialogue
- transcribed speech into written prose.

After they have carried out such transpositions, discuss with them the kinds of changes they made. It will be especially useful to discuss punctuation changes as several punctuation conventions to do with speech can be brought out.

Follow-up activities you might use
Some able children may be able to discuss in more detail the different effects that direct and reported speech have in written texts. Why is one preferred to the other? And what would be the effects of changing it?

....

Speech bubbles

Suitable age range
Years 1–2.

Key learning focus
The nature and purpose of direct speech in stories.

The nature and function of speech marks.

The place of this lesson in the literacy hour
This will best be carried out as part of a whole class session, using a Big Book.

What you will need to have available
- A suitable Big Book version of a text containing plenty of direct speech (e.g. *Mr Gumpy's Outing* by John Burningham).

- Some way of writing on the Big Book pages. (If the book has laminated pages, a non-permanent marker pen will be suitable. Otherwise you will need a sheet of see-through plastic to act as an overlay.)

- A couple of examples of comic strips containing speech bubbles.

What to do during the lesson
Focus on a page of the book that contains direct speech. Draw children's attention to this and to the speech marks around it. Ask them to explain what the speech marks tell you. (That someone is saying these words.)

Ask if they know any other ways in which books tell them that someone is saying something.

Show them the comic strips and ask them to point to the things that people are saying. Make sure they understand the point of the speech bubbles.

Now draw a speech bubble on a page of the Big Book. It should clearly come from a picture of a character who speaks on that page. Ask them if they can tell you what to put in this speech bubble. Write in the bubble the words spoken by the character.

Repeat this several times with other pages.

Follow-up activities you might use
Some children might be able to write their own speech bubbles for characters in wordless picture books.

Teaching word level work

Conditional words

Suitable age range
Years 5–6.

Key learning focus
The ability to read, understand and be able to use conditional connecting words.

The place of this lesson in the literacy hour
This is a group activity.

What you will need to have available
Three sets of phrases/words written on cards. The first set should contain some sentence beginnings, e.g.

When you have filled in the form, you ...	When you have reached the zebra crossing, you ...	Once you have finished reading your book, you ...

The second set should contain some conditional connecting words, e.g.

could	might	should	must

The third set should contain some sentence endings, e.g.

... wait for the traffic to stop.	... want to read another by the same author.	... send it to the above address.

What to do during the lesson
Children should pick a sentence beginning at random and then try to find an appropriate ending to go with it.

They should then explore the effects of using the different conditional words to join together the two sections. What difference does each conditional word make to the meaning of the sentence?

Follow-up activities you might use
During a plenary session children can explain what they have been doing.

They could also make up their own sentence beginnings and endings to illustrate the effects of the various conditionals.

Horrid homophones

Suitable age range
Years 5–6.

Key learning focus
The understanding that there are words which sound the same but which are spelt differently, e.g. *your–you're, whose–who's, there–their* and *past–passed*.

The place of this lesson in the literacy hour
This is a whole class lesson. You could plan for some group follow-up activities.

What you will need to have available
A list of words that have homophones and are often misused by children in their writing. The following is a list of homophones that might be used.

to, too, two	aloud, allowed	its, it's
who's, whose	guessed, guest	patience, patients
your, you're	so, sew, sow	pair, pear, pare
there, their, they're	sight, cite, site	sail, sale
past, passed	stationary, stationery	sent, scent, cent
blue, blew	principal, principle	wail, whale

What to do during the lesson
Divide the class into groups of about ten each. One child from each group goes to the chalkboard and you pronounce one word that has a homophone. The child at the board then writes a sentence that contains both forms of the word used correctly in the same sentence. For example, if you pronounced the word *threw* or *through*, the child might write a sentence such as the following: *I threw the rock through the window.*

Act as scorekeeper and gives points to each team for each correct sentence as the activity proceeds. New children should come to the chalkboard after each homophone pair until every child has had a chance to write a sentence at the chalkboard. The team with the most points is declared the winner.

End the game by discussing with the children the ways that the writer has to be more specific than the speaker. This discussion can include the reasons for good spelling, punctuation, grammar, and so on!

Follow-up activities you might use
Ask each group to list as many homophones as they can in a short period of time. Also, each group might be given a list of words that have homophones and be asked to find the homophone for each.

Partner quizzes in spelling

Suitable age range
Year 2 upwards.

Key learning focus
The learning of individual spelling lists through the use of collaborative partnerships.

The place of this lesson in the literacy hour
This can be a regular group activity, although it will probably need to be introduced during a whole class session and reviewed occasionally during plenary sessions.

What you will need to have available
- To prepare for partner quizzes, the children will need to collect and study six to ten words that they have not yet mastered, but would find useful. These 'need to know' words should come from weekly whole-class quizzes that you conduct and from children's own writing.

- To begin the activity you will also need a set of cards with individual children's names on them.

What to do during the lesson
Ask children to get out their 'need to know' lists for the week. Be sure their lists are neat and readable. If a list contains homophones, such as *our* and *hour*, the child should draw a picture clue, such as a clock, next to one of the words to help the test giver distinguish them.

Shuffle the name cards and draw pairs randomly to determine who will work together. The children should find their partners and sit together in the classroom.

Explain that the purpose of partner quizzes is to enable them to help each other become better spellers. Then ask them to follow these steps:

1. Exchange your lists and decide who will be quizzed first.

2. Quiz givers should call out each word and use it in a sentence, while the quiz taker writes the word down. Remember, no hints – your partner is responsible for knowing his or her own spelling words.

3. If you're the quiz giver and you can't read a word, let your partner help if he or she can (without looking at the word), or ask the teacher to whisper it to you.

4. When you've finished the first quiz, switch roles and repeat the process.

5. Work quickly and efficiently. Two partner quizzes should take only about ten minutes

After the children have quizzed each other, get the quiz givers to call out the correct spelling of each word, while the quiz takers mark the ones that they misspelt.

Ask them to hand in their quizzes so you can quickly check their work. Get them to recycle misspelt words by putting them back on their 'need to know' lists.

If a child is continually scoring poorly, talk to him to find out why. He may need to try harder, work on fewer spelling words at a time, or choose easier words.

Get your super spellers to use spelling time for vocabulary enrichment. Encourage them to identify words that they might use in their writing, but are not sure how to spell.

Tips for making partner quizzes work

- Keep spelling lists short. Year 2–3 children should choose about six words a week, while older children should choose about ten. Short lists will reduce the time needed for partner quizzes and other spelling activities, leaving more time for reading and writing.

- Make sure the lists are composed of words and patterns that your children actually use. *Egypt*, for example, is generally more appropriate for Year 5 children than *sarcophagus*!

- Do not underestimate the power of recycling words. Continued practice is a good way to build spelling consciousness.

- Set a tone of comfortable rigour. Encouraging shorter lists or easier words for good reason does not mean you are lax about spelling.

- Make sure you have given your children sufficient time to learn the words they wish to spell correctly. They cannot learn words without giving them some attention and this requires time.

- Make sure also that you introduce them to a means of learning spellings. It is not sufficient simply to say to them, 'Take those words away and learn them'. They will need to know how to learn. Probably the most productive approach is to introduce them to the look–cover–write–check procedure. This works as follows:

  Children should have a small booklet that they use for spelling. This may be organized with one page per letter of the alphabet, although this is not essential.

  When they are learning a spelling they have first to make sure they have a *correct* version of the word in their booklets.

  They look carefully at the word and try to get a picture of it in their mind's eye. You might get them to close their eyes and try to keep the picture of the word in their heads.

  When they are fairly confident they have the picture in their minds, they cover the word in the booklet. This can be done by folding over half the page of the booklet, leaving a second, blank half for them to use.

  They should now write the word from memory into the blank section of the booklet.

  They then check what they have written against the original word. If they have spelt it correctly they should try to repeat this just to make sure.

  If they have made a mistake with the word they should go back to the very beginning of the process and look again at the original word.

Vocabulary building

Suitable age range
Year 1 upwards.

Key learning focus
Extension of vocabulary.

The place of this lesson in the literacy hour
Some of the activities here could be done as part of a whole class session, others fit best into group work sessions.

What you will need to have available
A supply of magazines and other texts which children could cut up, highlight words in, etc.

What to do during the lesson
The following activities can be used at any time and for any subject.

- *Brainstorming*
  Ask each child to give you a word related to a colour, a theme (*bears, whales, season*, etc.), or a feeling (*sad, happy, excited, upset*, etc.). List these words on the flipchart. The stress here should be simply on the children generating words to fit the particular category.

- *Concept mapping*
  Draw a picture of your subject or place the word in the centre of your board or paper. Connect words or pictures related to your main subject with lines from the central picture or word.

- *Change text*
  Read a nursery rhyme or other familiar text and get children to think of other words to fit in place of a word, either meaning the same thing or meaning something totally different. For example, in *Hey Diddle Diddle*, think of other verbs in 'The cow jumped over the moon', such as 'The cow stepped over the moon', 'The cow fell over the moon', etc.

- *Fruit shapes*
  On a large outline of a particular fruit, write the names of other things the children can name that are the same colour.

- *Letter shapes*
  Start with a large outline letter shape and get children to suggest things that begin with that letter. Some children might be able to cut out pictures of appropriate things.

- *Theme words*
  Using a theme – for example, The Zoo, Spring, Bonfire Night, The Sea – get children to collect words (or pictures of things) related to that theme.

Once you establish this kind of activity, it can form part of the work you do on any topic.

The blending slide

Suitable age range
Reception–Year 1.

Key learning focus
The ability to blend sounds together to form consonant–vowel–consonant (CVC) words.

The place of this lesson in the literacy hour
This can be done during the whole class word work session.

What you will need to have available
A large picture of a slide in a park or playground. Put a pocket at the bottom of the slide to hold a consonant card.

A supply of small cards. Red cards should each have a consonant written on them. Yellow cards should each have a vowel.

What to do during the lesson
Discuss the differences between consonants and vowels.

Tell the following story.

> The alphabet sounds were out at playtime. Several of the sounds wanted to go down the slide. (*Take out the large cardboard slide.*) All the consonants loved to play on the slide, but the vowels never went on the slide. One day *c* (*use sound, not letter name*) said to *a* (*use short sound for a*), 'Come on, let's go and play on the slide.' *A* said, 'No, thank you.' You see all the vowels were really afraid to slide down. But *c* said, 'It's really fun. I'll go down with you, so you won't be afraid.' *A* thought about it, but said he was afraid he might fall off when he got to the bottom, so he still didn't want to go. Well, *t* heard them talking and said he would be glad to wait at the bottom to catch *a*, so he wouldn't fall. After a little coaxing, *a* decided to try. So *c* and *a* went up the steps together.

Hold the *c* card and the *a* card together as you move them up the steps of the slide saying *ca, ca, ca, ca*. (Get the class to say the sounds with you.) You should have the *t* card waiting in a pocket at the bottom of the slide. When *c* and *a* reach the top, they slide down saying *ca-a-a-a-a a* ... until they bump into *t*, forming the word *cat*.

Continue the story.

> *A* thought that was really fun, and said that they made a word. Did you hear what they said? They made *cat*. *A* wanted to do that again. This time *p* (*always use letter sound, not letter name*) waited at the bottom of the slide and *c* and *a* went up the slide again – *ca, ca, ca, ca* (*up the slide steps*) – *ca-a-a-a-a-a* – (*on the way down*) – *p* (*as they bump into p at the bottom*). 'Hurray!' shouted *a*, 'We made another word ... cap!' Soon, the other vowels saw how much fun *a* was having, and they wanted to try, too.

Continue the process of sliding down with different consonant and vowel sounds.

Reinforcing alphabet names and sounds

Suitable age range
Reception–Year 1.

Key learning focus
The names of letters and their most common initial sounds.

The place of this lesson in the literacy hour
This is an activity for a class lesson on word work.

What you will need to have available
A set of alphabet cards, upper or lower case depending on your children.

What to do during the lesson
The children should sit in a circle. Each child picks an alphabet letter out of a hat (a different one for each child or every other child). Ask them to identify the letter as they take it out of the hat and then think of something that begins with that sound.

They should then place the letters on the floor and stand up. Play a musical march and the children march around the circle until the music stops.

When the music stops the children sit down by a new letter and repeat the above procedure. You need to spot check the accuracy of their letter and sound identification, or perhaps get them to work in pairs to check each other.

Follow-up activities you might use
On other occasions you could use this same procedure to focus on initial consonant blends, digraphs, etc.

....

As busy as a bee

Suitable age range
Year 3 upwards.

Key learning focus
Recognition and use of similes.

The place of this lesson in the literacy hour
This begins as a whole class lesson and then carries on as a group activity.

What you will need to have available
A chalkboard or other writing surface.

What to do during the lesson
Introduce similes to the children by writing the word *boy* on the chalkboard. Tell the class you want them to describe a boy. This will not necessarily be a boy in the class.

Write the descriptions that the class might suggest under the word *boy*. Ask questions such as 'How big?' or 'What shade of blue?' in response to any descriptions that are given. This will be the beginning of simile writing.

After these descriptions have been compiled, tell the class to compare their descriptions to things that are unlike the words being described. Example: *His eyes are as brown as chocolate*. Continue to do this until all the descriptions have been compared.

Write words such as *clown, house, tower, apple, lion, baby* and *sky*. Tell the class to describe one of the words using a simile on a slip of paper. Children can then read out their descriptions and the class can guess which word is being described.

Break the class into groups of three. Give them sheets of paper that have been pre-folded into thirds. Each child in the group will have a special writing job.

Child 1 will write a short subject that includes a linking verb, e.g. *The man's head is ...*

Child 2 will write a simile in the second column (without looking at the first column), e.g. *as slow as a snail*.

Child 3 will write a phrase telling how, when, where, or why, e.g. *when he flies*.

When the three columns are read together, some very humorous sentences will have been formed. Example: *The tall boy's hair is / as thick as a rug / when he runs*. Continue to do this activity until each child has had a chance to write in all three columns. Children will enjoy reading their sentences.

....

Word lore

Suitable age range
Years 5–6.

Key learning focus
An understanding that words have histories and that knowing these histories can often help us remember how to spell the words.

The place of this lesson in the literacy hour
This begins as a whole class session. It also involves group activities and reporting back in the plenary session.

What you will need to have available
You will need a supply of good dictionaries, which give etymological information about words. A couple of copies of books such as *Brewer's Dictionary of Phrase and Fable* would also be useful.

You will need to have several lists of words that are related according to the topic they are linked with. Some possible word lists are as follows:

WORDS RELATED TO FOODS	WORDS RELATED TO CLOTHING	WORDS RELATED TO MUSIC
ingredient	knitwear	harp
honeycomb	leotard	recital
gingerbread	feathery	vocalize
parsley	fashion	lullaby
sherry	fabric	rhythm
yeast	bobbin	polka
barley	nylon	anthem
celery	pyjamas	concerto
cucumber	petticoat	symphony
lettuce	bathrobe	percussion
sirloin	bias	guitar
oyster	bikini	chorus
pizza	pullover	waltz
porridge	sandal	xylophone

What to do during the lesson
Ask the children to brainstorm a list of words that are related to a particular theme, for example food or clothing. After they have finished, explain to them the diversity of word origins in the English language and, more specifically, in this area. Discuss a few word examples to stimulate interest in the origin of topic-related words:

- Cooks and etymologists have speculated on the origin of the word *sirloin* and gone far astray. The most popular theory was that this choice cut of meat had once appealed so strongly to King Henry VIII that he tapped it with his sword and dubbed it 'sir' before settling down to the feast. Thus, he gave a knighthood to the steak, 'Sir Loin.' This is completely untrue, as the word sirloin originally was a French word, *surlonge*, formed from *sur*, 'above', and *longe*, 'loin'. In fact, sirloin came into English from French at the time of the Norman Conquest, centuries before the reign of Henry VIII!

A fashionable thing to wear in summer is the two-piece bathing suit named the *bikini*. As many of its wearers may be only dimly aware, it takes its name from an atoll in the Marshall Islands where the United States held its first post-World War II tests of the atomic bomb. It may have got its name from the comparatively scanty attire of the original inhabitants of Bikini atoll, but Webster's Third *New International Dictionary* claims that it comes 'from the comparison of the effects wrought by a scantily clad woman to the effects of an atomic bomb'!

Get the children to work in small groups to research the origin of a word from one of your lists. You may either choose a word for the group, or ask them to choose one for themselves. They will need to consult the dictionaries and other resource books you have provided.

After each group has finished, they should report their findings to the class. Compare the similarities and differences of word origins.

Follow-up activities you might use
Get children to generate, research and share other topic-related words. They might also make a class bulletin board showing topic-related words and their origins.

Memory tricks

Suitable age range
Year 4 upwards.

Key learning focus
To be able to create a mnemonic device for a tricky spelling word and present orally a mnemonic to the class on OHP.

The place of this lesson in the literacy hour
This activity begins as whole class word level work, then develops into a group independent activity and a plenary session.

What you will need to have available
You will need some examples of mnemonics, a list of words with mnemonic devices, a flipchart or whiteboard, one OHP transparency per group with pens and magazines or newspapers for cutting.

What to do during the lesson
Introduce mnemonics as a spelling strategy, using a large poster or OHP transparency of some of the mnemonics listed above. With the whole class you can develop mnemonics for other words. As a group activity give children a word or words from the list and ask them to design a mnemonic to help remember it. The group must decide which is their 'best' mnemonic and present it to the class as a poster.

Follow-up activities you might use
Display the mnemonics developed by each group for the benefit of the whole class.

Develop a list of frequently misspelt words in children's writing. Ask the children to create mnemonic devices for one or two of these words and present them to the class.

SOME SPELLING MNEMONICS		
PROBLEM WORD	COMMON CONFUSION	A MNEMONIC TO HELP
antidote	antedote	I hid the antidote.
awful	awfull	Ulcers are awful.
bargain	bargin	What did you gain in that bargain?
boundary	boundery	A boundary contains the area enclosed.
category	catugory	Someone with a big ego is in a category all by himself!
essential	esential	Is this mess essential?
grateful	greatful	Be grateful we don't hate bulbs.
imitate	immitate	Limit what you imitate.
innocent	inosent	In no century is murder an innocent crime.
lettuce	lettis	Lettuce is one kind of produce.
pursue	persue	U (you) might pursue a purse-snatcher.
ransom	ransome	Ransom Tom.
sandal	sandle	In the sand Al wore one sandal.
scissors	sissors	Don't be scared by scissors.
binoculars	binnoculars	The binoculars are in the bin.
separate	seperate	There is a rat in separate.
raspberry	rasberry	I grasp the raspberry.

Silly rhymes

Suitable age range
Reception–Year 1.

Key learning focus
The ability to discriminate onsets from rimes in spoken language, e.g. *tip, sip, skip, slip, chip*, and to explore and extemporize on these patterns.

The place of this lesson in the literacy hour
The session begins as whole class reading of a rhyming text and develops into a word level session about rhyme. This can lead into group activity and a plenary session.

What you will need to have available
A rhyming Big Book or a nursery rhyme poster and a ball of string. For group activities you will need a listening centre.

What to do during the lesson
Begin the class session by chanting a familiar rhyme, either from a book or a nursery rhyme, and draw the children's attention to the idea of rhyming words.

Make up rhyming couplets on the basis of a known rhyme, e.g. 'Little Boy Blue', allowing the children to fill in the rhyming word: *Little boy green, Was skinny as a …* Then make up a class rhyme using patterned text, e.g. *Here is a house as grey as a mouse. Here is a cat as black as a hat.*

Say a word, e.g. *rat*. Throw a ball of string to a child while keeping hold of one end. The child says a rhyming word, and then, holding on to the string, throws the ball to another child who says a rhyming word, and so on. After five or six words, the teacher winds back the string and as each child is reached, she says her words again. In both these activities, model the use of a range of onsets, e.g. *sing, sting, string, wing, swing,* and rhymes, e.g. *fear, dear, spear, gear.*

Follow-up activities you might use
For children who are unfamiliar with rhymes use a listening centre and matching rhyming cards.

Ask the children to draw or collect things that rhyme with their own name, e.g. characters, objects from a book, items in the room.

Make a rhyming table (objects and pictures) with two or three different sets, e.g. star, jar/snail, nail, tail, sail/blue, glue, shoe, zoo.

In a plenary session children can tell the rest of the class all the rhyming words they have found, can think of, or have made up in the session.

Same sssssounds

Suitable age range
Reception–Year 1.

Key learning focus
The ability to recognize and explore patterns of alliteration.

The place of this lesson in the literacy hour
The session begins as whole class reading of a rhyming text and develops into a word level session about alliteration. This can lead to group activity.

What you will need to have available
A Big Book or a poster of a rhyming text.

What to do during the lesson
Some rhymes contain alliterative phrases (e.g. 'Little Boy Blue', 'Lucy Locket'). Many children need explicit help with this, and phonemes such as /s/ and /m/ are a useful first step. The following suggestions are for the phoneme /s/. Similar activities can be carried out with /m/, /f/, /l/, /c/, /p/.

As a whole class, sing or chant rhymes which feature alliteration, e.g. /s/ is emphasized in 'Simple Simon' and 'Sing a Song of Sixpence'. Use a toy snake or a picture and ask the children what sound it makes – *sss*. Suggest that snakes slither and slide; children can make the twisting, slithering movements in the air. Make up a slogan, such as 'snakes slither and slide in the sun'. Children can chant the slogan and clap each word, emphasizing the /s/.

Focus on names that begin with /s/. Children can make up actions based on children's names, e.g. *Strong Simon sneezes.*

Play a variation on Simon Says or My Grandmother Went Shopping and Bought... using only objects beginning with /s/.

In groups children could collect all the words they can read starting with a particular letter and display them. Use games for sorting pictures into groups.

Use pictures starting with the same letter for matching pairs, putting them into group games such as Snap, Matching Pairs, Donkey and Bingo.

Starting sounds

Suitable age range
Reception–Year 1.

Key learning focus
The ability to recognize all the initial consonants and short vowel sounds in speech and in writing, including *sh*, *ch* and *th*, and identify and write correct initial letters in response to the letter-sound, word, object or picture.

The place of this lesson in the literacy hour
The session begins as whole class reading of a rhyming text and develops into a word level session about alliteration. This can lead to group activity.

What you will need to have available
A rhyming Big Book or poster, with an acetate sheet to write on.

What to do during the lesson
Children who can hear the initial phoneme of words will be able to learn the corresponding letters quite quickly. Some letters are learned particularly quickly (*s, m, o, z, a, p, j*). Some are more difficult (*w, i, q, y, u, l, e*).

Use a shared reading text to emphasize a particular phoneme, e.g. *m*. Ask which words start with *m* and point out the initial letter. Children should be able to point out the initial letters of all the words beginning with *m*. An alternative would be to underline with coloured pen on a laminated poster or photocopied page.

As part of a shared writing activity, ask children to tell you which phoneme is at the beginning of a particular word and which letter is required. Sing *Ants in the apple, a, a, a* to the tune of 'Skip to My Lou', making up a verse for each letter.

Following the whole class session, a group could make concertina books using each fold for a letter of the alphabet, suitably illustrated. Alternatively, each group could make a pack of cards, drawing a picture on one side and writing a corresponding initial letter on the reverse.

Follow-up activities you might use
Use a pack of picture cards and a pack of letter cards for various activities, e.g. sort the pictures according to initial sound. The cards could be combined and used to play games such as Snap, Matching Pairs, Donkey, Bingo and Dominoes.

Antonyms

Suitable age range
Year 3.

Key learning focus
The ability to recognize and use antonyms.

The place of this lesson in the literacy hour
This activity could begin as a whole class session and continue as group work.

What you will need to have available
A shared reading passage (as a photocopied excerpt, OHP, or poster) which introduces a character. Pictures of characters from books or magazines.

What to do during the lesson
Antonyms are words that have the opposite meanings to other words. Study of antonyms goes well with text level work about characters in fiction or sentence level work on adjectives.

Begin by reading the shared reading passage that describes a character. Ask the children to pick out the adjectives that are used in the description and discuss what effect they create. Underline the adjectives on the large copy of the text. Then explain to the class that some of these words have antonyms – words with opposite meanings. Go through the adjectives you have underlined one by one, asking the children to supply antonyms where possible. Write out the new description and read it to the class. What is the effect of the antonyms?

Follow-up activities you might use
You may want to discuss the issue that not all adjectives have antonyms (e.g. *green*) and list, on a flipchart or board, adjectives which do not have antonyms and those which do.

Give each group a picture of a person, thing or animal. Ask the children to make a list of at least seven adjectives that describe the picture. Then they should make a list of any antonyms of these adjectives.

Gender words

Suitable age range
Year 3 upwards.

Key learning focus
Recognition of masculine, feminine and common gender words.

The place of this lesson in the literacy hour
This session can start in any shared reading involving animal or certain gender nouns. A shared reading of a fable is a good start because it offers the opportunity for group work and a plenary session.

What you will need to have available
A fable (such as 'The Fox and the Crow', 'Sour Grapes' or 'The Dog and the Bone') in a suitable format for shared reading – as an OHP, a Big Book, a poster or photocopied excerpts.

What to do during the lesson
Begin the session by using the fable for shared reading. This will involve discussion of the text level features such as the structure and moral of fables, when they were written and why, etc. Pick out the word *fox* (or *dog*, etc.) and ask the children what a female fox is called. If the answer is not known a dictionary or encyclopaedia should be used to model looking it up. Identify masculine and feminine gender nouns.

Use a large sheet of paper to make two lists – masculine nouns and feminine nouns. The class should be able to identify a good number of pairs, including *king, queen; goose, gander; fox, vixen;* etc. Then write up *doctor, passenger* and *helper*. Are these male or female? You will probably discuss professional roles, but essentially, these are common gender nouns – the people could be male or female.

Follow-up activities you might use
In groups children should identify as many common gender nouns as they can, then try to write a sentence which includes in it one of each type. e.g. *The boy and the princess spoke to the teacher.*

Abbreviations

Suitable age range
Year 3 upwards.

Key learning focus
To recognize and use different types of abbreviations.

The place of this lesson in the literacy hour
This could be introduced during a whole class session and then followed up during a group activity.

What you will need to have available
A large poster with several abbreviations already on it. If this is laminated in some way you will be able to write on it using non-permanent pen.

The abbreviations should be of several types, including:
• abbreviations using the initial letters of proper nouns, e.g. BBC, RSPCA, VC, PC, HMS, RAF
• abbreviations which are shortened forms, e.g. Glos., Beds., Lancs., Yorks.
• abbreviations which are formed from the initial letters of parts of words, e.g. kg, ml, km
• abbreviations which are short forms for foreign words or phrases, e.g. etc., am, pm, e.g., RSVP.
• more recent abbreviations used in electronic communications, e.g. BFN (Bye for now), ROTFL (Rolling on the floor laughing), ISTR (I seem to remember), IMHO (In my humble opinion).

What to do during the lesson
Ask the children if they know what an abbreviation is. If any do, ask them to tell you one, which you then write on the flipchart or board. If not, explain the idea of shortening words to them and give them some examples.

Explain that there are different kinds of abbreviations and show the poster. Ask the children if they can interpret these abbreviations. You could write the meaning of each abbreviation on the poster.

Set them an abbreviation challenge. They have to hunt for abbreviations in what they read and try to find at least 25 different ones by the end of the day/week or whatever time you think appropriate. You could check on their progress during a plenary session.

Follow-up activities you might use
Find some classified advertisements that contain abbreviations and set children the problem of deciphering them. Estate agents' advertisements are often a good place to look.

Example: *St. Leonards 4b, 2rec, gch and dbl grg. Oiro £75,000*

Monitoring children's progress in primary English

Introduction

The increasing emphasis upon assessment

Over the past few years, with the establishment of the National Curriculum and the institution of a national testing programme, a much greater emphasis has been placed upon assessment. Many teachers would argue that this has been too great. The main concern of teachers, they would claim, should be with teaching rather than testing. It is difficult not to feel sympathy with this point of view and to agree that there are real dangers of the assessment tail wagging the teaching dog. Certainly assessment should be the servant of good teaching rather than the master and nobody would wish for the crude 'teaching to the test' which has occurred in earlier educational eras.

It is, nevertheless, important to realize that ideally there are very close links between assessment and teaching. All teachers need to relate what they teach to the abilities and aptitudes of their children, and they need to have some means of ascertaining what these are. All teachers, therefore, assess, of necessity. Often, however, this is done in a very ad hoc way, by the forming of general impressions – impressions that are sometimes almost complete after no more than a few weeks of knowing particular children. The problem with this ad hoc assessment system is that important clues as to children's abilities can often be missed because the teacher is not organized to notice or record them. A more systematic approach to assessment is ideally required, which goes beyond the impressionistic.

> Assessment and teaching are very closely linked. The most effective teaching is that which closely meets children's learning needs, and these needs can only be determined by some form of assessment.

Nor is it sufficient for teachers to rely solely upon the administration of one or more tests at the end of each year, or even twice yearly. Such tests, if they are chosen with care, can give useful information about children's yearly progress and the standards that have been achieved, but the teaching strategies a teacher uses can quickly become hopelessly inappropriate if the only information they are based upon is the annual summative assessment. Most teachers, in fact, realize this and make a series of informal judgements about children as they go along. Again the major need is to systematize these informal judgements.

In this chapter we will attempt to give a firm basis for the systematic assessment of children's learning in primary English. In the latter half of the chapter we will suggest several practical strategies for assessment, but first there are several issues which need to be understood. These include the important question of purpose and issues related to the various approaches to assessment. We will begin by discussing the crucial question, 'why assess?'

Why assess?

There are several reasons why assessments are made of children. We will briefly describe six of these. Teachers assess children:

- to maintain and improve standards
- to compare pupils
- to measure progress
- to evaluate teaching approaches
- to diagnose difficulties
- to help match materials and methods to particular needs.

A further result of the use of assessment should be to increase the professional competence of teachers. In order to qualify as professionals, teachers need to be able to advance sound justifications for their actions and assessment can be one powerful source of such justifications. Assessment is not an optional extra in teaching, but an essential, integral part of the process.

Maintaining standards

If people outside of the teaching profession are asked to justify the place of assessment, one popular reason they will give will be 'to maintain standards'. There is obviously some force in this since schools, in order to ensure that they are producing children who can perform to an acceptable level, clearly need some kind of assessment of what this level of performance is. The maintenance of standards implies that this level of performance should at least remain the same over a period of time, and most people, teachers included, would hope it would rise.

Raising standards is currently an important idea in education development, and a great deal of energy is being directed towards this as an aim.

Making comparisons

Assessments are also used to compare pupils within particular groups, such as school or class populations, or even on a national basis. Such comparisons may be used as a means of allocating resources to particular groups. A school or a local authority may, for example, decide to provide extra teaching equipment or teaching help to a group of children who have been identified as having special needs. Another use of such comparisons occurs when parents look at the assessment results of two or more schools and decide to which they will send their offspring on the basis of these. Fears have been expressed that widespread national assessments will lead more frequently to this situation, which discriminates in favour of those schools who already have such advantages as a high level of resources, an experienced and able teaching force and a highly advantaged catchment area.

Measuring progress

Assessments can also be used to measure children's progress. Many schools administer some form of assessment to their children at the end of set periods, such as a year or six months. They then record the results in such a way that indicates whether children have made progress over a longer period.

Evaluating teaching approaches

One of the products of such assessments of progress might be an evaluation of the teaching methods and materials experienced by the children. Assessments of children's progress are not the only source of this evaluation. Teachers will also evaluate materials and approaches on the grounds of their complexity, ease of operation and intelligibility. The extent of children's learning is, however, an important and necessary criterion for judging the success of teaching approaches.

Diagnosing difficulties
A further use of assessment is to identify particular difficulties which individual children may have. This can be done at several levels, from an assessment that a particular child is weaker in mathematics, for example, than other curriculum areas, to a detailed statement of precise problems within a particular curriculum area.

Matching materials to children
As a result of diagnosing children's problems, judgements may also be made as to the kinds of materials and teaching methods that would best fit individual children's needs. Teaching can therefore be tailored to these needs.

Who is assessment for?

It will already be apparent from the above description of the purposes of assessment that a range of interested parties have a concern with the assessments made of children. It is possible to identify four directions from which this concern comes. There is a national concern with assessment, and there is also concern at the local authority level. Schools as institutions have an interest in assessment, as do individual teachers. But from each of these perspectives assessment serves rather different purposes.

> Different people use assessment for different purposes. It is likely then that the means of assessment appropriate to these purposes will differ.

National interests
At a national level the prime purpose of assessment is to keep a check on national standards of achievement. When national standards appear not to be making the advances they might, this is usually the signal for national government initiatives. Both the National Curriculum and the National Literacy Strategy were instigated as a result of concern over standards, and there have been several other examples of this happening.

National Curriculum assessment strategies also show a concern with the measurement of progress, since schools are expected to report each year on the progress of their children through the various levels of attainment. This is, however, done on a group basis and the progress of individual children is not reported. Such reporting also allows comparisons to be made between the achievements of groups of children from different schools. The first three assessment purposes are therefore applicable at a national level.

The final three purposes are, however, not really applicable. National government does not have responsibility for determining the use of particular teaching approaches, although with the onset of the National Literacy Strategy with its quite prescriptive approach to teaching (the literacy hour, for example) this is changing somewhat. It therefore has only a very general interest in using assessments to evaluate these approaches, and it may express this interest through nationally sponsored research. Neither the diagnosis of difficulties nor the matching of materials to children's needs are national concerns. These are more properly concerns at a more local level.

Local authority interests

A local education authority will have similar requirements from assessment procedures to national government, but on a smaller scale. It needs to keep a check on whether standards are being maintained in its schools and will also want to know that cohorts of children are making progress. As with national government this will only be done on a group basis and individual children's records of progress are unlikely to be kept by the local authority.

Local authorities are sometimes concerned with comparing groups of children. Some authorities still operate selection systems for post-primary education and use assessment to determine which children are given particular kinds of secondary education. More commonly, authorities often operate screening procedures, using a variety of assessment techniques, in order to identify groups of children who need extra help, usually in reading. These procedures are sometimes followed up by a diagnosis of individual difficulties, so that a basis for the extra help can be determined. The teachers directly involved with the children concerned, although sponsored by the authority, will usually do such diagnosis, however.

As with national government it is rare for local authorities to make decisions on teaching approaches and materials. They are therefore not really concerned with the evaluation of these through assessment. Neither are they concerned with the matching of materials and methods to the needs of particular children.

School interests

At the school level a slightly wider range of purposes for assessment applies. The school will be concerned to maintain its standards of achievement and to keep track of the progress made by its pupils. Usually it will do this by means of a system of individual records, a large part of which will be completed on the basis of assessments of various kinds. The school might wish to compare the achievements of various groups of pupils, either to identify groups in need of particular help, or to separate children into groups for purposes such as streaming or setting. Although full streaming is comparatively rare in primary schools, setting for purposes such as group work in the second half of the literacy hour is widely employed.

Schools may also use assessment as a means of evaluating teaching materials and approaches on a fairly regular basis. They may, for example, decide to change, or abandon, a reading scheme on the grounds that its use did not seem to have led to sufficient improvement in their children's abilities at reading.

The purposes of diagnosing difficulties and matching materials to needs are only oblique concerns at the school level. On a day-to-day basis individual teachers, who may comply with a general school policy but usually have some autonomy in their actions, carry out these tasks.

Assessment and the teacher's role

The class teacher's view

From teachers' points of view all of the purposes for assessment described above have some application, although some are more central to the role of a teacher than others. Teachers are concerned with maintaining standards, yet probably do not give this attention on a daily basis, as there are other more prominent things which grab their attention. Likewise, they are concerned with the progress made by the children in their care, yet probably give this aspect attention only in special circumstances. If they have children who are giving them particular concern, they may well be aware of the progress of these children week by week, or month by month. With the majority of their pupils, however, progress will usually figure in their thoughts only at greater intervals, for instance immediately following a general assessment such as a test. Teachers will also make comparisons between groups of their children, perhaps in order to assign groups to particular programmes or to allocate their own limited time, yet will often do this only at considerable intervals. Some teachers may continually form and reform classroom groups as a result of ongoing assessments, but they are comparatively rare.

Since teachers are directly concerned with the day-to-day administration of programmes of instruction, they need to make extensive use of assessment for purposes concerned with this. They need to diagnose particular needs and to match these needs to teaching materials and methods, as a result of which they inevitably make evaluations of these materials and methods.

It can be seen, therefore, that assessment serves a different range of purposes from each of these four perspectives. This being the case, it would seem to follow that each perspective ideally requires slightly different forms of assessment in order to satisfy its purposes. An assessment technique which satisfies the needs of national government or a local authority is unlikely to give a teacher sufficient information upon which to base a responsive teaching programme. Teachers, in particular, need to consider very carefully the information they require about their children's language and literacy development and to plan an assessment programme based upon this.

Approaches to assessment

Summative and formative assessment

In some circumstances assessment takes the form of a series of tests (or examinations) administered after the completion of a teaching programme. This 'summative' evaluation can provide valuable information about the effects of the total programme, and is appropriate in the case of fixed-length units of teaching such as particular topics in history, science or other curriculum areas. The teaching of language and literacy, however, is far more of a long-term, developmental process. Important decisions about the methods and materials used need to be made during the course of their use rather than only at the end of the programme.

This is not to say that there is no place for summative evaluation in primary English teaching. There may well be some value in regular end of term or end of year summative checks on children's progress since these provide useful statements on progress made. They are not, however, particularly useful for the purpose of evaluating specific teaching procedures or of tailoring programmes to developing individual needs. For these purposes it is necessary to assess regularly as the teaching programme is going on, and to use the information gained from these assessments to influence the design and implementation of the programme as it is actually happening. This 'formative' assessment is a vital part of primary English teaching, not least because of the opportunities it provides for focusing teaching strategies upon areas of need, at the precise time of need. This kind of assessment cannot be left to outside agencies such as local authority screening programmes, or even to school-determined assessment programmes, since it must relate precisely to individual teachers' programmes. It therefore needs to be carried out by teachers themselves, often using assessment strategies of their own design. Some guidelines for the development of these strategies will be given later. At this point we will explore what exactly we are doing when we are assessing language and literacy development.

In order to be reasonably sure of arriving at an accurate assessment of a child's language and literacy development you could investigate and observe all the instances of a child's use of language and literacy over a period of, say, a month. This would involve making judgements about each particular language and literacy task, for example, how well the child performed, which aspects of the task were found difficult and which easy, what special strengths and weaknesses there appeared to be, and what the child's attitudes were towards the task. Assuming you knew how to assess these things accurately and reliably, this would give you a reasonably comprehensive picture of a child's capabilities. There are, however, some problems with this approach, to say the least! It is simply not possible to observe and assess every instance of a child's use of language and literacy. These are so integral a part of schoolwork that such an attempt would involve careful observation of almost everything the child did.

Assessment as sampling

Assessment, therefore, cannot be comprehensive. Your judgement of children's progress is, instead, based upon analysis of their performance at certain defined times and in certain, necessarily limited, situations. It is based, that is, upon a sample of children's language and literacy behaviour. If judgements are to be made as a result of this limited sampling of behaviour, it follows that these judgements are more likely to be accurate if this sample is representative of children's total language and literacy experience. In the past assessments of progress have often failed to ensure that this was the case. It has, for example, often been assumed that a child's high score on a test of word recognition implied competence in all areas of reading, and, indeed, in all areas of the curriculum. There is plenty of evidence to suggest that this assumption does not necessarily follow.

Thus, in making assessments, that is, sampling the language and literacy behaviour of your children, you need to consider carefully the degree to which your sample reflects the full range of language and literacy activities in which these children engage, both in and out of school. If there are areas of English not represented in the sample under consideration, then you cannot make assumptions about children's development in these areas. Nor, by extension, can you evaluate the effectiveness of teaching programmes designed to develop these areas.

There are several areas of reading development, such as the use of context, reading for information, and the reading of different text types which get assessed much more rarely than others.

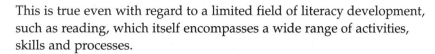

This is true even with regard to a limited field of literacy development, such as reading, which itself encompasses a wide range of activities, skills and processes.

The assessment of language and literacy must, then, cover a wide range of areas. This implies the need for a wide range of assessment procedures. A single test, administered at regular intervals, will simply not provide sufficient information about all-round development. You need to develop a battery of assessment strategies to cater for the multi-dimensional nature of your language and literacy teaching.

Modes of assessment

There are three basic modes of assessment: norm-referenced, diagnostic and criterion-referenced.

Norm-referenced assessment

In norm-referenced assessment children are assessed on their abilities to perform specified tasks and their performance compared with what is assumed to be the normal performance for children of their age. These assessments rank children's performances by matching them to the scores made by normal children of a range of ages. There is a wide range of such assessment instruments, especially in the field of reading, which are usually given the name 'tests'.

Most teachers will be familiar with tests of this kind, the most familiar being, perhaps, the Schonell Graded Word Reading Test. This is a test of the recognition of words out of context, its well-known first line consisting of, 'tree, little, milk, egg, book'. The popularity of such tests is perhaps accounted for by the easily comprehensible measure of progress that they appear to give. Most teachers understand the concept of 'Reading Age', which they derive from such tests, and it is an attractively simple idea to say that a child with a reading age of 7 is reading at the same level as an average child aged 7. There are, however, several drawbacks to the use of such assessment devices.

The problems with standardized tests

Firstly, many of these tests, such as the Schonell, are individual. They require teachers to devote anything up to half an hour of their time to testing one child. This is a time-consuming process and during this time the teacher cannot, of course, attend to the needs of other children in the class. Because of this many teachers decide to administer tests like these during break or lunchtime. If it were possible to obtain the same kind of information using less time-intensive means, it would seem sensible to do this. There are certainly several group reading tests available, by the use of which teachers can obtain reading ages for whole classes after a fifteen or thirty minute testing period. These group tests have, however, their own problems. Some children may react badly to testing situations and may not give of their best in these circumstances. It is more difficult to reassure these children to the same degree as in an individual test, and in consequence the results obtained may be skewed against them.

A second problem with standardized tests is that of representativeness. Because of the test situation children's performance may not be representative of their capabilities, and the abilities actually demanded by the test may not be representative of those making up even one small area of literacy and language. The skill assessed by the Schonell test, for example, is that of recognizing words out of context. It seems logical, and has been demonstrated by research, that children would perform differently when faced with words in context. The tendency, however, is for interpreters of test results to assume that children who can do the one will also be able to do the other. There are tests available that assess word recognition in context, and, to an extent, comprehension. There are other skill areas in literacy, however, for which it is very difficult to find published tests, for example, the use of context, the use of reading to learn, the development of writing and effective listening. Even within the skill areas that a test does examine, there is often little clue as to where a particular child's strengths and weaknesses lie. Two children may end up with the same score, yet have widely different skill profiles.

A further problem with norm-referenced assessment is to do with where these norms come from. By design these tests are necessarily based upon norms established in the past. They thus serve only to assess the maintenance of the status quo in literacy. In a rapidly changing society new definitions of literacy make it vital that children's abilities be assessed in terms of the needs of the present and future rather than the standards of the past.

Tests by their nature are inevitably culturally grounded, and they discriminate against children being assessed with them to the extent that they are not necessarily in tune with the same culture. As a small example of this, consider the following. The Schonell reading test includes the word 'adamant'. Children who can read it accurately should be reading at about the level of a thirteen-year-old. In a class of nine-year-olds in 1975, every child in the class could read this word. Upon investigation it transpired that a favourite television programme of all the children was about a character called 'Adam Adamant'! Five years later, in another class of the same age, a significant proportion read this word as 'Adam Ant'. Cultures change rapidly in the modern world! Another example of this occurs in the much used Neale Analysis of Reading Ability test, which has confused many otherwise perfectly literate children with its reference to a 'milkman's horse'. This cultural grounding which standardized tests have is, of course, even more serious when the children involved do not belong to mainstream British culture, and it can lead to serious underestimation of these children's abilities.

In general, while group standardized tests may have a value in providing reasonably quick assessments of general levels of ability, norm-referenced tests on the whole are inefficient providers of useful teaching information, especially when consideration is given to the time they take to administer. The ranking of children's performance against those of their peers is not particularly useful teaching information as it gives no indication as to the teaching programme which would benefit these children. Guidance on this can only come from some analysis of children's strengths and weaknesses.

Diagnostic assessment
Diagnostic assessment does aim to provide an analysis of particular strengths and weaknesses. It involves the use of tests or other

assessment devices focused upon particular skills in order to determine areas in which children are strong or in which they have weaknesses. There are several points to be made about such assessments.

Firstly, good teachers are constantly engaged in a process of diagnosing children's difficulties through informal methods, for example, hearing a child read or marking a piece of work. Very often this informal diagnosis will be all that is needed to make an assessment of a child's strengths and weaknesses in those particular skills. Only in difficult cases will more formal diagnostic tests be needed as a guide for future teaching of particular children.

Secondly, diagnostic assessment tends to be conducted at an individual level and hence can be very time-consuming. Because of this it makes very little sense for you to spend this time with a child if there are quicker ways at arriving at the same information. With most children this will be the case and informal methods of diagnosis will be adequate. With a minority, individual attention and more formal diagnoses will often pay dividends.

> Diagnosis is at the heart of good teaching. One of the major skills of teaching is to maintain a diagnostic stance towards all that happens in a classroom and to review and replan children's activities on the basis of this diagnosis.

There are several published diagnostic tests available, but unfortunately most of them seem to test the acquisition of the beginning skills of reading, especially the use of phonics. Tests diagnosing weaknesses in, for example, the use of information skills and the writing of narratives are generally not available. It is, of course, possible for you to design your own tests in areas you wish to investigate. The problems of validity and reliability, which inevitably arise in the construction of assessment instruments, are not so serious for you as they would be for educational researchers, since the instruments will never be the only source of information you will have. As mentioned above, you will constantly be using a range of informal methods to diagnose children's problems, and you will interpret the results from any teacher-devised formal assessment in the light of this background information.

Diagnostic assessment does, therefore have an important place as part of a range of assessment procedures you might use. Its main function is to check on hypotheses you have already formulated about individuals' specific strengths and weaknesses. In the classroom these hypotheses basically arise from the observed answers to questions, such as, 'Can this child complete this piece of work satisfactorily?' If the answer is in the negative, you might go on to speculate on the reason why. Diagnostic assessment aims to provide an answer.

Criterion-referenced assessment
In asking the question, 'Can this child complete this piece of work satisfactorily?' you are setting up the piece of work as a standard against which to judge the child's performance. The child's performance is judged, not against that of other children in his age group, as with norm-referenced assessment, but against the demands of a particular task. This kind of assessment has a great application in the development of language and literacy, and underlies the specification of National Curriculum attainment targets. After all, the most vital thing for you to know about a child's use of literacy is not how it compares with that of other children. You need to know, rather, whether it is of a standard which will enable the child to perform adequately in all the

areas of life in which literacy is needed. In other words you judge the child against a criterion of task difficulty, rather than against the performance of peers. There are several general points to be made about this mode of assessment.

Assessing children's abilities to complete specified tasks clearly puts you in a position to integrate assessment fully into the teaching programme. The tasks you choose for assessment will usually be tasks you use for teaching, and hence there need be no distinction between teaching and testing. This is generally not true of norm-referenced assessment.

Criterion-referenced assessment can also quite easily serve a diagnostic purpose. If you analyse the skill demands of the various elements of the tasks to be used, a reasonable assumption can then be made that a child's failure in any of these elements indicates a weakness in those particular skills. Diagnostic teaching can thus proceed with minimal recourse to formal testing procedures.

Although such an approach to assessment tends to focus upon a separation of individual skills, it should always be borne in mind that literacy and language development is more than the development of a group of separate skills. In this area the whole is certainly greater than the sum of the parts and care should be taken that individual skills are taught and assessed only within the context of meaningful situations.

Criterion-referenced assessment can be of great value in evaluating language and literacy development, and teaching programme effectiveness, as long as care is taken that the procedures employed do not lead to an overemphasis on constituent skills. If realistic tasks are used for assessment there is much less danger of this happening.

Portfolio assessment

A fairly recent addition to approaches to assessment is the concept of portfolio assessment. This can provide you with a comprehensive way of managing assessment and combines many of the strengths of the diagnostic and criterion-referenced approaches.

All good teaching is guided by observation and analysis of children's performance and behaviour, as well as by information about an individual learner's experience. Portfolio assessment can enhance and broaden the way you look at learning performance. It enables you to look at learners in a holistic way and to see their performance as one facet of learning.

As you focus on what children experience, on what they know, and on what they can do, you are able to view their performance within the larger framework of the whole child and within the framework of literacy and language development. From these perspectives you are able to make predictions about the learning support a child will need. Dated samples of work give you a series of reference points that allow you to build on children's strengths, address children's needs, and help children themselves to reflect upon their own development as learners.

Portfolios come in a great variety of formats and serve many different purposes. An artist's portfolio, a writing portfolio, and an investment

Portfolios as albums of children's achievements

portfolio contain items unique to their respective purposes. An assessment portfolio can provide you with an array of opportunities to record a particular child's unique development as a language user.

In a portfolio you collect and generate information and examples of children's work to help you (and the children themselves) to assess children's learning. This is achieved by documenting individual children's performances, behaviour and experiences. The portfolio should contain information gained from teachers, parents and children through a variety of instruments, including interviews, checklists and examples of work done for specific purposes. The portfolio should also contain samples of children's work not specifically generated for the portfolio. Essentially, the portfolio is a literacy album with pictures representing children's learning histories and accomplishments.

The two main functions of this portfolio are diagnostic and celebratory.

The diagnostic function

In its diagnostic function the assessment portfolio informs your decision making about the environment you create for learning and about the ways you might meet individual children's needs. Assessing what children know and how they are responding to particular learning experiences allows you to make sensitive and sensible decisions concerning the design of your teaching. As a teacher you need to know what learners already know and can do in order to plan the most beneficial experiences for them. You then devise the scaffolding that will allow every child to enter and participate in learning. As you gather more and more information about a child's knowledge, skills and attitudes, you continually make adjustments and fine-tune your teaching to give the maximum support to all children.

For parents as well, the portfolio can serve a diagnostic function. If you allow time for parents to review a child's portfolio with you, they will be able to see a child's growth in learning. At the same time, areas in which the child's learning can be supported in the home will become evident.

The celebratory function

A second important function of the assessment portfolio is to document strengths and progress. As children see their own progress, they will increasingly be empowered in their use of language. As children participate in evaluating their own literacy development, they can develop a sense of control and self-esteem as language users.

You may also find in the portfolio reasons to celebrate the achievements of individual or groups of children. The documentation may also provide evidence of the effectiveness of particular teaching and learning strategies and materials.

> The importance of children developing an awareness of their own thinking and language abilities was stressed earlier, in *Learning and teaching literacy*.

Using and managing the assessment portfolio

Each assessment portfolio is a record that will help you to gather, generate and preserve assessment information on children's literacy development. As such, the portfolio and its contents should remain in the school for as long as the child attends. It should be available to the child to review and reflect on his own development, to parents in conference with the teacher or the child, and to other teachers who work with the child. The successful use of the portfolio will depend on these participants being clear about its purpose and uses.

To children, you might present the literacy album metaphor or some other appropriate metaphor to help them understand why you are developing a portfolio with them. Before they complete a specific task in the portfolio, explain to them its purpose and make sure that they understand what they are supposed to do. They should also be clear that the task is not a test but rather a demonstration of their knowledge and abilities.

To parents, you might send a note explaining the significance of the portfolio and asking for their support and participation.

As a school staff, it would be useful for you to work together to develop several 'standard' items to go into children's portfolios. These will give common points for comparison both between children of similar ages and across the development of individual children. These standard items might include:

What to include in a portfolio

- samples of handwriting, using either writing completed as part of normal classroom work, or the writing out of set passages, poems, etc.

- responses to particular writing tasks, for example, a poem written in response to the reading of a set of poems on a similar topic

- examples of reading aloud, perhaps accompanied by a miscue analysis

- spelling checks using key words

- self-reflections on aspects of literacy and language learning

- written responses to particular text extracts.

Several possibilities for such items are included in the Resource sheets at the end of the book.

Strategies for assessment in primary English

Evaluating assessment strategies

In devising assessment strategies for primary English, as for any curriculum area, there are four basic questions that you need to ask about each strategy proposed. These are:

- Will this give me any information I do not already know?

- Could I gain this information more easily another way?

- Is this strategy practicable in a classroom situation?

- How can I carry this out with a minimum of disruption of teaching time?

Only in the event of satisfactory answers to these questions should you adopt this strategy.

There are three basic strategies for assessing language and literacy development. These involve either looking at what children actually produce, observing them while they are involved in language and literacy tasks, or asking them questions about what they are doing. We will discuss these strategies in turn and suggest some appropriate techniques for each.

Looking at reading and writing products

Analysing products

Making judgements about children on the basis of what they produce has been a traditional means of assessment and most teachers develop a fair skill at doing it. Although more recent developments have tended to shift concentration on to process, there is still a great deal that can be gleaned from analyses of children's language and literacy products. We will look at two aspects of this: firstly at a technique for analysing the product of a child's oral reading, and secondly at the assessment of written products.

Miscue analysis

Miscue analysis is based upon the theory that the mistakes that a child makes when reading aloud from a text betray a great deal about how that child is tackling the reading task. According to the theory, these mistakes are never simply random errors. Each mistake is caused by the interactions between a complex set of circumstances that include:

- the child's general approach to reading
- his/her approaches to that particular text
- the context surrounding the word
- the graphic and phonic features of the word itself
- the cue systems in reading which the child is using.

What the child says is evidence that can help a teacher determine what the child was attending to at the time of reading, which may in turn indicate the beliefs about and skills in reading which the child has.

As an example, the following sentence occurred in a reading book:

The man got on his horse.

One child read this as, 'The man got on his house'. Because the word *house* does not make sense in this context, it is fairly safe to assume that making sense was not the chief preoccupation of this child. It is more likely that the child was attending largely to the initial letters of the word.

Another child read the same sentence as, 'The man got on his pony'. This child seems to have been attending more to the meaning, even to the extent of ignoring what the word looked like.

These two children appear to have different approaches to the task of reading, which lead them to 'miscue' in different ways.

Of course, the misreading of one word is not sufficient evidence upon which to base a complete assessment. The technique of miscue analysis, therefore, uses a child's oral reading of much longer texts and tries to discern patterns in the kinds of misreadings that the child produces. It is usually carried out with the child reading from his normal reading book, and the teacher recording exactly what the child reads on to a copy of the text that she has in front of her. There are several possible ways of coding the way the child reads, although the need to save time will usually mean adopting the simplest possible system. The child should then be asked to retell the story just read, so as to provide an indication of comprehension.

The miscues the child has made are then analysed for patterns, which may indicate particular features of the child's approach to reading. To show how this technique operates we will go through an example in more detail. You will also find a suggested recording sheet for miscue analysis on page 169.

Six-year-olds Lisa and William read aloud from the following text:

> *What a fuss there was as everyone tried to get a look at the King in his brand new clothes. People climbed up lamp posts and crawled on to the tops of buildings. The King paraded past as grand as could be. Everyone stared but nobody said a word.*

Their reading was recorded using the following system:

//	child made a significant pause
behind	child sounded the word out phonically
~~the~~	word omitted
/ᵒⁿ\	word added
make ~~milk~~	word substituted
C	self-correction

The record of Lisa's reading was:

What a //*fuzz* there was as //~~everyone~~//~~tried~~ to

(above: *ever*   *tired*)

get a look at the //King in his //~~brand~~ new

(above: *ball*)

//~~clothes~~.//People//~~climbed~~ up lamp posts and

(above: *club*   *kept*)

//~~crawled~~ on to the tops of//~~buildings~~. The

(above: *kept*   *bill*)

King//~~paraded~~ past as//grand as could be.

(above: *pard*)

Everyone//~~stared~~ but//nobody said a word.

(above: *started*)

The teacher completed the analysis form as given on the Miscue
Analysis Sheet and this was as follows:

ORIGINAL WORD	CHILD READ	LIKELY CAUSE OF MISCUE
fuss	fuzz	Word not known. Tries to sound it out.
everyone	ever	Gets beginning right.
tried	tired	Order problem. No sense.
brand	ball	Initial sound guess?
clothes	club	Initial sound guess?
climbed	kept	Guess using sounds.
crawled	kept	Guess using sounds.
buildings	bill	Guess using sound. No sense.
paraded	pard	Nonsense. Responds to sound only.
stared	started	Responds to sound. Could make sense.

The teacher was now in a position to make an assessment of Lisa's
reading and a statement about the kind of experiences she might now
need. She wrote:

*Lisa does not appear to be reading for meaning. Her miscues suggest
attention to grapho-phonic cues only. This is confirmed by the prevalence
in her reading of under-breath sounding out. She is over-using phonics and
this material seems much too hard for her.*

*She needs to be encouraged to read much easier material and to approach it
looking for meaning. Simple cloze material may get her to focus more on
context cues. We might also use information books more. If she is interested
in their subject she might be more inclined to approach them looking for
meaning.*

The record of William's reading was:

What a ~~fuss~~ *fuzz C* there was as ~~everyone~~ *everybody* tried to

go to
~~get a~~ look at the // King in his ~~brand~~ new

clambered
clothes. // People // ~~climbed~~ up lamp posts and

climbed   *houses?*
// ~~crawled~~ on to the tops of // ~~buildings~~. The

went
King ~~paraded~~ past as grand as could be.

never say C
Everyone stared but // ~~nobody~~ ~~said~~ a word.

The teacher completed the analysis form as follows:

Original word	Child read	Likely cause of miscue
fuss	fuzz	First response to sounds. Self-corrects.
everyone	everybody	Synonym
get	go	Initial sound
a	to	Follows sense of previous miscue.
brand	--------------	Omitted. Keeps sense.
climbed	clambered	Initial sound but keeps sense.
crawled	climbed	Initial sound but keeps sense.
buildings	houses	Same sense. Queries word.
paraded	went	Keeps sense.
nobody	never	Initial sound guess.
said	say	Follows sense of previous miscue. Self-corrected.

Again the teacher was now in a position to make an assessment of William's reading. She wrote:

William clearly realizes that reading is chiefly about meaning. His miscues largely suggest a concern for meaning-seeking. At times he is a little cavalier about the actual words on the page, preferring his guess, albeit usually a sensible one, to looking carefully at the words.

His attention to meaning must not be disturbed, but he needs to be encouraged to look more carefully at the words on the page. We could try getting him to read some poetry, especially out loud. Getting the words exactly right is more important in poems.

Of course, it would not be sensible to over-generalize on the basis of one short reading. Miscue analysis needs to be carried out fairly regularly in order to build up a picture of a child's use of cueing systems in reading.

This example has shown some of the very rich insights into children's reading which miscue analysis can provide. It must always be borne in mind, however, that this technique, in common with all assessment techniques, is never the sole source of information available to the teacher. Other sources, such as those described below, will be used to confirm, modify or enlarge upon the insights gained from miscue analysis. The teacher will build up a battery of assessment techniques, each complementary to the other.

> Once you are familiar with the process of miscue analysis you may find that its major effect is to change forever the way you listen to children reading. Hearing children read with your 'miscue head' on offers many very productive diagnostic possibilities.

Assessing writing
Teachers are usually familiar with the assessment of children's writing since they get so much practice at doing it. It is worthwhile looking at the process in more detail, however. Four particular considerations must be borne in mind when assessing written products.

- An assessment of writing must begin with a consideration of the aims that were originally formulated for this piece of work. The product cannot be judged unless these are taken into account.

- The assessment must also take into consideration the capabilities of the children producing the work. A piece of writing may be good for one child, but well below another's capacity.

- The assessment should also focus on the intended audience for the writing, and whether it is appropriate for this audience. The only real way of judging this is for the writing to be given to the intended audience for assessment of whatever kind is feasible.

- Finally the assessment should take into account the context in which the writing was produced, which includes such things as the resources that were available to the child, the kind of help he or she received and the time that was taken to produce this outcome.

Observation

Teachers observe children working all the time. As a result of this observation they make assessments of children's abilities and attitudes, and plan future work. Yet, when asked about their methods of assessment, they will hardly ever count observation amongst them. Perhaps because observation is so common an activity and seems so subjective, it is very under-rated in terms of the assessment information it can provide. Yet it has a great deal of potential. Its greatest strength lies in the fact that it enables assessments to be made while children are actually engaged in language work, and does not require them to be withdrawn from it into a special testing situation. It therefore enables direct analysis of the child's process of working, without which assessment must be incomplete.

To use observation deliberately as an assessment technique requires a systematic approach. It also requires some means of recording the information gained rather than relying on memory alone.

A systematic approach will involve first of all knowing exactly what you are going to be looking for. This might mean listing the skills you hope to assess, and preparing a checklist of them. An alternative approach is to list the activities the children will be doing, and leave space for noted observations about their performance.

Observation can be guided by a list of points to look for. Suggested lists of points to look for in each area of primary English work are given in the resources section of this book. It is important to state that these points are not intended simply to be 'ticked off' as assessments are made. They ideally require a more qualitative response, which can be added to as more information is acquired, and, of course, revised as progress is made. The lists of points are intended to guide systematic observation.

Asking questions

Often simply observing what children do will not be sufficient to really evaluate the way they are thinking about their tasks. A way of penetrating into this can be to ask them questions about how they performed various tasks, or what they were thinking about as they did them. This questioning fits best into a conferencing approach. Three types of probing questions will be found useful in this.

Looking back questions

These are of the type, 'Can you tell me how you did that?' They can be useful when you are looking at children's work with them alongside you. The children's answers to these questions may well reveal a great deal about their perceptions of the processes of language.

The following extract from a conversation between a teacher and seven-year-old Clare is an example of this approach. Clare has just written her version of the story of Red Riding Hood in which the heroine is menaced by an alien rather than a wolf.

TEACHER: Oh, that's an interesting story, Clare! Where did you get the idea from?

CLARE: From my book. We don't have wolves here any more.

TEACHER: Yes, that's right. Can you tell me how you started writing your story? What did you do first?

CLARE: Me and Joanne talked about it and ... we just wrote it.

TEACHER: Did you write it together?

CLARE: Well ... at first we wrote the same thing ... then Joanne wanted to change hers and I didn't. So we wrote different ones.

TEACHER: Did you change your story at all? As you were writing it?

CLARE: I changed some words ... Emma told me how to spell them.

TEACHER: Oh, Emma helped you too? What did she do?

CLARE: She read the story after I finished it. She told me my spellings.

TEACHER: Yes ... Now, did you plan to do anything with your story when you finished it? Who did you want to read it?

CLARE: Put it on the wall?

As a result of this conversation the teacher was able to make several observations about this child's approach to and expertise in language processes. Naturally these observations were tentative and required confirmation or elaboration from other evidence.

Clare had clearly been able to extract information from a book and use it in another context; a fairly advanced skill for a seven-year-old. She had been able to participate in discussion both in planning her writing and in editing it. She was prepared to work on her writing collaboratively although this did not survive the disagreement with her partner.

Her approach to the writing process showed some evidence of planning although this was not extensive. She was unclear about the destination and audience for her writing and saw revision purely in terms of editing spellings.

All these evaluations would require further investigation, but it is clear from this brief extract what a wealth of information the teacher was able to glean simply by asking questions that caused Clare to reflect on what she had done.

Looking forward questions

An alternative kind of question can be of the type, 'Can you tell me how you will do that?' These questions ask children to think about their actions before they do them. It is, of course, possible that because the questions prompt them to think through in advance what they will do, children will actually perform differently from the way they would have done without the question. The question may therefore have a teaching role, as well as being a way of seeing whether they know what to do.

Questions such as the following are of this type.

- 'When you go to the library to look for that book, can you tell me what you will do?'

- 'Now, you are going to write your report on sports day for the school newspaper. How will you start?'

- 'This group are going to discuss your puppet play. How are you going to make sure everyone gets a fair chance to say what they think?'

As a result of questions like these you will be able both to make an initial assessment of children's approaches to the process, and to prompt them in a way that may actually develop their thinking.

Thinking out loud questions
These questions are of the type, 'What are you thinking as you are doing that?' They can help make children's thinking about certain tasks explicit and alert you to faulty approaches. They may include questions like:

- 'As you make notes from that book, can you tell me why you are choosing those things?'

- 'You have just written this bit about seeing the panda in the zoo. Can you tell me what you are planning to go on to now?'

- 'Now, is your discussion going well? Have you found any problems?'

It is quite likely that, in general, teachers ask too few questions like this. In addition to providing useful information about the way children are thinking, these questions can have the important effect of heightening children's awareness of the way they are using language. Developing this 'metalinguistic awareness' is an important task for the teacher of language and literacy.

An integrated approach

Perhaps the most important point to be made about the assessment of language and literacy is that a single source of information or assessment technique will never be a sufficient basis upon which you can build appropriate teaching programmes. This requires a great deal of information of many kinds and from many contexts. An integrated approach to assessment is, therefore, essential.

This approach should include information gained from formal assessment procedures such as miscue analysis and structured observation, but it should also include the kind of day-to-day information which teachers often under-rate, such as incidental conversations with children about their work. Because of the intimacy of classroom teaching, teachers are privy to a great deal of information about their children's strengths and weaknesses which no outsider could ever have access to. They are thus in a position, by integrating their assessment procedures, to understand fully the results of formal procedures and interpret them within the fullest context. Teachers are the only people who can do this and any approach to assessment that ignores or under-rates this fact is depriving itself of its richest source of information. This also, however, places heavy responsibilities upon teachers, who must find ways of making sense of the diverse information they have access to.

Resource sheets

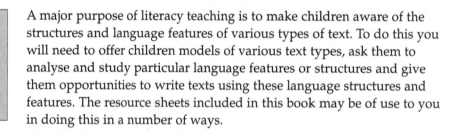

Introduction

A major purpose of literacy teaching is to make children aware of the structures and language features of various types of text. To do this you will need to offer children models of various text types, ask them to analyse and study particular language features or structures and give them opportunities to write texts using these language structures and features. The resource sheets included in this book may be of use to you in doing this in a number of ways.

Resource sheets for shared writing and reading

These resource sheets are designed to focus children's attention on certain language structures and features. The planning sheets will help children to collect ideas in an organized way and the writing frames can help children to write texts in a suitable way.

You may find it useful to produce large copies of planners or writing frames for shared writing. A flipchart is one way of doing this. However, we recommend photocopying the resource sheet you have chosen to use on to an overhead projector transparency and using the overhead projector to project a large image on to a wall, screen or sheet. In this way you can write on the transparency as you conduct your shared writing session. This allows the children to see not only what has to be done, but also how you do it.

Resource sheets for individual or group work

The most obvious use for these resource sheets is to distribute photocopies to support children in planning different writing types or in reading certain types of writing effectively. The planning sheets and writing frames may be helpful for children encountering a text type or format for the first time but will not necessarily be needed when you next do that text type. You may find it helpful to give the sheets to particular groups who need support, whilst more able groups can tackle the tasks without extra support.

You might want to give a sheet to each child or, alternatively, you could ask a whole group of children to complete one sheet between them. Using the sheets as a group resource has the advantage of encouraging children to discuss language and make decisions about language choices.

Resource sheets for plenary sessions

Following group or individual activities, the resource sheets can help children to report back to the class in a focused way. You may also want to use a large version of the sheets, or an OHP, to collect the suggestions and ideas of a number of groups. In this way you can produce a class version which combines the strengths of several groups. You could do this in one plenary session or by adding to the sheet or transparency on a number of occasions.

Resource sheets for homework

You might wish to give children resource sheets to take home for preparatory work. In doing this you should make sure that both the children and parents understand that they are intended as a focus of discussion and that there are no absolutely right answers. Ideally, if the resource sheets are used for homework, there should be a whole class introduction and a feedback session following the work at home.

Notes on individual sheets

Post card planner

This sheet contains a blank postcard and a postcard with prompts. In writing postcards children need to be particularly aware of:

- the use of brief sentences
- appropriate informal closures like 'love from', 'yours truly', 'best wishes'
- the addressee
- the way addresses begin with specific geographical information (house or flat number) and become more general (road, town, county, etc.).

Children can use this information to write postcards to each other, to known others or to imaginary characters from fiction.

Recount planner and writing frame

Non-fiction writing which recounts what has happened is common in newspapers, letters and magazines. You can use the recount planner and writing frame to help children structure the main features of a recount:

- an informative title
- an introductory and concluding sentence
- events in chronological sequence
- the use of temporal connectives.

Recounts are usually in the past tense and the first or second person.

Instruction planner and writing frame

You can use the instruction planner as a structure for gathering ideas for the key features of instructions, which include:

- a title which states the aim or goal

- a list of ingredients, equipment, parts
- chronologically ordered steps.

The writing frame helps children to write instructions that include:
- temporal connectives (first, next, then, finally)
- imperative (command) sentences
- short sentences.

Recipe planner

Instruction or procedural writing can take many forms. The recipe is one very common format. You could also adapt this sheet for use with directions or instructions for making something else.

The main idea planner

You can use this planner to help children take notes from a non-fiction text as part of research or plan for a piece of non-fiction writing. It can be very difficult for young children to select the main idea from a passage, and this planner would be good preparation for any non-chronological writing.

Report planner and writing frame

The report planner helps children to gather the key ideas that form a report so that they can then create paragraphs. You can use the writing frame to help children structure their writing. The key features of a report include:
- a general classifying paragraph and further paragraphs of detail
- non-chronological order – paragraphs about themes
- use of the present tense
- writing about generic participants (dogs rather than a particular dog).

Explanation planner and writing frame

The explanation planner and writing frame address the difficulties of planning a non-chronological order in writing. In some ways an explanation is a development of a report. The form generally includes:
- a title posing a question
- a short explanation (or answer to the question)
- paragraphs of detail which supplement the short answer
- a concluding sentence.

Persuasive writing planner and writing frame

Persuasive writing can be challenging, not only because it is non-chronological, but also because it requires the writer to consider the position of the reader very carefully. You can use the planner and writing frame to help children work out their argument (thesis) and reasons, with examples where appropriate.

Discussion writing planner and writing frame

Discussion writing is also difficult, largely because it requires the writer to think carefully about two sides of an argument. You can use the planner and writing frame to help children work out the pros and cons of an argument, give reasons for these and draw conclusions.

Story resource sheets

In order to get the most from reading and writing stories children should be aware of the structure and features of the story form. The story planning sheets provide alternative planning structures both of which emphasize the use of characters, settings and chronological order of events. You could use story planner 1 with more experienced children as it introduces the 'problem' and 'resolution' as key story structures. These sheets assist planning of a story or analysis of a story that has been read in shared or guided reading.

The story analysis grid can be used to identify these main characteristics of story structure in a number of texts that the children know already. You might use the character web to show children how to develop a character beyond the obvious physical description. The predictions sheet addresses the role of prediction in reading. You might use this sheet with a selection of story beginnings or even book covers, to get children to examine the ways they identify story genres.

Play scene planner

This sheet helps children to collect the elements of a play scene together before drafting.

Clunk-click strategy chart

You may want to give children a visual representation of reading strategies they can use. This flow chart could be an aide memoire or a wall poster for regular use.

KWL grid

The KWL grid asks children to record what they already knew about a topic, what they want to know and what they learnt, as a way of focusing research in books. You might wish to add a column for recording which books they use.

Discussion record

These sheets give some guidance and a simple recording format for observing talk.

Miscue analysis sheet

This sheet is for use in assessing children's approach to reading. A completed example is given on page 135.

Post card planner

Dear ....

....

....

....

....

....

Love from ....

Who to?

House/Road ....

....

Town ....

Postcode ....

Recount planner

Title

What this recount is about

Event 1

Event 2

Event 3

Event 4

Concluding sentence

Recount writing frame

Before I began this topic I thought that

But when I read about it I found out that

I also learnt that

Furthermore I learnt that

Finally I learnt that

Instruction planner

Title: ....

How to ....

What you will need ....

....

....

....

Steps

1

2

3

4

5

nstruction writing frame

How to

You will need

First

Next

Then

Finally

Recipe planner

Title: How to make ....

Ingredients ....

....

....

....

Equipment ....

....

....

....

Steps

1 ....

2 ....

3 ....

4 ....

5 ....

6 ....

The main idea planner

The main idea

Details

Details

Details

Details

Report planner

Title

What this report is about:

Detail

Detail

Detail

Detail

Concluding sentence

Report writing frame

This report is about

is/are interesting because

Another interesting fact about   is

are   and also

The most fascinating fact about   is

Explanation planner

What will you explain?

Short answer

Detail

Detail

Detail

Detail

Concluding sentence

Explanation writing frame

I want to explain why

There are several reasons for this. The chief reason is

A further reason is

Another reason is

So now you can see why

Persuasive writing planner

The position I want to argue

Reason

Example

Reason

Example

Reason

Example

My conclusion

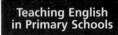

Writing frame for persuasive writing

Although not everybody would agree, I want to argue that

I have several reasons for arguing for this point of view.
My first reason is

A further reason is

Furthermore

Therefore, although some people argue that

I think I have shown that

Discussion planner

The issue being discussed

Arguments for

Arguments against.

Conclusion

Discussion writing frame

There is a lot of discussion about whether

The people who agree with this idea, such as   claim that

They also argue that

However there are also strong arguments against this point of view.
believe that

Another counter-argument is

After looking at the different points of view and the evidence for them,
I think

because

Story planner 1

Title

Orientation

Characters

Setting

Events

Problem

Resolution

Conclusion

Story planner 2

Title

Who?

Where?

When?

Event 1

Event 2

Event 3

Conclusion

Analysing stories

	Story 1	Story 2	My story
Characters			
Setting			
Main events			
Problem			
Resolution			

A character web

Characteristic Example	Characteristic Example

Name of character

Characteristic Example	Characteristic Example

Making predictions

Pages/part of the story	What I predict will happen	What happened

Play scene planner

Character 1	Character 2

Character 3	Character 4

Setting

Event

Event

Event

Event

Stage directions

Clunk-click strategy chart

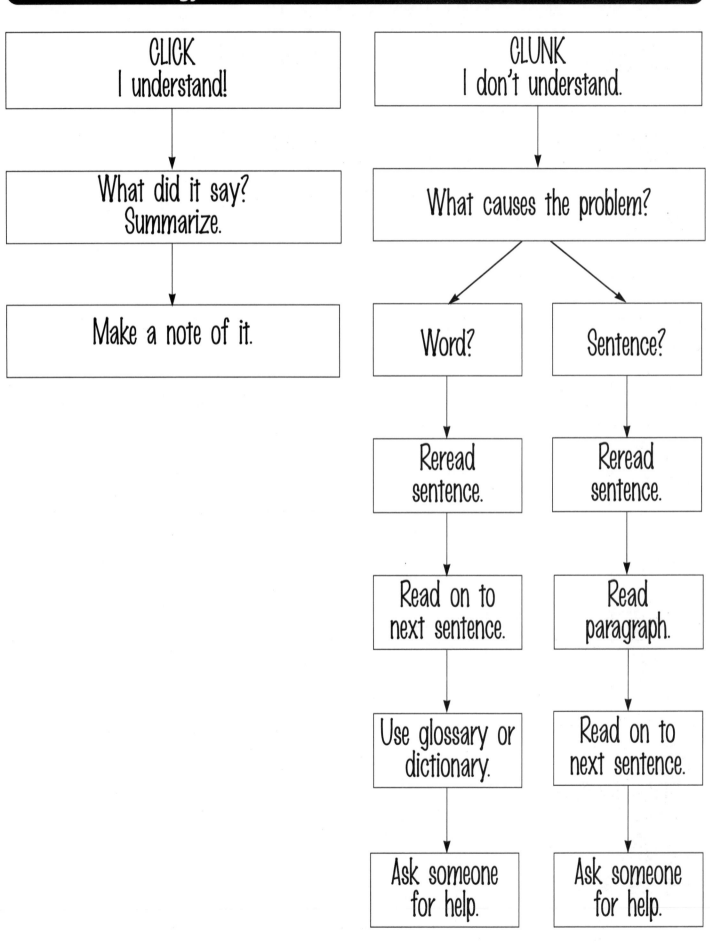

CLICK
I understand!

What did it say?
Summarize.

Make a note of it.

CLUNK
I don't understand.

What causes the problem?

Word?

Sentence?

Reread
sentence.

Reread
sentence.

Read on to
next sentence.

Read
paragraph.

Use glossary or
dictionary.

Read on to
next sentence.

Ask someone
for help.

Ask someone
for help.

KWL grid

What do I KNOW about this topic?	What do I WANT to know?	What have I LEARNT?

Discussion record

The purpose of this page is to give you an opportunity to record a child's use of language during a discussion with peers. To use it you will need to spend a while listening in on a discussion. The aspects of the child's discussion peformance on which you could focus are as follows:

Listening

Involvement	Does the child take an active part in the discussion or does his attention drift?
Interest	Does the child appear interested in the discussion?
Concentration	Does the child concentrate upon what is being said in the discussion?
Co-operation	Can the child take turns in contributing? Is she receptive to the speaking rights of others?
Understanding	Is the content of the discussion comprehended?

Speaking

Verbal dexterity	How articulate is the child in his contributions?
Length of utterances	Are the child's contributions to the discussion lengthy and sustained or limited to one-word answers?
Vocabulary	What range of vocabulary does the child use?
Tentativeness	Does the child express ideas tentatively and appear willing to adapt her thoughts in the light of others' contributions?
Confidence	Is the child a confident speaker?
Relevance	Is the child able to maintain the thread of the discussion or does he regularly go off at a tangent?

Clearly you will not able to focus upon all of these during one observation. This record should be completed cumulatively over a period of time.

Discussion record

Topic ....

Date .... Length .... With/without/part teacher involvement

Name of child ....

Listening	Involvement	
	Interest	
	Concentration	
	Co-operation	
	Understanding	
Speaking	Verbal dexterity	
	Length of utterances	
	Vocabulary	
	Tentativeness	
	Confidence	
	Relevance	
	Sustaining	
	Substance	

Summary   (Principal strong and weak points):

Miscue analysis sheet

Enter each miscue into the table and complete each column as appropriate.

Analyse use of cueing systems in reading

Use this analysis sheet to analyse the child's miscues and make an assessment of the child's reading.

Look for:

- appropriate use of graphophonic cues

- attempts to look for meaning

- tendency to guess rather than look closely at words

- overuse of one cue system.

Original word	Child read	Likely cause of miscue

Is there a clear pattern in the miscues made?

What cues does the child seem chiefly to be responding to?

What implications does this have for future teaching?

Glossary

Term	Definition
abbreviation	A shortened word or words. Some abbreviations are punctuated, for example, *e.g.* However, it is becoming common to see abbreviations unpunctuated, as in *NUT – National Union of Teachers*. Other abbreviations have become acronyms, so that a word is made from the initial letters of the original words (e.g. *Darts – **d**irected **a**ctivities **r**elated to **t**exts*) and are not punctuated. Some words have become abbreviated with use (*omnibus – bus*) but an apostrophe is no longer used to indicate the abbreviation.
accent	The way language is spoken. The accent with which language is spoken can sometimes enable listeners to identify geographical or social origins. Standard English can be spoken in any accent.
active voice	When the object of a sentence (or phrase) is acted on by the verb, this is called the active voice. *The dog bit the boy.* (active) *The boy was bitten by the dog.* (passive) Writing in the active voice is considered more personal, natural-sounding and easier to read than writing in the passive voice.

adjective	A word that describes a noun. It may come before or after the noun. Categories of adjective include:
	    number: *seven, a hundred, twenty-five*
	    quantity: *some, half*
	    quality: *green, small, funny*
	    possessive: *her, my, theirs*
	    interrogative: *which, what, whose.*
	There are degrees of adjectives:
	    nominative: *small* (the quality)
	    comparative: *smaller* (the degree of the quality)
	    superlative: *smallest* (the limit of the quality).

acrostic	A form of poem in which the first letters of each line make a word or words.

adverb	An adverb is a word or phrase that describes or modifies a verb. Many adverbs have the suffix *-ly*.
	Adverbs can be considered in a number of categories:
	    adverbs of time (temporal): *later, now, soon*
	    adverbs of manner: *quietly, happily*
	    adverbs of place: *there, far.*
	Some adverbs have little to do with verbs.
	Adverbs of degree add extra meaning to the next word: *very, rather, really.*
	Some adverbs join sentences together: *however, moreover, nevertheless.*

agreement	In standard English linked words or phrases usually agree with each other in number, person, tense and gender. For example, *We were leaving* and *We left yesterday* agree in number (both are plural) and in tense (both are past). Pronouns should agree with the nouns they represent and should be used consistently, e.g. *Because **she** was hungry **the girl** ate a sandwich* (the agreements in this sentence are – third person, past tense, feminine gender, singular).
alliteration	A phrase where adjacent or closely connected words begin with the same phoneme (sound), e.g. *five fat fishes.*
antonym	A word with the opposite meaning to another word, e.g. *big – small*

apostrophe	A punctuation mark used to show contraction or possession.
	    Contraction
	    Auxiliary verbs (to be and to have): *he's, I've, they've, they're*
	    Negatives: *didn't, won't*
	    Figures: *'60s, '90s*

Term	Definition
	POSSESSION Before the *s* for most single nouns: *baby's toy* After the *s* for most plural nouns: *babies' toys* (but note *children's*) Possessive *its* does not have an apostrophe.
argument	A written argument makes a point and gives evidence to support it.
article	A word linked to a noun. *The* is called the definite article (refers to a particular noun). *A* or *an* is called the indefinite article (refers to any example of the noun).
assonance	Repetition of vowel sounds in a line, e.g. *high time*.
ballad	A poetic form which tells a story in short verses with a rhyme scheme.
blurb	A short account of the content of a book. It is usually found on the outside cover or inside the cover.
bibliography	A list of texts referred to in the book.
blank verse	Poetry with rhythm but no rhyme.
bullet point	A mark like a fat full stop (or, thanks to computers, a smilie, arrow, flower, etc.) which is used to emphasize items in a list. The bullet point has become an important punctuation mark. Bulleted items are either treated as full sentences or punctuated as items in a list with commas or semi-colons. Some bulleted lists are left unpunctuated.
calligram	A poem which represents some aspect of its subject in the way it is written. Font size, typeface and layout are used creatively.
category word	A word which describes a set of items, e.g. the category word *footwear* includes *shoes, slippers, socks,* etc.
capital letter	The capital letters may be referred to as 'upper case' letters and the small letters as 'lower case' letters. Capital letters are used for proper nouns, to begin a sentence and, usually, at the start of each line of poetry.
character	A person, animal or other being who takes part in a story. We know about characters from what they say and do.
chronological order	The order in which events happen. Chronological writing includes the events in a time-ordered sequence, e.g. an account of a day, starting in the morning and going through to the evening.
closure	The word or phrase used before the writer's signature at the end of a letter, e.g. *Yours sincerely, yours faithfully, love from, yours truly*.
clause	A part of a sentence including a verb. The main clause makes sense alone, e.g. *I want to go shopping*. The subordinate clause (or clauses) gives more information about the main clause but generally cannot stand alone, e.g. *I want to go shopping, **all being well***.
cliché	An over-used saying or phrase, e.g. *over the moon*.
colon	A punctuation mark used to introduce: a list, a second clause which expands the first or a quotation. e.g. *He was starving: there was absolutely nothing to eat*.
comma	A mark used to break up sentences so that they are easier to understand. Commas are used to demarcate the parts of a sentence or to separate items in a list which is part of a sentence.
compound word	A word made from two other words, e.g. *footpath, houseboat*.
common gender word	A word which can refer to men, women or both, e.g. *passenger, teacher*.
connective	A connective is a word or phrase used to link clauses or sentences together. Various types of words or phrases can work as connectives, including: conjunctions, e.g. *and, but, because* adverbs, e.g. *finally* prepositional expressions, e.g. *in other words* pronouns, e.g. *Who is that **girl**? I have seen **her** before*. Connectives are important in maintaining the cohesion of texts in a number of ways: addition, e.g. *and, also* apposition, e.g. *however, but* cause, e.g. *because, this means that* time, e.g. *next, just then*
conclusion	The ending of a piece of speech or writing.
conjunction	A conjunction is a word used to join parts of a sentence. Types of conjunction include: addition: *and, also* opposition: *however, nevertheless, but* time: *then, next, after* cause: *because, therefore*

Term	Definition
consonant /vowel	In the English alphabet there are 5 vowels (*a e i o u*) and 21 consonants. (*b c d f g h j k l m n p q r s t v w x y z*). In English speech there are 20 vowel sounds and 24 consonant sounds (phonemes), depending on accent.
couplet	Two consecutive lines of poetry which rhyme or have a similar length and metre.
dash	A punctuation mark used: in pairs to replace parentheses or brackets; informally to replace other punctuation. Dashes are not used with colons.
dictionary entry	Information given about a word in a dictionary, usually including the meaning, word class, related forms of the word and an example or examples of use.
draft	A preliminary written form of a piece of writing. Also (as a verb) the process of working on the composition of a document.
edit	To change written work, especially grammar, spelling, punctuation and vocabulary, in preparation for publishing. Editing may take place at the same time as, or following, drafting and revising.
ellipsis	Signifies that something has been left out. For example, *He built a house. The ultimate house.* The second sentence assumes that *He built a house* also operates here. Sometimes ellipsis is indicated by three dots (…), especially in quotations.
epic poetry	Poetry which deals with the doings of a legendary or heroic figure.
exclamation	A type of sentence expressing emotion that is concluded with an exclamation mark. Exclamations can be short sentences without verbs (minor sentences), e.g. *Help!* This is one of four sentence types (the others being question, statement and imperative).
explanation text	A text written to explain, usually including a description and explanatory sequence. Characterized by non-chronological order and connectives reflecting time or cause.
fable	A short story conveying a moral lesson.
fiction/non-fiction	Fiction is a text invented by the speaker or writer. Although the author or speaker creates the characters, setting and plot, sometimes one or more of these may be based on real life. Non-fiction is a text about real events, feelings or things.
figurative language	The use of simile or metaphor to create an impression or mood.
flow chart	A diagrammatic representation of a process, an activity or the events in a story or recount.
format	The way a text is arranged and presented, e.g. book, leaflet, poster. The format also refers to structural devices like headings and diagrams.
formal language/ informal language	Formal language is the speech and writing we use in formal situations, e.g. a committee report. Informal language is used for less formal writing, such as a letter to a friend. The formality of language is determined by the grammar and vocabulary used.
free verse	Poetry which is unconstrained by metre or rhyme.
full stop	A full stop is a mark used to end a sentence when the sentence is not a question or exclamation, e.g. *My name is Freda.*
gender words	Words that indicate gender (masculine or feminine), usually nouns, e.g *prince* and *princess.*
generic structure	The way a text is structured to match its purpose.
genre	A genre is a type of writing (or speech) that achieves a particular social purpose. In doing so, certain structural and language features become characteristic of particular genres. For instance, a recount tells the reader what has happened and in doing so usually uses the first person, the past tense and chronologically ordered writing including temporal connectives. Genres rarely exist in totally pure forms or in isolation. Common fiction genres include: mysteries, plays, poetry, romance, science fiction, etc. Non-fiction genres include: recount, discussion, explanation, report, persuasion, instruction.
grapheme	The smallest written units of the language; the letters of the alphabet.
grammar	An account of the rules which govern a language, or the study of the syntax and morphology of a language.
greeting	The words used to begin a letter, usually *Dear…* The use of given or family names in the greeting depends on the level of formality of the letter.
guided reading	Reading taught in ability groups using texts matched to the abilities of the children. The activity is characterized by three phases • teacher introduction of the text, emphasizing purpose and reading strategies

Term	Definition
	• independent reading by the children, aloud for the very young and silently for older readers, with the teacher offering help and guidance when necessary • teacher and children discussing text, with the teacher drawing attention to successful reading strategies and cue use.
guided writing	Writing taught in ability groups using tasks matched to ability.
haiku	Japanese poetic form using three lines with 5, 7 and 5 syllables (17).
homonyms	Words with the same form but different meanings, e.g. *sow* seeds, the *sow's* piglets.
homographs	Words with the same spelling but different meanings, e.g. *Lead* pipe, dog *lead*.
homophones	Words which sound the same but have different meanings and, sometimes, spellings, e.g. *reed, read*.
hyphen	A punctuation mark linking two words, or parts of words, used as follows: to split a word at the end of a line, usually between syllables to clarify meaning: *the hundred-odd guests ...* to make two or more words into a single word: *user-friendly* to join a prefix to a proper noun: *neo-Marxist*.
idiom	A phrase used not with literal meaning, but understood by those who use it, e.g. *As high as a kite*.
imperative	An imperative word or sentence commands or tells the reader or listener to do something. In a simple imperative the verb is usually at the start of a sentence, e.g. *Put in the syrup*.
instruction text	Also known as procedural. A text which tells the reader what to do. Usually includes a statement of outcome, list of equipment/ materials and sequential steps. Often uses imperative sentences, temporal connectives and chronological order for steps.
internal rhyme	The use of rhyming words within a line of poetry.
intonation	The tone of voice used by a speaker or reader to add meaning.
language	Language is what people use to share their thoughts with each other. We talk with our voices. This is spoken language. When we write we make written language.
legend	A traditional tale which may be based on truth but which has been embellished over the years.
letter string	A group of letters which represents a pattern found often in English spelling.
limerick	A comic verse with five lines of 8, 8, 6, 6, 8 syllables and an A, A, B, B, A rhyme scheme.
metalanguage	The language used to discuss language itself.
metaphor	The use of a term to describe a word which cannot be literally true, e.g. *a howling mistake*.
morpheme	The smallest unit of meaning in a word. Words can have one morpheme (*dog*), or more (*un / think / ing*). Prefixes and suffixes are called affixes and are morphemes.
myth	An old story which usually addresses some problem of human existence and may explain natural phenomena.
narrative text	A text which retells events, usually with a chronological sequence. Narrative is generally at least partly fictional. May be poetry or prose.
noun	A word that names a being or thing (concrete noun) or concept (abstract noun). Nouns can be singular (one) or plural (more than one). Proper nouns name people, places, etc. and start with capital letters, e.g. *Fred*. Common nouns name a sort of thing, e.g. *dog*. Collective nouns name a group of people or things, e.g. *herd*. Abstract nouns name a concept, idea or feeling, e.g. *love*.
ode	A lyric poem, usually in the second person, addressed to the subject of the poem.
object	The clause element of a sentence which expresses the result of an action. The object is also the goal or recipient of the action, e.g. *The boxer punched his opponent*.
onomatopoeia	Words which sound in some way like their meaning, e.g. *pow!*
onset	The initial consonant or consonant cluster in a syllable, e.g. *cat*
palindrome	A word or phrase which is the same read left to right or right to left, e.g. *Anna*.
paragraph	A section of a written text. A new paragraph begins on a new line, often preceded by a line space, and sometimes with indentation, although this is becoming less common. A new paragraph signals a change of theme, time or place, or speaker.

Term	Definition
participle	The part of the verb that accompanies the auxiliary verbs *to be* and *to have*. • The present participle, which usually ends in *-ing*, is used with different tenses of the verb *to be* to form the continuous tense: *she is walking, she will be going*. • The past participle follows *has, have* or *was* and usually has a normal past tense ending: *He was chased by the dog*.
passive voice	When the subject of a sentence (or phrase) is acted on by the verb, this is called the passive voice. *The boy was bitten by the dog.* (passive) *The dog bit the boy.* (active) Often used in formal or scientific writing, the passive is considered less personal and is harder to read.
person	A text may be written in the first, second or third person, indicated by the use of pronouns and verbs, as below: PERSON SINGULAR PLURAL 1st I am we are 2nd you are you are 3rd he/she/it is they are The first person is often used in autobiography, diaries, etc. Narratives are usually in the first or third person. Texts which directly address the reader, such as procedural texts, are in the second person.
phonological awareness	Awareness of the sounds within words.
phrase	A cluster of words, smaller than a clause and usually not including a verb. There are several types of phrases: noun phrase: *I like **my green pyjamas**.* verb phrase: *She **went on running** for hours.* adverbial phrase: *She read **with intense concentration**.* adjectival phrase: *The dog **with the waggly tail**.* prepositional phrase: *The dog is **on the blanket**.*
phoneme	The smallest unit of sound in a word. There are 44 phonemes in most English accents.
plan	The intentions of the writer for a piece of writing before a draft is written. Plans can be in the form of thoughts, notes, diagrams and pictures.
plot	The narrative element in fiction and drama. The plot is distinguished from the story by the causal quality which links episodes, reveals significances and reaches a conclusion.
plural	More than one. For regular nouns the plural is formed by adding an inflectional suffix (-s). Many nouns are irregular in the plural, e.g. *feet, children*.
predicate	The clause element of a sentence that gives information about the subject, e.g. *Alexander **grizzled and cried all day***.
preposition	A word describing the relationship between two nouns (or pronouns or a noun and a pronoun), e.g *on, under, in*. Traditionally it has been considered incorrect to finish a sentence with a preposition but this can lead to awkward sentences and is no longer considered a firm rule.
pronoun	A word that can be substituted for a noun or noun phrase. demonstrative: *those, these, this, that* indefinite: *some, each, several, more* interrogative: *who, whose, when, whom* personal: *them, they, you, us, I, me* reflexive: *itself, yourself, herself, themselves* relative: *that, who, whose, which, what* reciprocal: *one another, each other*
punctuation	A set of graphic signs used to mark written language to help readers' understanding. It is useful to consider punctuation as the intonation of writing.
question	A type of sentence which demands a response from the reader or listener. A question ends in a question mark.
recount	A recount is a (usually non-fiction) text type that informs the reader about events which have happened. Recount is characterized by chronological order, particular participants and the use of the past tense. Recounts may take the form of narratives, letters, books, etc.
regular/ irregular verb	Verbs which form the past tense using the inflected suffix *-ed* are considered regular. Verbs which form the past tense in other ways are considered irregular, e.g. *run, swim*.
report text	A non-chronological text which describes or classifies. Reports usually include a defining paragraph and paragraphs of description. Often includes the continuous present and generic participants.

Term	Definition
rime/rhyme	A rime is the part of a syllable containing a vowel and final consonant, e.g. *cat*. Words ending in the same rime sound are said to rhyme, even when the sound is not written in the same way.
root word	A word to which affixes may be added to make other words, e.g. *un-**print**-able*.
revise	To examine and amend a written piece. Usually refers to making qualitative changes, rather than spelling or other transcription details.
semi-colon	A punctuation mark which usually co-ordinates clauses. It can be used to separate two clauses of equal weight. *I love sunshine; David prefers the shade.* Semi-colons can also separate items in a list, especially when they are phrases or clauses, e.g. *I bought: a fresh chicken; a bunch of juicy grapes; some delicious chocolate.*
sentence	A sentence is a piece of language that can stand by itself and make sense. In writing, the first word of a sentence starts with a capital letter and the sentence ends with a full stop (.), exclamation mark (!), or question mark (?). The main sentence types are: statement, question (interrogative), imperative (command) and explanation. Simple sentences have only one clause. Compound sentences have two clauses of equal weight joined by a conjunction, *e.g. The boy ate the sweets and he drank some pop.* Complex sentences contain one or more main and subordinate clauses, e.g. *The boy, who was very greedy, ate some sweets and, instead of going home, drank some pop.*
setting	The place and time of events in a story.
shared reading	A technique in which an expert reader models the reading process, cue use and reading strategies by reading to learners.
shared writing	A technique in which an expert writer models the writing process by writing with the involvement of learners.
simile	A sentence or phrase which creates an image in the reader's mind by comparing the subject to something else, e.g. *as free as a bird.*
singular	The form of the noun which indicates one of something.
sonnet	A poem of 14 ten-syllable lines.
speech marks	Inverted commas that indicate the words spoken in direct speech. Speech marks enclose any punctuation that belongs to the sentence spoken. A comma is enclosed within the speech marks when an utterance is interrupted, e.g. *"But he can't," she said "he just can't have it!"*
standard English	The dialect of English that is normally used for formal or business interactions. The usual form of written English, unless direct speech in a different dialect is written down.
statement	A sentence which gives information but does not demand a response.
stanza	A verse or set of lines of poetry with a pattern that is repeated though the poem.
subject	The clause constituent of a sentence which is the agent, e.g. ***John** kicked the ball.*
syntax	The grammatical relationships between words.
tense (past tense, present tense future tense)	Tense tells us when something is happening. Past: something has already happened. simple past: *I talked to my friend yesterday.* past perfect (refers to an event with current relevance): *I've broken the window.* Present: something is happening now. simple present: *He goes past every day.* progressive present: *He is reading a timetable.* Future: something will or may happen. There is no tense choice for the imperative, *Play more quietly,* or the subjunctive, *We insisted that he play more quietly.*
theme	The subject of a piece of writing which may be stated directly or inferred by the reader.
verb	A verb is a word that tells us what people are doing or being. Verbs can be in the past, present or future tense. Verbs can be active or passive: *The boy **kicked** the ball* (active); *The ball **was kicked** by the boy* (passive). An auxiliary verb changes the voice or mood of another verb in a verb phrase. *To be, to have, to do, can, could, ought, shall, will, used* and *to need* are auxiliary verbs. See also regular/irregular verb.
vowel	See consonant/vowel.

Further reading

Books and articles mentioned in the text

Baker, L. & Brown, A. (1984) 'Metacognitive skills and reading', in Pearson, D. (ed) *Handbook of Reading Research*, New York: Longman

Brown, A. (1979) 'Theories of memory and the problems of development: activity, growth and knowledge' in Cermak, L. & Craik, F. (eds) *Levels of Processing in Human Memory*, Hillsdale, New Jersey: Erlbaum

Brown, A. (1980) 'Metacognitive development and reading' in Spiro, R., Bruce, B. & Brewer, W. (eds) *Theoretical Issues in Reading Comprehension*, Hillsdale, New Jersey: Erlbaum

Garner, R. & Reis, R. (1981) 'Monitoring and resolving comprehension obstacles: an investigation of spontaneous text lookbacks among upper grade good and poor comprehenders', *Reading Research Quarterly*, 16, pp. 569–582

Gilroy, A. & Moore, D. (1988) 'Reciprocal teaching of comprehension-fostering and comprehension-monitoring activities with ten primary school girls', *Educational Psychology*, 8 (1/2), pp. 41–49

Lave, J. & Wenger, E. (1991) *Situated Learning*, Cambridge: Cambridge University Press

Medwell, J. (1993) 'A critical look at classroom contexts for writing' in Wray, D. (ed) *Literacy: Text and Context*, Widnes: United Kingdom Reading Association

Moore, P. (1988) 'Reciprocal teaching and reading comprehension: a review', *Journal of Research in Reading*, 11 (1), pp. 3–14

Morgan, R. (1986) *Helping Children Read*, London: Methuen

Ogle, D.M. (1989) 'The "Know, Want to Know, Learn" Strategy' in Muth, K.D. (ed) *Children's Comprehension of Text*, Newark, Delaware: International Reading Association

Palincsar, A. & Brown, A. (1984) 'Reciprocal teaching of comprehension-fostering and comprehension-monitoring activities', *Cognition and Instruction*, 1 (2), pp. 117–175

Rumelhart, D. (1980) 'Schemata: the building blocks of cognition' in Spiro, R., Bruce, B. & Brewer, W. (eds) *Theoretical Issues in Reading Comprehension*, Hillsdale, New Jersey: Lawrence Erlbaum

Tonjes, M. (1988) 'Metacognitive modelling and glossing: two powerful ways to teach self responsibility', in Anderson, C. (ed) *Reading: The abc and Beyond*, Basingstoke: Macmillan

Vygotsky, L. (1962) *Thought and Language*, Cambridge, Mass.: MIT Press

Vygotsky, L. (1978) *Mind in Society*, Cambridge, Mass.: Harvard University Press

Waterland, L. (1985) *Read with Me*, Stroud: Thimble Press

Wray, D. & Medwell, J. (1991) *Literacy and Language in the Primary Years* London: Routledge

Further reading you would find useful

Cambourne, B. (1988) *The Whole Story*, Leamington Spa: Scholastic

Lewis, M. & Wray, D. (1995) *Developing Children's Non-fiction Writing*, Leamington Spa: Scholastic

Littlefair, A. (1991) *Reading All Types of Writing*, Milton Keynes: Open University Press

Wray, D. (1995) *English 7–11*, London: Routledge

Wray, D. & Medwell, J. (eds) (1994) *Teaching Primary English: the State of the Art*, London: Routledge